ハヤカワ文庫SF
〈SF1634〉

虎よ、虎よ！

アルフレッド・ベスター
中田耕治訳

早川書房
6232

TIGER! TIGER!

by

Alfred Bester

Translated by

Koji Nakata

Published 2008 in Japan by

HAYAKAWA PUBLISHING, INC.

This book is published in Japan by

direct arrangement with

THE MARSH AGENCY LTD.

トルーマン・ターリイに

虎よ、虎よ！

第一部

虎よ！　虎よ！　ぬばたまの
夜の森に燦爛《さんらん》と燃え
そもいかなる不死の手　はたは眼の
作りしや、汝がゆゆしき均整を

ウイリアム・ブレイク

プロローグ

まさに黄金時代だった。雄渾《ゆうこん》な冒険が試みられ、生きとし生けるものが生を謳歌《おうか》し、死ぬことのむずかしい時代だった……しかし、誰ひとりそんなことを考えてはいなかった。これこそ、富と窃盗、収奪と劫略《ごうりゃく》、文化と悪徳の未来の実現だった……しかし、誰ひとりそのことを認めてはいなかった。いっさいが極端にはしる時代であり、奇矯《ききょう》なものにとって魅惑的な時代だった……しかしそれを愛するものとてなかった時代なのである。

太陽系のなかで人が居住できる世界には、ことごとく人が住んでいた。あらゆる時代の人びととおなじように、彼らもまたきまって別の時代にあこがれていたのだが、とにかく三つの惑星、八つの衛星群、十一兆の人間が、有史以来もっとも活動的な時代にひしめいて生きていた。

太陽系は活動でわきたっていた……闘争し、食料を求め、生殖をおこない、まだ古い工学を充分にまなび終えないのにあたらしくあらわれてきた工学をまなび、深宇宙にあるはるかな星群に向かって処女探検をこころみる準備にいそしんでいた。しかし――「あたらしい辺境《フロンティア》はどこにあるのか？」時代おくれのロマンティストたちはそう叫んでいた。二十四世紀になったときすでに、精神の辺境《フロンティア》が木星の衛星カリストの研究所に開かれていたことに彼らは気がつかなかったのだ。

ジョウントという名前の学者が、ふとしたあやまりから自分の長椅子で火につつまれ、救急消火員に救援をもとめて叫び声をあげた。ところがどうしたことか、そのときのジョウントは消火員のすぐそばに立っていた。ジョウント自身だけでなく、ジョウントの同僚も、消火員もあっとおどろいた。消火員の話では、このときのジョウントは研究室の椅子から一瞬にして二十メートルも動いたという。

みんなはジョウントの危急を救ってから、彼が瞬間的に二十メートルも動いた理由と原因の調査にかかった。精神感応移動《テレポーティション》――精神のはたらきだけで、人間が空間を移動すること――は、それまでは、一個の理論的概念だった。なるほど以前にもこうした事実があったことは、不充分なものだったが、数百におよぶ証拠記録が残ってはいた。しかし専門的なオブザーヴァーの眼の前で起ったのは、これがはじめてだった。

彼らはこの〝ジョウント効果《エフェクト》〟なるものを徹底的に調査した。この事実は一世を震撼《しんかん》させる大事件だったし、ほかならぬジョウント自身がこの奇妙な事実に自分の名をつけて永遠不滅のものにしたいと思ったのもむりはなかった。彼は遺書を書いた。同僚の研究家たちは、もし必要とあれば彼を死なせてもこの現象を解こうと決心していたから、ジョウントは自分が実験で死ぬかもしれないという予感がしたのだった。いよいよ実験となったら間違いなく死ぬはずだった。

さまざまな分野にわたる心理学者、超心理学者、神経学の専門家などが十二人、オブザーヴァーとして招かれた。実験者たちは絶対にこわれない水晶の水槽にジョウントを入れて密閉した。彼らはヴァルヴを開いて水槽に水を注入した。ジョウントは彼らがヴァルヴのハンドルをたたきこわすのを見ていた。水槽を開けることは不可能だったし、水の流れこむのをとめることも不可能だった。

この仮説は、つぎのようなものだった。つまり、死の危険にさらされたジョウントが感応移動《テレポート》をした以上、いっそ彼を人為的に死の脅威にさらさせてみたらどうか、ということにほかならない。

水槽はたちまちいっぱいになった。オブザーヴァーたちは、日蝕観測写真班のように緊迫した正確さでデータを集めた。水槽のなかでジョウントはみるみるおぼれはじめた。その瞬間、彼は水槽の外に出て、水のしずくをぼたぼたたらしながら、はげしく咳きこんでいた。またしてもテレポートをおこなったのだ。

専門家たちは彼をしらべ、質問をこころみた。さまざまなグラフやレントゲン写真、神経の型状やからだの化学変化を詳細にしらべた。やがてジョウントが本当にテレポートをおこなったらしいということになって（これは秘密にしなければならなかった）、こんどは自殺志願者を募集した。彼らはテレポーテイションの方法に関してはまだ原始的段階だったので、この現象をおこすためには死の危険にさらされるしかないとおもっていたのだった。

彼らは自殺志願者に対して事情をよく説明した。ジョウントは、自分の行動と、その行為を彼自身がどう考えるかという講義をした。それから彼らは志願者たちを実験にかけて殺しはじめた。溺死させたり、絞殺したり、焼死させたり、死にいたる過程をおくらせたり調節するあたらしい方式を発明した。およそ死ぬことが対象となればどんな手段をとってもいいと考えたのだった。

志願者の八十パーセントが死亡した。殺人者たちの苦悩と良心の呵責については、なかなか興味もあるし、しかもおそろしい研究材料になるだろうが、しかし、それも歴史においては、この時代の奇怪さを強調する以外のなにものでもなかった。志願者の八十パーセントは死亡したが、二十パーセントはジョウントしたのである（ジョウントの名前はその実験の直後に新語になった）。

「ロマンティックな時代に戻ろう！」ロマンティストたちは主張した。「雄渾な冒険に自らの生涯を賭けることができたあの時代に」

知識体系は急速に拡大した。二十四世紀の最初の十年までにはチャールズ・フォート・ジョウント自身による学校が開設された。ジョウントの諸原理が確立され、当の彼は五十七歳、歴史的人物になっていたが、自分が二度とジョウントをおこなおうとしなかったことを認めるのを恥じていた。

しかし原始的な時代は過去となった。もはや、テレポートをおこなわせるために死をもって脅《おび》やかす必要はなかった。彼らは、精神の無限にあたらしい資源を人間に認識させ、訓練し、開発させる教授方法を体得したのだった。

正確には、人間はどのようにしてテレポートしたか？　公式の記者会見の席上、ジョウント大学の渉外部長スペンサー・タムスンは不満足きわまる説明をおこなった。

タムスン　ジョウントすることは、いわばものを見ることに似ています。それはほとんどすべての人間のオーガニズムの本質的な適応性ですが、これは訓練と経験によってのみ発展させ得るのです。
新聞記者　練習しなければ、ものを見ることができないという意味ですか？
タムスン　あなたはまだお若いからむりもない。結婚の経験がないか、お子さんがないらしい……どうやら両方とも図星でしょう。
（笑声）

新聞記者　わかりませんね、そんなことをおっしゃっても。
タムスン　眼を使うことをおぼえようとしている幼児を、じっくり観察したことのあるひとなら誰でもわかりますよ。
新聞記者　しかし、テレポートというのはなんなのです？
タムスン　精神の努力だけで瞬間的に、ある場所から他の場所へ移動することです。
新聞記者　つまりですね、わたしたちは……たとえば……ニューヨークからシカゴに瞬時に移動できると考えられるわけですか？
タムスン　そのとおりですが、ただし、ひとつだけはっきり理解していただかなければなりません。ニューヨークからシカゴにジョウントするにあたって、テレポートをおこなうひとは出発の際に、自分がどこにいて、どこに行こうとしているかを正確に知っている必要があります。
新聞記者　どんなことです？
タムスン　もしあなたが暗い部屋のなかにいて、自分がどこにいるかわからない場合、どこにジョウントするにしても安全にはできません。それに、自分のいる場所を知っていた場合でも、見たこともない土地へジョウントしようとすれば、けっして生きて到着はできないのです。未知の出発点から未知の目的地へジョウントすることはできません。いずれをも記憶し、視覚にとらえて知っていなければならないのです。

新聞記者　しかし、かりに自分のいる場所と行先を知っていれば……？

タムスン　かならずジョウントして到着できますよ。

新聞記者　裸のままでつくんですか？

タムスン　裸で出発すればね。

（笑声）

新聞記者　つまり、着ているものもいっしょにテレポートができるのか、という質問ですが？

タムスン　テレポートする場合、自分が着ているもの、自分が運べるものならなんでも同時に移動します。あなたをがっかりさせたくないんですが、ご婦人がたの着物もいっしょにつくのです。

（笑声）

新聞記者　しかし、それをおこなう方法は？

タムスン　わたしたちが思考する方法は？

新聞記者　精神で考えますよ。

タムスン　それでは精神はどのようにして考えますか？　思考の過程はどうですか？　いったいわたしたちは、どのようにして記憶し、想像し、推測し、創造するのです？　脳細胞はいったいどのように作用しますか？

新聞記者　知りませんね。知るものですか。

タムスン　わたしたちがどのようにしてテレポートをおこなうものか、誰もはっきり知らないのですが、それができることはわかっています——ちょうど考えることができることを知っているように。デカルトの名前をご存じですか？　彼は〝我思う、故に我あり《コギト・エルゴ・スム》〟といいました。わたしたちは、〝コギト・エルゴ・ジョウンテオ〟、すなわち〝我思う、故に我ジョウントす〟と申しあげたい。

もしタムスンの説明が人を食っていると思うなら、ジョン・ケルビン卿が王立協会に提出したジョウンティングのメカニズムに関する報告書を調べてみよう。

> 距離感応移動《ジョウンティング》の能力はニッスル体か、もしくは神経細胞の虎斑《タイグロイド》質に関連がある、という説をわれわれは立てた。タイグロイド質は三・七五グラムのメチレンブルーおよび一リットルの水に溶解した一・七五グラムのヴェネチアン石鹸を用いるニッスル法によってきわめて容易に実証される。
>
> タイグロイド質のあらわれない場合、ジョウンティングは不可能である。テレポーテイションはタイグロイド機能である。
>
> （拍手）

視覚でその場所を認識する能力と精神を集中する能力、このふたつの能力を発展させたものは誰でもジョウントをおこなうことができた。テレポートしたい場所を完全、かつ正確に視覚化しなければならなかったし、目的地に到達するために精神の潜在エネルギーを集中しなければならない。なかんずく、信念をもたなければならなかった——チャールズ・フォート・ジョウントにはその信念がなくて、ついに二度とジョウントできなかったのだ。自分がジョウントするということを信じなければならない。ほんのわずかの疑念がきざしただけで、テレポートに必要な精神力の障害になる。

人間が生まれながらにもっているさまざまな限界は、必然的にジョウントの能力を制約する。みごとに視覚表象をおこない、正確に目的地点をきめながら、到達する力に欠けていた者もあった。また、力はあっても、いうなれば、ジョウントする場所を見ることができなかった者もいた。そして究極の限界は空間であった。なぜなら、かつて千六百キロメートル以上ジョウントした者はいなかったからである。人間は陸と海をジョウンティングして、北極からメキシコまでとぶことはできたが、千六百キロを越えることはできなかったのだ。

二四二〇年代にはつぎに掲げる形式の就職申込用紙が一般的なものになっていた。

かつての自動車交通課はあたらしい業務をはじめ、定期的に試験をおこない、ジョウント志願者の等級をつけ、旧アメリカ《A》自動車《A》協会《A》はアメリカ《A》・ジョウント《J》協会《A》と改称した。

この余白は網膜型記入のこと

姓名（大文字使用）

住所（戸籍）

大陸

州　郡

ジョウント・クラス（１つだけ印をつけること）

- □ **M**（1600 キロメートル）
- □ **D**（800 キロメートル）
- □ **C**（160 キロメートル）
- □ **L**（80 キロメートル）
- □ **X**（16 キロメートル）
- □ **V**（8 キロメートル）

多くの専門家やバカなものずきまでがやってみたが、あらゆるこころみにもかかわらず、誰ひとり宇宙空間をジョウントできたものはなかった。たとえば、ヘルムート・グラントは月にジョウントする場所を記憶するために一カ月費し、タイムズ・スクェアからケルパー市《シティ》に至るおよそ四十万キロの軌道の全航程を心に描いた。グラントはジョウントをおこなって姿を消した。それっきり失踪したのである。ロサンジェルスの信仰復興論者で天国をもとめていたエンツィオ・ダンドリッジが行方不明になった。超物理学者ヤコブ・マリア・フロイントリッッヒは、つねに深遠なる超次元空間のことしか考えていなかったのでこれまた失踪した。いかがわしいことばかりやってのけるので有名だったシップレック・コーガンをはじめ、熱狂した者や、ノイローゼ患者、逃避主義者、自殺者たちが何百人となく、おなじ結果になった。宇宙空間はテレポーテイションには閉ざされていた。ジョウンティングは太陽系の惑星の表面に限定されていたのだ。

しかし、三世代もたたないうちに、太陽系のすべての惑星上、衛星上がジョウント可能範囲となった。その変化たるや、かつての四世紀前の馬と馬車の時代からガソリン時代へ推移したとき以上に壮観であった。三つの惑星と八つの衛星では、社会、法律、経済の秩序が崩壊していたが、一方では全太陽系で、ジョウンティングの要求するあたらしい慣習や法規がいれかわってぞくぞく生まれてきた。

ジョウントする貧乏人がスラム街を見すてて、平原や森林に不法侵入し、家畜や野生の動物をおそい、暴動が各地に起った。家庭や官庁には革命が起った。ジョウントによる不法侵入をふせぐため、迷路を作ったり迷装をほどこすなどの工夫がとられなければならなかった。ジョウント時代以前の産業はほろび去ってゆき、倒産、恐慌、ストライキ、そして飢餓がおそいかかってきた。

ジョウントをする放浪者が病気や害虫を無防備の国土に持ちこみ、疾病《しっぺい》、流行病が荒れ狂った。マラリア、象皮病、デング熱が北国のグリーンランドをおそった。狂犬病はじつに三百年ぶりに英国にもどってきた。日本甲虫、柑橘《かんきつ》類の鱗虫、栗毛虫、楡食虫が世界じゅういたるところに蔓延し、ボルネオの、ある忘れられた病源地から、すでにかなり前に絶滅したと思われていたハンセン病がふたたび発生した。

犯罪の波は惑星や衛星をおそい、暗黒街の住人は夜になると絶えずジョウントを敢行した。警察がただちに彼らを撃退するために出動し、残虐な行為がいくつも発生した。社会は、ジョウントの性的な、あるいは道徳的危険に対して倫理と禁忌の概念をふりかざして闘ったが、それにつれてさかんになってきたあのヴィクトリア朝時代めいた、まことにお上品ぶった風潮に対するおそろしい報復が起った。残酷なおそろしい戦争が内部惑星――金星、地球、火星――と外部の諸衛星の間で勃発した――戦争はテレポーテイションの経済的、政治的圧迫によって発生したのだ。

ジョウント時代が到来するまでは、三つの内部惑星（および、月）は、七つの外部の衛星（木星のイオ、エウロパ、ガニメデ、カリスト、土星のリア、タイタン、海王星のトリトン）と微妙な経済均衡をたもって生存してきた。外衛星同盟は内惑星連合の工場へ原料を供給し、かつ、その製品の市場となっていた。十年もたたないうちにこの均衡はジョウントによって打破された。

生産部門においてはまだ未発達の若い世界である外衛星同盟は、内惑星連合の輸送機生産量の七割を購入してきた。ジョウントによってこれが打ちきられた。彼らは内惑星連合の通信機材生産量の九割を購入してきた。ジョウントによってこれもまた打ちきられた。したがって、惑星群への衛星群からの原料の輸入は減少した。

貿易関係が断絶すれば、経済戦争が変じて実弾の戦争となることは必至だった。内惑星連合は、競争から自己を守るため、外衛星同盟に生産施設を輸出することを拒否した。衛星群はすでに衛星上で操業を開始していた惑星群の工場を没収して、特許協定を破棄し、特許料支払いを履行《りこう》しなかった。……かくして戦争が勃発したのである。

この時代は奇形と、怪物と、グロテスクの時代であった。全世界は、おどろくべき悪意の道程をたどっていた。これを憎んだ古典主義者やロマンティストは、二十五世紀にひそむ偉大さに気がつかなかった。彼らは発展という冷厳な事実を知らなかった――すなわち、進歩は極度の奇形の結合による、およそ対蹠的なものの不調和な合併から生じる。古典主義者、および、ロマンティストは、このとき太陽系がまさに、ある人間の爆発を起そうとして震動していたことを、いずれも気がつかなかった。この爆発こそ人間を変形して宇宙の主《あるじ》たらしめんとするものであった。

この物情騒然たる二十五世紀を背景として、ここにガリヴァー・フォイルの復讐の物語がはじまる。

1

百七十日間も死に瀕《ひん》していながら、まだ死にきってはいない。罠にかかった野獣の情熱で生きのびようとして闘ってきたのだ。精神は錯乱し、意気沮喪《いきそそう》していたが、ときおり原始的な心情が燃えるような生の悪夢からあらわれて、何か正気に近いものを喚《よ》び起すのだった。

そのとき彼は神に向かって呆《ほう》けた顔をあげてつぶやく。

「おれはどうしたんだ？　助けてくれ、くそったれの神たちめ！　助けてくれ、それだけのことじゃないか」

神をすぐに冒瀆《ぼうとく》するのだった。半分は口先だけのものだった。二十五世紀の貧民街の学校を出たので、汚い言葉しか使えなかった。

生きとし生けるもののなかで、この男はおよそ価値のない生物にすぎなかったが、生き残れる可能性は非常に大きかった。

そのため闘いつづけたし、神を冒瀆しながらも祈りつづけたのだ。

しかし、混乱しきった精神は、どうかすると三十年前の幼年時代に逆行してゆく。

そして童謡が頭にうかんできた。

おれの名前はガリー・フォイル
そして地球《テラ》がおれの国
無限の宇宙に住んではいるが
やがては死こそわが宿命《さだめ》

この人物は、ガリヴァー・フォイル、三等機関士、三十歳、筋骨たくましく頑健……そして百七十日間、宇宙を漂流していた。

ガリヴァー・フォイル、給油、掃除、燃料庫係、ややもするとトラブルを起しやすく、冗談をいってもポカンとしているし、友達もほとんどいないし、人を愛するには怠けものすぎた。

彼の性格のとりとめのなさは正式の貿易船乗組員の記録が示していた。

ガリヴァー・フォイル　AS-128/127:006

教育　ナシ　技能　ナシ

賞罰　ナシ　長所　ナシ

〈評定〉

肉体的に強壮、知力は野心を欠くために未発達な人物。エネルギーは最低。通常の平凡人タイプ。予期せざる衝撃によって眼ざめる可能性なしとせざるも、精神分析担当者はその解決方法を発見し得ず。昇進を希望せず。人間失格の状態にあり。

まさしくこの男は人間失格の状態にたちいたっていた。この三年間、まるで重い甲冑《かっちゅう》をつけた人間のように、だらけて、何に対しても無関心で実存の瞬間から瞬間へとただよっていた——ガリー・フォイルは型にはまった普通人だった——しかし、現在の彼は宇宙空間のただなかを百七十日間ただよい、眼ざめるべきときが近づいていた。まさしく、今こそ大いなる眼ざめの扉が開かれようとしていた。

宇宙船《ノーマッド》は火星と木星の中間を漂流していた。全長九十メートル、幅三十メートルのなめらかな鋼鉄の戦闘艦の攻撃をうけて、この宇宙船はばらばらに破壊され、船室、船艙、甲板、隔壁などの残骸だけにされてしまった。船体の巨大な裂け目から、太陽に向かっている側には燦然《さんぜん》たるかがやきが見え、暗い側には霜のように斑《まだら》なす星群が見えた。宇宙船《ノーマッド》は太陽のめくるめく光をうけながら、凍てついて沈黙に閉ざされたくろぐろとした影の、重さのない空虚な物体だった。

残骸は、あたりに浮遊したまま、凍てついた破片のかたまりばかりだった。その破片は破壊されたこの船体のなかに、爆発の瞬間を撮った写真のように静止していた。おたがいの微細な引力作用で、小さな破片が徐々にいくつかのかたまりになり、そのかたまりはこの残骸にただ一人生き残ったAS・128／127：006ガリヴァー・フォイルが通路をとおりぬけるたびに飛散した。

彼はこの残骸のなかに無傷で残っていたただひとつの気密室に生存していた。主甲板通路から離れた位置にある器具ロッカーだった。このロッカーは、幅一メートル二十センチ、奥行一メートル二十センチ、高さ二メートル七十センチ。サイズはまさに巨人の柩《ひつぎ》であった。六百年前には、この大きさの檻に数週間も人を監禁することは、もっとも残酷な東洋的な拷問と考えられていた。しかし、フォイルはこの暗黒の棺桶のなかに、五ヵ月と二十日と四時間、生存していたのだ。


「おまえは誰だ？」

「ガリー・フォイルがおれの名前だ」

「どこからきた？」

「地球《テラ》がおれの国さ」

「いまどこにいる？」

「無限の宇宙のなかにいる」

「行先は？」

「目的地は死だ」


生存闘争の百七十一日目に、フォイルはこうした質問に自答して眼ざめた。心臓がはげしく鼓動し、咽喉《のど》がやけつくようだった。暗黒のなかで自分といっしょに棺に入っているエア・タンクを手さぐりで調べた。タンクは空《から》になっていた。ただちにもうひとつのタンクを手に入れなければならない。かくてこの日もまた死との闘いではじめられたのだった。ロッカーの棚を手でさぐって破れた宇宙服の所在をたしかめた。《ノーマッド》にはもはやこれひとつしかなかったし、フォイルは自分がどこでどうして見つけたか忘れてしまった。非常用噴霧器でその裂け目を修理したが、背中の酸素カートリッジにあたらしく酸素をつめたり交換したりすることはできなかった。フォイルはその宇宙服を着た。宇宙服の空気で五分間は真空の内部にいることができる——だがそれ以上はいられない。

フォイルはロッカーのドアを開けて暗く凍てついた星空の空間に出た。宇宙服の空気もいっしょに噴き出し、その湿気が凝結して小さな雪の雲になって主甲板の通路へさっと流れ落ちた。フォイルは空になったエア・タンクをロッカーから引き出してすてた。一分が経過した。

彼はくるりとからだをまわし、あたりに浮遊する破片のなかをとおり、船艙のドアに進んでいった。走ったのではなかった。およぐような、まるで重量感のない奇妙な進みかただった。足や、肘や、手をのばして、甲板や、壁や、角に突進してゆくのだが、水中を飛行するコウモリのように、空間をスロー・モーションで進んでゆくのだ。ドアから暗い船艙に突入する。二分が経過した。

あらゆる宇宙船とおなじで、《ノーマッド》は底荷を積載し、長い竜骨の上にずらりと並んでいるガス・タンクで強化されていた。竜骨は長い材木の筏《いかだ》のようで側面は配管が入りまじって敷設《ふせつ》してあった。一分かかってエア・タンクを一個とりはずした。酸素がいっぱい入っているものか、すでに使い果してしまったものか、せっかく苦労して気密室にもち帰ってもタンクが空で、そのためついに絶命してしまうかどうか、知るよしもなかった。週に一度、彼は空間で生命を賭けるゲームをつづけてきたのだ。

耳鳴りがした。宇宙服の空気が急速に汚れてきた。大きな筒《シリンダー》を船艙のドアに向けてぐいと引き、身をかがめてそれを頭に乗せ、うしろから押し出すようにした。ドアからタンクが勢いよくとびだした。四分が経過して、からだがふるえ意識が遠くなりかけてきた。タンクを主甲板の通路にはこび、ロッカーに押しこんだ。

ロッカーのドアをたたきつけるように閉めて錠をおろし、棚の上の金槌をとって凍てついたタンクを三度たたきヴァルヴをゆるめようとした。フォイルはハンドルをぐいっとひねった。最後の力をふりしぼって宇宙服のヘルメットをはずした。ロッカーに空気がいっぱいあるのにわざわざ宇宙服のなかで窒息することはない……このタンクに酸素が入っていればの話だが。以前に何度も気絶したように、このときもこれで死ぬのかどうかもわからないまま意識がかすんだ。

「おまえは誰だ？」

「ガリー・フォイル」

「どこからきた?」

「地球《テラ》」

「いまどこにいる?」

「宇宙」

「行先は?」


意識がよみがえった。生きているのだ。何にも祈らなかったし感謝の気もちもなかった。生きるための仕事をつづけるしかないのだ。暗黒のなかで、ロッカーの棚をさぐった。食料が置いてある。あとわずか数個の包みしか残っていない。

タンクの空気を宇宙服につめ、ヘルメットをしっかりと密着して、ふたたび霜と光のなかへ出ていった。主甲板通路をもがくようにして進み、そこに残っている階段をのぼって司令甲板へきた。ここはわずかに屋根が残っているにすぎなかった。壁はほとんど破壊されていた。

右に太陽を、星を左に見て、フォイルは船尾に出て倉庫に向かった。通路の中間で甲板と屋根のあいだに、四角く残っていたドアの枠を通りぬけた。ドアはまだ蝶番《ちょうつがい》についていて半分開いていたが、どこにも出られない。そのうしろには茫漠たる広大な空間と、絶えずきらめいている星屑があるだけだった。

フォイルは通りすがりに、ドアのクロームにきらりと映った自分の姿を眼ざとくとらえた——ガリー・フォイルは黒い巨人で、髭が生え、乾いた血と垢がこびりつき、痩せおとろえて病人のような眼をしていた——そして、いつも浮遊する破片の流れがつきまとっていた。彼の動きによってかきみだされたその破片の群れは、薄れゆく彗星の尾のように彼のあとをついてくるのだった。

フォイルは倉庫に入り、五カ月間の習慣になってきたすばやい正確さで略奪をはじめた。壜の大部分は固く凍って割れている。缶詰の大部分は、宇宙空間の絶対零度では缶が破裂するために中身はなくなっていた。フォイルは食料の包みや、濃縮飲料や、破裂した水槽の氷の大きなかたまりをかきあつめた。銅の大鍋に全部投げこんで、倉庫からいそいで外に出た。

帰りも、あの行きどまりのドアのところで、星々に象嵌《ぞうがん》されたクロームのドアに映る自分の姿を眼にとらえた。そのとき、彼はぎょっとして動きをとめた。ドアのうしろの星群にひたと眼を向ける。あれから五カ月経過した現在、星の群れはしたしい友達になっていたのだ。その星の群れのなかに闖入者《ちんにゅうしゃ》があらわれた。頭部は見えないが、短い尾をひいた彗星らしい。やがてフォイルは自分の凝視しているのが宇宙船であることに気がついた。後部からロケットの炎を噴きだしながら、太陽へ向かうコースに乗って、こちらへと急速に進んでくる。

「ちがう」と彼はつぶやいた。「ちがうにきまってるじゃないか、おい」

このところ、始終幻想に悩まされるのだった。もとの棺桶にもどりかけようとして、からだをまわす。そのときまたしても眼を凝らした。まさしく太陽に向かうコースを急速に進みながら、やがては彼の横を通りすぎる宇宙船が後部ロケットの炎を噴出している。幻想ではないかと神に向かって話しかけた。

「もう六カ月になるんですぜ」彼は下品な言葉でいった。「そうだろう？　おれの話を聞いてくれ、くそったれの神さま。おれはあんたに頼んでいるんだぜ。いいかい、もう一度あいつを見るからな、神さま。あいつが宇宙船だったら、おれはあんたのものになるよ。あんたにこの身を捧げるよ。だが、あいつがインチキだったら、いいな……もし宇宙船でなけりゃ、おれはここですぐに宇宙服を破ってからだごとふっとんでやるぜ。おれたちはおたがいに最低なんだ。さあ、神のお言葉ってやつを聞かせてくれよ。イエスかノーか、それだけでいいんだ」

これで見るのは三度目だった。三度目に眼にしたものは、やはり太陽へ向かうコースをとって彼の方角に突進しながら、後部ロケットの炎をぎらぎら噴出する宇宙船だった。

まさしく神の啓示だった。彼は信じた。救われるのだ。

フォイルはあわてててとびだし、司令甲板の通路をブリッジのほうへいそいだ。しかし、昇降通路で足をとめた。宇宙服にもう一度空気を入れなければ、たちまち意識を失ってしまう。彼は接近してくる宇宙船に哀願するような顔を向けた。いそいでロッカーに行き、服に空気をつめた。

コントロール・ブリッジにあがった。右舷の展望窓からあの宇宙船を見た。後部ロケットはまだ火を噴いている。あきらかにコースを大きく変更していた。ひどくゆっくりと彼に接近してきた。

フォイルは〈閃光信号〉と書いてあるパネルの非常用ボタンを押した。三秒間、必死の思いだった。非常信号が三回炸裂し、九個の遭難信号となって、白い閃光で眼がくらんだ。フォイルはまた二度ボタンを押した。さらに二度閃光が空間にかがやいた。その閃光の燃焼にともなう放射能は静かな音を出すので、どんな波長の受信機でも受信されるはずだった。

見知らぬ宇宙船の推進噴射が停止した。こちらを発見したのだ。救助されるのだ。あらたな生誕をむかえたのだ。ひどい興奮が彼をおそった。

ロッカーに駆けもどって、ふたたび宇宙服に空気を補給した。泣きはじめた。自分の所持品をかきあつめはじめた――ただ時刻《とき》を刻む音だけを聞くためにすてずにもっていた文字盤のこわれた時計、ひどい孤独感にとらえられたときに握りしめることにしていた手の形の柄《え》のついたレンチ、針金に爪をあてると原始的な音をかきたてる卵の攪拌器など。興奮のあまり思わずその品物を手から落した。あわてて暗闇のなかでかきあつめ、ひとり笑いをはじめた。

　また宇宙服に空気を満していそいでブリッジにもどった。〈救助〉のラベルのついた閃光信号のボタンをたたいた。《ノーマッド》の船体から小さな太陽がとびだし、炸裂して空間にただよった。何キロメートルにもおよぶ空間にきらめく白光を投げるのだった。

「さあ、たのむぞ」フォイルは、口のなかで歌うようにいった。「早くきてくれ。たのむ、たのむ、早く、早く」

　その見知らぬ宇宙船は幽霊魚雷のように閃光の最先端に姿をあらわし、ゆっくりと接近しながら彼を偵察した。一瞬、フォイルの心臓は収縮した。その宇宙船はひどく注意深い行動をとったので、外衛星同盟からきた敵側の宇宙船ではないかという恐怖を感じたのだ。やがて彼は舷側にあの有名な赤と青の商標、すなわち産業界に君臨するプレスタイン、絶大な力をもち、驚異的で、慈悲ぶかい地球のプレスタインのしるしを見たのだった。それでこれが姉妹船であることを知った。《ノーマッド》もプレスタインの宇宙船だったので、この船こそ宇宙の天使で、彼を守護するために示現したもうたのだという気がした。

「なつかしい姉妹」フォイルは歌うような声を出した。「やさしい天使、おれを故郷につれて帰ってくれ」

　姉妹船はフォイルの船の横にきた。舷側の明るい窓はなつかしい光を発していた。その船の名称と登録番号が、船体に発光塗料で〝ヴォーガ・T・一三三九〟と書いてあるのが見えた。その宇宙船は一瞬彼の船に並行したが、次の瞬間、通り過ぎて、そのまま姿を消した。

姉妹船はそっけなく肘鉄砲を食わせたのだ。天使は彼を見すてた。

フォイルはおどりあがるのもやめた。口のなかで歌を歌うのもやめた。狼狽しきって眼を投げた。閃光信号のパネルにかけもどってボタンを何度も押した。遭難、着陸、離陸、停船の信号が《ノーマッド》の船体から発射され、白、赤、緑の光の狂乱のなかにつぎつぎに閃き、必死に訴えた。ところが《ヴォーガ・T・一三三九》は沈黙したまま無情に通りすぎていったと思うと、後部ロケットの噴射の炎をかがやかせて太陽へ向かうコースを突進していった。

かくて、わずか五秒間のあいだに彼は生まれ、生き、死んだのだった。三十年も生き、六カ月も苦痛にさいなまれた果てに、平凡な普通人、ガリー・フォイルはもはや何者でもなくなった。鍵が彼の魂の錠に挿入され扉が開いた。ところがその内部からあらわれた者が、彼を永久に抹殺したのだ。

「きさまはおれを見すてたな」ゆっくりこみあげてくる激怒をこめて彼はいった。「おれを見すてて犬のようにくたばらせようとするんだな。おれをこのまま見殺しにするのだ。《ヴォーガ》……《ヴォーガ・T・一三三九》。いいか。おれはここを出てやるぞ。きさまについていくぞ、《ヴォーガ》。きさまを見つけ出してやる。この仇をとってやるぞ。

滅ぼしてやる。殺してやるぞ、《ヴォーガ》。殺してズタズタにしてやる」

胸をやきつくす激怒は、これまでガリー・フォイルをつまらない人間にしていた残酷な忍耐と不活発さを食い荒らし、つぎつぎに爆発する連鎖反応をうながして、ガリー・フォイルを地獄の機械へと変えた。彼は誓った。

「《ヴォーガ》、おれはきさまを徹底的に殺戮してやるぞ」


平凡な人間にはとうていできないようなことをやってのけた。自分自身を救済したのだった。

二日間というもの難破した部品をしらみつぶしにしらべあげて五分間ずつ略奪をおこなって、ついに肩につける装置を考案した。エア・タンクをその装置に接続し、即製のホースでタンクと宇宙服のヘルメットを連結した。彼は材木を引っぱる蟻のように、空間をはいずりまわったが、おかげで時間を気にせずに《ノーマッド》を自由に歩くことができるようになった。

彼は考えた。

コントロール・ブリッジのなかで、破壊された航行室に散乱したさまざまな操典《マニユアル》を調べながら、彼は、破壊されずに残っている宇宙航行機器を使用しようと考えたのだった。進級と給与の面で魅力があったにもかかわらず、この十年間、宇宙勤務につきながらこんなことをしようとは、ついぞ考えたこともなかった。ところが、今、彼は《ヴォーガ・T・一三三九》の残酷な仕打ちをうけたのだ。

視界をたしかめた。《ノーマッド》は太陽から五億キロはなれた黄道上の空間を漂流していた。眼の前にはペルセウス、アンドロメダ、魚座がちりばめられている。そのすぐ前景にうかんでいる汚れたオレンジ色の一点が木星だった。肉眼で見ると、くっきりした惑星の円盤だった。もし運が味方すれば、木星へと向かうことができ、救われるはずだった。

木星は、人が住んではいないし、これからも決して住めない。火星と木星の惑星の軌道間に散在する小惑星の軌道の向こうにあるすべての外惑星にひとしく、メタンとアンモニアの凍結したかたまりなのだが、都会と人口の集中しているもっとも大きな四つの衛星は、内惑星連合と交戦中であった。彼は戦時捕虜になるだろう。しかし《ヴォーガ・T・一三三九》に報復するためには、まず生きのびねばならないのだ。

フォイルは《ノーマッド》の機関室を調べた。いくつかのタンクには高圧燃料が残っていたし、四つの後部噴射推進ロケットのひとつは作動可能な状態にあった。フォイルは機関室のマニュアルを見つけて研究した。彼は燃料タンクとひとつ残った噴射燃焼室との連結を修理した。燃料タンクは船の太陽側にあったので氷点以上の温度に温まっていた。高圧燃料は依然液体だったが、流れようとしなかった。無重力状態では燃料をパイプに流すことはできなかった。フォイルはマニュアルを読み、理論的な重力に関して知ったことがあった。もし《ノーマッド》を回転させることができれば、船に充分な遠心力を与えて噴射燃焼室へ燃料を導入することができる。燃焼室に点火できれば、ひとつの噴射ロケットの片寄った推進が《ノーマッド》をぐるぐる回転させるのだ。

だが、はじめに宇宙船を回転させなければ噴射ロケットに点火することはできないし、はじめに点火しなくては回転させることはできない。

この行きづまりの突破口を考えた。彼は《ヴォーガ》のことからある着想を得た。フォイルは燃焼室の排気栓を開いて、さんたんたる思いをしながら手で燃料をいっぱいにした。ポンプに呼び水をしたのだ。さて、燃料に点火すれば、それは充分長いあいだ燃えて船を回転させ重力をあたえはじめる。そうすればタンクからの流入がはじまり、噴射推進がつづけられる。

マッチをつけようとした。

真空の空間では火はつかない。

火打ち石と打ち金をためしてみた。

宇宙空間の絶対零度においては火花は起らなかった。

電熱したフィラメントを考えた。

《ノーマッド》には、フィラメントを赤熱《しゃくねつ》させる電力などまったくなかった。

彼は本を見つけて読んだ。何度も意識を失いかけて、倒れそうになったが、彼は思考を追い、計画を立てた。

フォイルは氷結した水槽から氷をとってきて体温でそれを溶かし、その水を噴射燃焼室に加えた。燃料と水は融解しないから混和しなかった。水は燃料の上に薄い層になってうきあがる。

化学薬品倉庫から、フォイルは純粋のナトリウム金属を持ってきた。彼はそのワイヤーを開いた小さな栓のなかに挿入した。ナトリウムは水と接触したときに発火して、高い熱を発しながら燃えた。高圧燃料が小さな栓から入れられたワイヤーの炎で爆発し熱を放射した。フォイルはレンチで栓を閉めた。燃焼室には点火がおこなわれ、唯一の後部の噴射推進ロケットはめらめら炎を噴射し、音もなく震動して船体を揺すぶった。

中央から外《そ》れたジェット推進が《ノーマッド》をゆっくり回転させた。捻力がわずかな重力を起した。重さがよみがえった。あたりに散乱していた浮遊破片は甲板、壁、天井にぶつかった。そして重力は燃料をタンクから燃焼室へと流しつづけた。

フォイルはうれしさのあまり時間をむだにするようなことはしなかった。機関室を出て、コントロール・ブリッジから最後の運命的な観測をしようと必死の速度でもがきながら前進した。かくて、《ノーマッド》が深遠な宇宙に凶暴に突進してふたたび帰還不能となるか、それとも木星へ向かうコースをとって救助されるかがわかるはずだった。

わずかながらも重力が生じたために、エア・タンクを引きずりながら歩くことがほとんど不可能になった。加速度がはたらいたので、破片の群れが《ノーマッド》のなかを後方に飛ばされた。

フォイルが昇降階段をあがって司令甲板に行こうとしたとき、ブリッジから通路へがらくたがいきおいよくもどってきて彼にぶつかった。この空間の雑草にぶつかったおかげで、長い空虚な通路をころがりながらもどされて隔壁に衝突し、ついに意識を失った。彼は半トンもある破片の中心に倒れ、希望もなく、かろうじて生命をとりとめていながら、しかし依然として復讐の憤怒にたけり狂っていた。

「おまえは誰だ？」

「どこからきた？」

「いまどこにいる？」

「行先は？」

2

火星と木星のあいだにひろびろとした小惑星《アステロイド》の帯《ベルト》がひろがっていた。既知のもの、未知のものの無数に群れつどうなかで、この奇形の世紀にとってきわめてユニークな存在は、サルガッソ小惑星であった。それは自然石や難破船の破片を集めて作った小天体で、二百年にわたって、その住民たちによって利用されていた。

彼らは野蛮人で、二十四世紀唯一の野蛮民族だった。彼らは二世紀前宇宙船が遭難し、小惑星帯にとり残された科学調査団一行の後裔だった。その子孫が発見されたときには、彼ら独自の世界と文化を築きあげ、地球にもどるよりは宇宙にとどまることを欲し、遭難者を救助したり、略奪したり、祖先から伝えられたその科学的方法を奇怪なかたちに発展させたりしていた。彼らはみずから科学人と称していた。世間はやがて彼らのことなどは忘れてしまった。

宇宙船《ノーマッド》は宇宙空間に弧を描き、木星に向かうコースでもなく、さらに遠い星へ向かうコースでもなく、死に瀕した微生物がゆっくり螺旋状に動くように、この小惑星帯を漂流していた。サルガッソ小惑星の二キロ以内を通過したとき、たちまちこの科学的民族に拿捕《だほ》され、彼らの小さな天体へ連行された。彼らはフォイルを発見したのだった。

ふと眼がさめてみると、彼は小惑星のなかの、自然と人工の通路を担架で運ばれていた。その通路は流星の金属や、石や、船体の金属板でできていた。遠い昔に忘れられた宇宙旅行時代の名称、例えば〝地球所属、インダス女王《クイーン》〟〝火星所属、シリタス流浪者《ランブラー》〟〝土星所属、スリー・リング・サーカス〟などの名称のついた金属板がいくつかあった。通路は大ホール、倉庫、アパート、住宅区域に通じ、これらの建物は救い集めた難破船体をセメントで固めたものだった。

木星の第三衛星ガニメデの大型平底船、ラッセル式砕氷船や船長用の連絡小艇、カリストの重巡や、けむりのようなロケット燃料をまだいっぱいつめている硝子体タンクを艤装した二十二世紀の燃料輸送船のあいだを、急いで運ばれた。この場所には二世紀にわたる収得物が集めてあった。おびただしい武器、書物、衣裳、機械、道具、食料、飲料、薬物、合成製品、代用品があった。

担架のまわりに寄ってきた群衆は勝ちほこるように、「分析しろ」といっせいに歌をうたった。一人の女の声が音頭をとるように興奮した声をあげた。

臭化アンモニア……一グラム半
臭化カリウム………三グラム
臭化ナトリウム……二グラム
クエン酸…………分析しろ

「分析しろ」科学人がどなっていた。「分析しろ」

フォイルは気が遠くなった。

ふたたび意識をとりもどした。宇宙服を脱がされていた。新鮮な酸素を摂取するために植物が栽培されている温室にいた。この部屋は、かつての鉱石輸送船の百メートルにおよぶ船体でできていた。一方の壁はまさしく難破船体の窓にそっくりで、円形、四角形、ダイヤモンド形、六角形の舷窓、あらゆる形や時代の舷窓がとり入れられ、巨大な壁はガラスと照明のとてつもないよせあつめになっていた。

はるかな太陽の光がさしこんできた。空気は暑く湿っていた。フォイルはぼんやりあたりを見まわした。悪魔のような顔が彼をのぞきこんでいた。頬、顎、鼻、眼瞼《がんけん》には古代のニュージーランド原住民、マオリ族のようにおそろしい刺青《いれずみ》をしていた。額にはJ♂SEPH（ジョゼフ）という刺青をしていた。そのジョゼフのOの字の右肩から小さな矢印が突き出している。これは火星をしめす記号だったし、男性《メイル・セックス》を示す記号として用いられたものだった。

「われわれは科学人種だ」そのジョゼフがいった。「おれはジョゼフだ。ここにいる連中はおれの仲間だ」

彼は身ぶりでしめした。フォイルは担架のまわりにあつまってにやにやしている連中をにらみつけた。そろって顔に刺青をしている悪魔の顔つきだった。額には名前が黥《ほ》られていた。

「いつごろから漂流したのか?」ジョゼフがきいた。

「ヴォーガ」彼はうなされたようにいった。

「おまえはこの五十年間で、はじめて生きて到着した人間だ。力の強い男だ。非常に。適者生存は聖《セント》ダーウィンの教義だ。きわめて科学的だ」

「分析しろ」と群衆がどなった。

ジョゼフは、医師が脈をとるような態度でフォイルの肘をつかんだ。悪魔のような口がおもおもしく九十八までかぞえた。

「脈は九十八・六」ジョゼフはいうと、体温計をとりだして、うやうやしくふった。「きわめて科学的だ」

「分析しろ」連中は声をそろえて叫んだ。

ジョゼフは壜をひとつとった。「肺用ヘマトキシリンおよびイオジン」というレッテルが貼《は》ってあった。「ビタミン？」ジョゼフがきいた。

フォイルが答えなかったので、ジョゼフは罎から大きな錠剤を出してパイプの容器に入れ、火をつけた。彼はいっぷくすると合図をした。三人の女がフォイルの前にあらわれた。女たちの顔にもおそろしい刺青があった。額にはジョオン（J♀AN）、モイラ（M♀IRA）、ポリイ（P♀LLY）という名前が黥《ほ》ってあった。Oの字の下には女性をしめす小さな十字がついていた。

「えらべ」ジョゼフがいった。「科学人種は自然陶汰を実行する。科学的な選択をおこなえ。遺伝学的に」

フォイルはまた気が遠くなって手を担架の外にだらりとたらして、モイラに一瞬眼を投げた。

「同化したぞ！」

いつのまにか、円蓋のある円形の室内にはこばれていた。室内は、遠心分離機、手術台、蛍光灯、消毒用煮沸器、外科用器具の入っているケースなど、古代の器具でいっぱいだった。

彼らがフォイルを手術台の上にしばりつけたので、彼はわめきながら身もだえした。彼らは食事をさせた。髭《ひげ》を剃ってからだを洗い清めた。二人の男が手で遠心分離機をまわしはじめた。それは戦闘の太鼓のような旋律的な音を発した。集合した人びとは足ぶみをして歌いはじめた。

彼らは古代の消毒用煮沸器のスイッチを入れた。それはぐらぐら沸騰して蒸気をたてた。彼らは古い蛍光灯のスイッチを入れた。それがショートして、蒸気のこもった室内に電光が飛んだ。

三メートルもある人間が手術台にあらわれた。台に乗ったジョゼフだった。彼は手術用の帽子とマスクをつけ、外科医のガウンを肩からフロアまで垂らしていた。そのガウンには、人体の解剖図が赤と青の糸で陰惨に刺繡されていた。

「余はここになんじをノーマッドと命名する」ジョゼフは節をつけていった。

群衆の叫びが高まった。ジョゼフはさびた缶をフォイルのからだの上にかたむけた。エーテルが出た。

フォイルは意識をうしなって眼の前が暗くなった。暗黒から《ヴォーガ・T・一三三九》が何度も突進してきては、太陽に向かうコースに去ってフォイルの血と脳髄をつらぬいた。最後には復讐を誓って沈黙しながら叫ぶのをやめることができなくなってきた。おぼろげながらからだを洗われたことや食事をしたこと、足ぶみや歌のことなどに気がついていた。やがて彼は眼をさました。あたりには沈黙があった。ベッドに寝ている。モイラという女が彼といっしょにベッドに寝ていた。

「きみは誰だ？」フォイルがかすれた声でいった。

「あなたの妻です、ノーマッド」

「なんだって?」

「あなたの妻です。あなたがわたしを選びました。わたしたちは接合体なのです」

「なんだって?」

「科学的に配偶されました」モイラはほこらしげにいった。彼女はナイトガウンの袖をまくりあげて腕を見せた。腕には四つの醜い傷があった。「結婚を象徴する古いもの、新しいもの、借りたもの、青いものの接種をうけたのです」

フォイルはベッドから出ようともがいた。

「ここはどこなんだ?」

「わたしたちの家です」

「誰の家だって?」

「あなたのです。あなたはわたしたちの一員です、ノーマッド。あなたは毎月結婚して多数の子どもをつくらなければなりません。それが科学的なことです。でもわたしが第一号です」

フォイルは彼女を黙殺してあたりを調べた。彼のいる場所は二十三世紀初期の小ロケット艇の主船室で……かつては私用のヨットだった。その主船室を寝室に作りなおしたものだった。

彼は舷窓によりかかって外を眺めた。この小艇は小惑星のなかに埋めこまれ、主船体《メイン・ボディ》に通ずる通路によって連結されていた。船尾へ行った。ふたつの小船室には酸素をとるための植物が室内いっぱいに栽培されていた。機関室は調理場に改装されていた。燃料タンクには高圧燃料があって、噴射燃焼室の上にある小さなストーブに送られていた。フォイルは前方に行ってみた。操縦室は応接間になっていたが、まだ作動可能であった。

彼は考えた。

船尾の調理場へ行き、ストーブをとりはずした。また燃料タンクをもとの噴射燃焼室に連結した。モイラはものめずらしげに彼についてきた。

「何をしていますか？　ノーマッド」

「出ていってくれ」フォイルは口ごもりながらいった。「《ヴォーガ》という宇宙船に用があるんだ。何をしようとしているかだって？　おれはこの船で飛び出そうとしているだけさ」

モイラはおどろいてうしろに退った。フォイルはその眼つきに気づくや、彼女をつかまえようととびかかった。ひどく足をひきずっていたので、彼女はらくに身をかわした。彼女はするどい悲鳴をあげた。その瞬間、大音響が船じゅうに鳴りわたった。ジョゼフと、あの悪魔の顔をした仲間の科学人が外で金属の船体をがんがんたたいて、新婚者のための科学的な騒音儀式をつづけていたのだった。

フォイルがしつこく追いかけると、モイラは悲鳴をあげて身をかわした。やっと彼女を隅でおさえると、ナイトガウンを引き裂き、女をしばりあげてさるぐつわをかませた。モイラは惑星がふたつに割れるほど大きな音をたてたが、科学人の騒音のほうがもっと大きかった。

フォイルは機関室の応急修理を完了した。彼はすでに熟練した専門家といってよいほどだった。彼はもだえている女を起して昇降口へつれていった。

「出発だ」彼はモイラの耳もとでどなった。「おれはここから離れるんだ。この小惑星は爆発するぞ。たいへんな破壊が起るぞ。みんな死ぬかもしれない。いっさいが大爆発を起すのだ。事態をはっきり考えるんだ。空気がなくなる。この小惑星も終わりだ。さあ行って、あいつらに話してやれ。警告しろ。行け」

昇降口を開けて女をつきだし、扉を閉めて鍵をかけた。騒音が不意にやんだ。

操縦室でフォイルは点火ボタンを押した。数十年間鳴ったことのない離陸の自動サイレンがうなりはじめた。噴射燃焼室がにぶい震動とともに点火した。彼は温度が燃焼点に達するまで待った。待っているあいだに劇烈な苦痛を感じた。この小艇はセメントで小惑星に固定され、しかも石と鉄で固められている。その後部ジェットは小惑星に固定されているもうひとつの船体の高さとおなじだった。ジェットが噴射をはじめたらどうなるかわからなかったが、《ヴォーガ》に報復したい一心で、いちかばちかの冒険をする気になっていた。
ジェットを始動させた。高圧燃料が船の後部から炎を出し、爆発した。小艇は震動し方向を変え高熱を発した。金属のきしむ音が起りはじめた。やがて小艇は前進を開始した。金属や、ガラスは粉砕され、小艇は小惑星から宇宙へと突進した。

　内惑星連合の宇宙軍《ネイヴィ》が火星の軌道外十五万キロの地点で彼を救助した。七カ月にわたる実戦を経験してきたので、惑星の巡邏艇は機敏でむこうみずだった。相手が応答や認識信号を送らない場合には、一撃で破壊してしまっても、あとで査問にかけられることはなかった。しかしこの小ロケット艇は小さかったし、巡邏艇の乗員は懸賞金めあてで熱心だった。彼らは接近してきて艇を拿捕《だほ》した。

　艇の内部でフォイルが、頭のない虫けらのようにがらくたや調度のなかを這いずりまわっているのが発見された。彼はまたしても出血し、ひどい悪臭のする壊疽《えそ》でふくれあがり、頭の横がくずれかかっていた。彼らはフォイルを治療室へとはこび、注意深くタンクに入れると覆いを閉じた。フォイルには荒くれた下級船員でさえも眼をそむけた。

　地球への帰途、フォイルは意識をとりもどして、Vではじまる言葉をつぶやくようになった(ヴォーガのこと)。彼は自分が救助されたことを知った。もはや復讐は時間の問題なのだ。病室の看護兵は、彼がタンクのなかで狂喜している声を聞いて覆いを開いた。フォイルはどんよりした眼をあげた。看護兵は好奇心をおさえることができなかったらしい。

「おれのいうことがわかるかい？」彼は低い声でいった。フォイルはうなった。看護兵は身をかがめた。「いったいどうしたんだ？　誰にやられたんだね？」

「何？」フォイルは割れた声でいった。

「知らないんだね？」

「何が？　どうしたっていうんだ？」

「ちょっとお待ちなさい」

看護兵は、ジョウントして補給室に行き、五秒後にまたタンクのそばに姿をあらわした。フォイルはもがきながらタンクから外に出た。眼がぎらぎら燃えていた。

「もどってきたな。ジョウントしたんだ。おれは《ノーマッド》ではジョウントできなかった。方法を忘れた。おれはいっさいを忘れたんだ。今でも、まだあまり思い出せない。おれは——」

看護兵がおそろしい刺青をした男の写真を彼の前にさしだしたとき、フォイルは恐怖のあまりうしろにさがった。マオリ族の顔であった。頬、顎、鼻、眼瞼はいろいろな条《すじ》や渦巻きで飾ってあった。額には〝ノーマッド〟（N♂MAD）と彫ってある。フォイルはそれを凝視し、苦悩の叫びをあげた。この写真は鏡だったのだ。それは、自分の顔であった。

3

「見事でした、ミスタ・ハリス。よくできましたわ。位置（L）・高度（E）・状況（S）ですよ、みなさん。絶対わすれないこと。位置・高度・状況。これがジョウント座標《コーディネイト》を記憶する唯一の方法です。フランス語では、Être entre le marteau et l'enclume ですよ。まだジョウントしないでくださいね、ミスタ・ピータース。順番を待ってください。もう少しがまんして。やがてC級になれますわ。どなたか、ミスタ・フォイルを見かけませんでしたか？ 行方不明ですのよ。**もう、あの男はすぐに消えてしまうのね。あのひとをつきとめなければ。**でも、いろんな場所を全部考えてみたけれど……あら、わたしはまた精神感応《テレパシー》で、みなさんに勝手なことばかり申しあげたかしら？」

「半分半分でしたよ、先生」

「でも、フェアじゃありませんよね。一方的に思っていることを聞かされるんじゃ、迷惑ですもの。自分の考えをまきちらして、ほんとにごめんなさい」

「こっちはそれが気に入っているんですよ。先生のお考えはスマートですからね」

「まあ、ご親切ですこと、ミスタ・ゴーガス。さあ、みなさん、授業にもどって、もう一度やりなおしましょう。ミスタ・フォイルはもうジョウントしたんですか？　あのかたの行方がぜんぜんわかりませんのよ」

ロビン・ウエンズバリはニューヨーク市の地域的なジョウントをおこなう再教育クラスを担当していたが、小学校の低学年クラスの子どもとおなじで、脳傷害の患者をうけもつのもなかなかおもしろかった。彼女は、大人たちを子どものようにあつかったし、彼らもそのほうがうれしかったのだ。この一カ月間、生徒たちは街路の交叉点にあるジョウント台を暗記し、「L・E・S——位置・高度・状況」という言葉をしょっちゅう口にしていたのだった。

この女教師は美貌の黒人で、背が高く、聡明で教養があって、感応伝達、つまりテレパシー能力があったが、それは自分のほうからの一方通行のものだった。彼女は自分の考えを世間に放射することはできるのだが、相手の考えていることは読みとることができなかったのだ。このハンディキャップのためにもっとりっぱな職業につくことができなかったのだが、教育には適していた。ロビン・ウエンズバリは気まぐれな性質にもかかわらず、完全、かつ、理論的なジョウント教授者だった。

総合陸軍病院に入院した人たちが、ジョウント学校へぞくぞくと送りこまれた。四十二丁目のハドスン・ブリッジの、とある建物全体が学校になっていた。彼らは学校から出発してワニのようにタイムズ・スクェアのジョウント台へ行進した。このジョウント台を熱心に心に刻みこんだのである。そのあとで彼らは学校へジョウントし、そしてまたタイムズ・スクェアへもどってきた。ワニのような列がまた作られ、そろってコロンバス・サークルへ行進し、そのジョウント統御地点を記憶に刻みつけた。それからいっせいにタイムズ・スクェアを中継して学校へジョウントし、さらにおなじ経路でコロンバス・サークルにもどった。そこでさらにもう一度列を編成し、陸軍練兵場へ行き、暗記とジョウンティングを反復した。

ロビンは、一般人のジョウント台になっている急行用ジョウント台に、患者たち（いずれも脳に傷害を受け、ジョウントする力を失った）をつれていって再教育していた。まず彼らは近くの街路の交叉点にあるジョウント台を暗記した。やがて行動範囲が大きくなってきた（彼らの力が回復した）ときは、彼らはさらにひろい範囲の行動半径のジョウント台を記憶した。その半径は能力とおなじく経済的条件によっても制限された。確実に断言できることがひとつあった。場所を記憶するには実際に見なければならないし、そこへ行くためにはまず実際に行ってみなければならないということだった。立体写真でもごまかしがきかない。このため大旅行は裕福な階級の人たちにとってあたらしい意味をもつに至った。

「位置・高度・状況」ロビン・ウエンズバリが講義した。クラスは急行台でワシントン・

ハイツからハドスン・ブリッジへ、さらに初等程度の百メートルのジョウントをつづけてもとの場所にもどった。生徒は美しい黒人女教師に熱心についていった。

　プラチナで頭蓋骨を修理した小柄な技術軍曹が急に下品な言葉でいった。「しかしね、高度なんざありゃせんぜ。おれたちゃ地べたにいるんだからな」

「**ローガン軍曹ですね。〝ありません〟とおっしゃいね。〝高度なんざありゃせん〟なんて言葉を使わないで。**ごめんなさい、今日は自分の考えることがみだれておりますのよ。戦争のニュースがひどくわるいものばかりでしたから。摩天楼《スカイスクレイパー》の頂上のジョウント台を記憶するときには、その高度もしっかり記憶するんですのよ、ローガン軍曹」

　代用品の頭蓋骨をもったその男は納得したらしく、またたずねた。「先生が考えているときに、われわれには先生がしゃべってるみたいに聞えるんですが、それが困るんですか？」

「そのとおりです」

「でも、先生にはおれたちが心のなかでしゃべるのが聞えないんですか？」

「まったく聞えません。わたしは一方的精神感応者《テレパス》ですから」

「みんな先生の考えていることがきこえるんですかね、それともおれだけなのかな？」

「それは事情によりますのよ、ローガン軍曹。誰かひとりに精神を集中しているときは、そのひとにしかきこえません。でもぼんやりしているときには、みんなにきこえてしまうんです」ロビンはくるりとふりかえって叫んだ。「ジョウントする前に躊躇してはいけませんよ、ハリス曹長。躊躇は疑惑を起し、疑惑はジョウントを停止させます。ただジョウントすることだけを考えていればいいのですよ」

「ときどき心配になるんだが」頭に包帯を巻いた曹長が答えた。どうやらジョウント台の端で立往生しているらしい。

「心配って？　なんのことが、ですの？」

「おれがついた場所に誰か立っていたらどうしますかね。そうしたら、えらいさわぎになりますよ」

「そのことはもう何百ぺんも口を酸っぱくして説明しましたでしょう。交通量を調節するために専門家が全世界のジョウント台の規格を作ったのです。だから私用のジョウント台は小さく、タイムズ・スクェアのジョウント台は二百平方メートルの広さがあります。数学的な計算がおこなわれていますから、同時刻着のおそれは一千万分の一もありませんわ。あなたがジェット機で事故死する可能性よりも少ないのです」

包帯をした曹長はあやふやにうなずいて、高くなった台にあがった。円形の白いコンクリートの台で、表面には記憶を助けるように、はっきりした白と黒の模様の装飾がほどこしてあった。中央に、現在地の名称とジョウント地点の緯度、経度、高度を示す照明板があった。

包帯の男が初歩のジョウントをおこなおうとして勇気をふるい起した瞬間、台の上は急に出発したり到着したりする人で混雑し、揺らめいた。ジョウントしてきた人の姿が一瞬見えたと思うと、あたりの状況を見さだめ、あたらしい目的地をきめてジョウントするあいだちょっと躊躇し、すぐに消えていった。消えていくときには、からだが占めていた空間に空気が突入して、かすかに音がした。

「みなさん、待ってください」ロビンが叫んだ。「混雑してきましたからね。いったん台から降りてください」

重い作業服を着た労働者たちは、雪をあたりにまき散らしながら、北部の森林地帯の作業を交替して、南部にある家庭へ帰っていくところだった。白い服を着た酪農場の作業員五十名が西のセント・ルイスへ向かっていった。この朝、東部標準時地帯から太平洋地帯へ進んでいくのだった。すでに正午になっていた東部グリーンランドから、サラリーマンのグループが昼食をとりにニューヨークへ流れこんでくる。

混雑《ラッシュ》はすぐに終わった。「さあ、みなさん」ロビンが叫んだ。「つづけましょうね。まあ、ミスタ・フォイルはどこに行ったのかしら？　いつも行方不明になるようね」

「あんな顔では、姿をくらますのもむりはありませんや。脳内科病棟じゃ、あいつのことをブギイって呼んでいますよ」

「あのひとはこわい顔をしていますわね、ローガン軍曹。病院ではあのしるしをとってあげられないのかしら？」

「やってみたんですよ、ロビン先生。しかし、手術のしようがないんです。ああいうのを刺青《いれずみ》っていうんですが、ずいぶん昔にすっかり忘れられてしまったものでしてね」

「それじゃ、どうしてミスタ・フォイルはあんな顔になったのかしら？」

「誰も知らんのですよ、ロビン先生。あいつは記憶喪失で入院したんでね。何も記憶していない。おれだって、あんな顔になったら、何もおぼえていたくないね」

「かわいそうに。あのひとはおびえているようですわ。ねえ、ローガン軍曹、わたしは何かのことでうっかりミスタ・フォイルの気もちを傷つけでもしたのでしょうか？」

プラチナの頭蓋骨をつけた軍曹は考えてみた。「いやあ、そんなことはないですよ、先生。フォイルなんかには、はじめから傷つくようなものなんてあるもんですか」

「わたし、これからも気をつけますわ、ローガン軍曹。誰だって他人が自分のことを内心どう思っているかなんて知りたくありませんものね。**わたしはこんなふうに感応伝達をするのがいやでたまらない。だってわたしを孤立させるんですもの。おねがいです——わたしのいっていることを聞かないで。今日のわたしはどうかしているのよ。**あら、ミスタ・フォイルがきましたわ。あなたはいったいどこをうろついていましたの？」

フォイルは台にジョウントしてきて、静かに降りたが、おそろしい顔をそむけた。「練習をしてました」彼はつぶやいた。

ロビンはからだがはげしくふるえだすのをおさえ、同情の気もちを見せて彼に寄っていった。彼の腕をとった。「わたしたちといっしょにいてくださいね。わたしたちはみんなお友達ですし、たのしくやっているんですもの。あなたも仲間に入ってね」

フォイルは彼女の視線を避けた。彼がむっつりして彼女から腕を引いたとき、袖が濡れているのにロビンはふと気がついた。彼の患者用の衣服がすっかり濡れていた。

「どこで濡れたのかしら？　どこかで雨に降られたのね。だけど朝の天気予報を見たわ。セント・ルイスの東部には降雨はない。とすれば、きっとその先へ行ったにきまっている。このひとにそんなことができるはずはないのに。ジョウントする記憶と能力をいっさい失ったはずよ。兵役忌避で仮病を使っているんだわ、きっと」

フォイルがいきなり彼女のところへとんできた。「何をいうんだ、だまれ」凶暴な顔がおそろしかった。

「やっぱり仮病を使っているんだわ」ロビンは心のなかで思った。

「あんたはどの程度まで知っているんだ？」

「あなたがバカだということは知ってるわ。はしたないまねをするのはよして」

「みんなにはあんたの話が聞えるのか？」

「さあ、どうでしょうか。わたしを離してください」ロビンはフォイルから離れた。「さあ、みなさん。今日はこれで終わります。みなさん、学校までジョウントして、病院のバスで帰りましょう。ローガン軍曹、あなたからジョウントしてください。いいですか。L・E・Sを忘れないで。位置・高度・状況ですよ……」

「何がほしいんだ？」フォイルはどなった。「金《かね》か？」

「静かになさい。さわがないで。さあ、元気を出してくださいね、ハリス曹長。台にあがってジョウントするんですよ」

「あんたに話がある」

「おことわりしますわ。ミスタ・ピータース、順番をお待ちになってください。そんなにいそいではいけませんよ」

「あんたは病院におれのことを報告するんだろう？」

「もちろんですわ」

「あんたに聞いてもらいたいことがあるんだよ」

「いやです」

「もう、みんないなくなった。おれたちには暇があるんだ。おれはあんたのアパートに行くぜ」

「わたしのアパート？」ロビンは心からおそろしくなった。

「ウィスコンシン州グリーン・ベイにある」

「こんなばかげたことがあるかしら。相談することなんか何も――」

「たくさんあるんだよ、ロビン先生。たとえばあんたの家族のこととかな」フォイルは彼女が恐怖をまざまざと見せたのを認めてにやりとした。「あんたのアパートで会おうぜ」彼はくりかえした。

「アパートの場所なんかあなたにはわかるはずがありませんわ」彼女は口ごもりながらいった。

「今いったとおりじゃないか？」

「あなたにはそんな遠くまでジョウントできるはずがないわ。あなたなんか――」

「できない？」刺青の顔が頬を歪めた。「つい先刻、兵役忌避の仮病という言葉を使った。あんたのいうとおりさ。これから三十分暇がある。向こうで落ち合おう」

ロビン・ウエンズバリのアパートは、グリーン・ベイ海岸にひとつだけ建っている巨大な建物のなかにあった。そのアパートの建物は、まるで魔術師が都会の住宅地域からとってきて、ウィスコンシンの松林のなかに捨てたような感じだった。こうした建物はジョウント時代の世界では、きわめて普通のものだった。暖房や照明の設備を備えているし、輸送の問題はジョウンティングが解決しているため、単独、または集団的に住宅が、砂漠や森林や荒野に建築されているのだ。

アパート自体は四室のフラットで、隣家とは厚い防テレパシー壁でへだてられていた。室内は書物、音楽、絵画、印刷物でいっぱいだった――これらは不幸な一方通行のテレパスであるロビンの、文化的でありながら孤独な生活の証拠ばかりだった。

　フォイルがひどくじりじりしながら彼女を待っていると、数秒後にロビンがアパートの居間にジョウントしてきた。

「さあ、これではっきりしたろう」彼はいきなりきりだした。痛いほどきつく彼女の腕をつかんだ。「だが病院の連中におれのことは絶対にバラさないだろうな、ミス・ロビン？　誰にも、だぜ」

「離して」ロビンは彼の顔を殴りつけた。「**いやらしい！　野蛮人！　よくもわたしにさわったわね！**」

　フォイルは彼女を離して、うしろに退った。彼女の感情が激変したため、彼は思わず顔をそむけようとして怒ったように背をむけた。

「やっぱり仮病を使っていたのね。ジョウントの方法を知っていたのよ。初等クラスでならうふりをしながら、ずっとジョウントしていたのね——全国をとびまわっていたんでしょう。どこへ行ったかわかったものじゃないわ」

「ああ。おれはタイムズ・スクェアからコロンバス・サークルまで……いろいろとよりみちをするものでね、ミス・ロビン」

「だから、いつも行方不明になるのね。でもどうして？　どうしてなの？　あなたは何をしようというの？」

おそろしい顔に憑《つ》かれたような狡猾な表情があらわれた。「おれは総合病院に入れられているのさ。それがおれの作戦の基盤だよ。わかるだろう？　おれはある問題を解決しようとしているんだ、ミス・ロビン。おれには人に借りがあって、そいつを返さなければならないのさ。ある宇宙船がどこにいるか探り出さなければならないんだ。いまこそ報復してやるんだ。おれはきさまを傷つけるんじゃないぞ、《ヴォーガ》。殺してやるんだ、《ヴォーガ》。殺してズタズタにしてやるんだ」

彼は叫ぶのをやめて、勝ちほこったように彼女を睨みつけた。ロビンは驚愕してうしろに退った。

「あなたは何をしゃべっているの？」

「《ヴォーガ》だよ。《ヴォーガ・T・一三三九》。聞いたことがあるかい、ミス・ロビン？　おれはボーンズ・アンド・ウイッグの船籍登記所で場所をつきとめたんだ。あんたがあのジョウント台で教えているあいだに行ってみたんだ。サンフランへ行った。《ヴォーガ》を見つけたんだ。いまはヴァンクーヴァー造船所にいる。あの宇宙船はプレスタイン一族のプレスタインの所有だ。この名前を聞いたことがあるかい、ミス・ロビン？　プレスタインは地球で最大の男さ。だが、あいつにおれがとめられるものか。おれは《ヴォーガ》を徹底的に殺してやる、あんたに妨害はさせないぜ、ミス・ロビン」

フォイルは顔を彼女の顔に近づけた。「おれは自分の身を守るからな、ミス・ロビン。

おれは自分の弱点《ウィーク・ポイント》は全部補うんだ。《ヴォーガ》を殺さないうちに、おれをとめようとする人間には全部なんらかの対抗手段をとるんだ――あんたも含めてだよ、ミス・ロビン」

「いやよ、そんなこと」

「そうはいかない、おれはあんたがどこに住んでいるかを見つけだした。病院で教えてもらったんだ。おれはここへきて調べた。あんたの日記を読んだよ。ミス・ロビン、外衛星同盟のカリストに家族がいるね、母と妹が二人」

「よしてください！」

「つまり、あんたは敵性市民というわけだ。戦争がはじまったとき、あんたがたは内惑星連合を退去し、帰郷するよう一カ月の猶予をあたえられた。そのとき帰っていれば法律上スパイにはならなかった」フォイルは握りしめた手を開いた。「おれはあんたを、こいつでつかんでいるのさ」彼は手を握りしめた。

「母と妹たちは、この一年半というものずっとカリストを脱出しようとしてきました。わたしたちは地球人です。わたしたちは――」

「おれはあんたをにぎっているんだぜ」フォイルはくりかえした。「スパイがどんな処分を受けるか知ってるだろう？　スパイから情報をしぼりあげる。つまりあんたをばらばらにするのさ、ミス・ロビン。すこしずつあんたをばらばらにするんだ」

黒人の女は悲鳴をあげた。フォイルはうれしそうにうなずくと、ふるえている彼女の肩を両手でつかんだ。「おれがあんたをつかんだ、それだけのことさ。あんたはおれから逃げられないぜ。諜報局に密告してあんたの所在を知らせればいいんだからな。おれの行動の妨害は誰にもさせない。病院や、プレスタイン一族の全能なるミスタ・プレスタインにもおれの邪魔はさせないんだ」

「**出ていくがいい、このけがらわしい……怪物。出ていっておくれ！**」

「おれの顔がいやなんだな、ミス・ロビン？　この顔だって、あんたにはどうしようもないんだぜ」

いきなり彼女を抱き上げると、長椅子に運んでその上に投げ出した。そして彼女を裸にしておさえつけた。

「あんたには、まったくどうしようもないのさ」彼はくりかえした。

プレスタイン財閥のプレスタインはあらゆる社会の基盤となっているあの有名な浪費の原理に奉仕していたので、セントラル・パークにあるヴィクトリア朝様式の自邸にはエレヴェーター、家庭内電話、もの言わぬ給仕、その他ジョウンティングのおかげで廃《すた》れてしまった古めかしい装置をことごとくそなえていた。この巨大で贅《ぜい》をつくした邸宅の召使たちは忠実に部屋から部屋へ歩き、ドアを手で開けたり閉めたりし、階段を歩いてあがるのだった。

プレスタインのプレスタインはベッドから出ると侍僕と調髪師の手をかりて身なりをととのえ、エレヴェーターで朝の間に降り、執事と給仕とウェイトレスたちの世話で朝食をしたためた。朝の間を出ると書斎に移る。通信制度が実質上廃止された時代に——もはや電話や電報よりも直接相手のところへ行って相談をするほうがはるかに簡単な時代であった——プレスタインは書斎に古い交換台をそなえて交換手をつけていた。

「ダーゲンハムにつないでくれ」彼はいった。

交換手はずいぶん苦労して、やっとダーゲンハム・クーリア・インコーポレイテッドを呼び出した。この会社は、官公庁の連絡や個人的な連絡のいっさいの仕事を代行することを公認されている、公称一億の人員を擁する信用組織だった。料金は一・六キロメートルにつき一¢rであった。ダーゲンハムは、特派員《クーリア》が八十分で世界一周すると宣伝していた。

プレスタインの家の外にある専用ジョウント台にダーゲンハムのクーリアがあらわれて、入口のうしろのジョウントよけの迷路《ラビリンス》に案内された。M級のジョウンターで千六百キロずつのテレポートをつづけることができて、数千のジョウント座標を知りつくしていた。彼はダーゲンハム・クーリアの特徴になっている能率と大胆さを訓練によって獲得していた。

「プレスタインですね？」挨拶もぬきにして、いきなりきりだした。

「ダーゲンハムを雇いたいんだが」

「ここにきていますよ、プレスタイン」

「きみじゃないよ。ソール・ダーゲンハム本人を雇いたいんだが」

「ミスタ・ダーゲンハムは十万₵r以下では、ご自分で実際の仕事はなさらないことにしています」

「料金はその五倍出す」

「手数料ですか、それとも歩合で？」

「両方だ。二十五万の手数料と、保証金の十パーセントとして二十五万」

「結構です。仕事は？」

「パイア（PyrE）」

「どういう綴り《スペル》ですか？」

「このことばを聞いても何も知らんのだな？」

「はい」

「ダーゲンハムにはそれで通じるよ。パイアだ。大文字のP、小文字のyとrと、大文字のEだ。火葬燃料《パイア》とおなじ読みかたをするんだ。パイアの所在をつかんだとダーゲンハムに連絡してくれ。彼とはそれを手に入れるために契約したいのだ——どんな犠牲を払っても——フォイルという男からな。ガリヴァー・フォイルだ」

クーリアはメモ用の小さな銀色の真珠を出すと、プレスタインの命令を録音して、そのまま黙って姿を消した。プレスタインは交換手にいった。「レジス・シェフィールドを呼び出してくれ」

レジス・シェフィールド法律事務所に電話が通じて十分後には、若い弁護士がプレスタインの専用ジョウント台にあらわれ、しっかりと調査されたのち、迷路に案内された。彼はちょっとウサギに似た顔つきの、あかるい感じの青年だった。

「遅くなって申しわけありません、プレスタイン。電話があったことをシカゴで聞きましてね。なにしろわたしはまだD級で八百キロしかジョウントできないものですから。ここまでくるのにちょっと時間がかかりました」

「きみのボスはシカゴで訴訟を扱っているのか？」

「シカゴ、ニューヨーク、ワシントンで扱っています。午前中は各地の裁判所をつぎつぎにジョウントしてとびまわっていました。ボスが他の裁判所に行っているときは、わたしたちが代理をします」

「彼に依頼したいことがあるのだが」

「光栄です、プレスタイン。しかしミスタ・シェフィールドは目下きわめて多忙でございまして」

「パイアを扱うとなれば忙しいもへったくれもあるものか」

「恐縮でございますが、今のお言葉がはっきり――」

「うん、わからんだろう。だが、シェフィールドにはわかるよ。火葬燃料とおなじパイアの件だということと、手数料をいうだけでいい」

「いかほどで」

「二十五万の料金と保証金の一割として二十五万だ」

「それでミスタ・シェフィールドに依頼をなさる件は？」

「ある男の身柄をおさえて、陸軍、宇宙軍、および警察の手にわたさないための、いっさいの法的な手続きを準備してもらいたい」

「結構です。それで、その人物は？」

「ガリヴァー・フォイル」

当の弁護士は銀色の小さな携帯録音球にいそいで吹きこみ、それを耳のなかに入れて聞きなおしてから会釈をして立ち去った。プレスタインは書斎を出て、絨毯をしきつめた段をのぼって愛娘《まなむすめ》の部屋へ行った。

資産家の家庭では、女性の部屋は窓もドアもなく密閉されており、近親者がジョウントする場所だけが開いていた。このようにして道徳が維持され、貞操がまもられたのである。しかしオリヴィア・プレスタイン自身は通常視覚をもっていなかったので、ジョウントができなかった。したがって彼女の部屋にはドアがあり、プレスタイン一族の制服を着た古風な侍僕が厳重に護衛していた。

オリヴィア・プレスタインはおどろくほど華麗な白子《アルビノ》だった。髪は白絹で、肌は白繻子《サテン》、爪と唇と眼は珊瑚だった。すばらしい美貌でおどろくべき盲目だった。赤外線の七千五百オングストローム（一億分の一センチ）から一ミリメートルまでの波長だけしか見えなかった。彼女は熱波、磁場、無線電波、宇宙探知機および水中探知機の電波、そして電磁場を見ることができた。

彼女は自分の居間で謁見をおこなっていた。錦を織りなした安楽椅子に腰かけ、侍女を侍《はべ》らせてお茶を飲み、室内に立っている十数人の男女と話をしていた。まるで大理石と珊瑚でできた絶妙な像のような感じで、盲目の眼には何も見えないのだが、眼を向けるときらきらかがやくのだった。

彼女には、居間が暑い光から涼しい影にわたる熱放射の脈動的な流れとして見えていた。時計、電話、照明、錠などはまばゆい磁気的な模様として見えるのだった。人間を、顔やからだから発する熱の様態《パターン》の特徴によって見たり見わけたりする。人びとの頭のまわりにオーロラのようにうかぶかすかな脳電波のパターンと、肉体の熱放射の閃光、筋肉と神経の不断の変化の様子が見えるのだった。

プレスタインはオリヴィアが招く画家や、音楽家、伊達《だて》男などに好意はもっていなかったが、今朝は各界の名士がきているのを見かけて喜んだ。シアーズ・ローバック、ジレット一族の一人、やがてコダック一門の最高の地位につく若いシドニー・コダック、フウビガント一族の一人、ビュイック社のビュイック、非常な権力のあるサックス・ギンベルー族の統率者、R・H・メイシイ十六世などが集まっていた。

プレスタインは愛娘に声をかけてから邸を出た。四輪馬車に乗ってウォール街九十九にある一族の本拠に向かって出かける。御者《ぎよしや》には助手として侍僕がついていて、いずれも赤、黒、青のプレスタイン財閥の商標をつけていた。緋色と紺青の地に黒くうき出した〈P〉の字は、ハインツ一族の〈57〉や古代のロールス・ロイス王朝の〈RR〉の商標とともに、もっとも古く、かつ有名な商標として並び称されていた。

プレスタイン財閥の家長は、ニューヨークのジョウンターにはなじみ深いものだった。鉄のように固い白髪で、美貌、力強く、非のうちどころもない着こなし、古風な作法を心得たプレスタインのプレスタインは、御者、侍僕、厩務員とその助手を雇い、普通の人がジョウントですませる用事のために馬を何頭も飼っていた。

社会的に高い階級に属する人びとは、ジョウントを拒むことによってその地位をしめす。大商事会社をあたらしく相続した者はわざわざ高価な自転車に乗った。小型スポーツ・カーに乗る者もあった。ある財閥の家長はわざわざ昔の自家用車、古代もののベントレーや、キャディラック、または背の高いラゴンダなどを運転手に運転させて乗りまわしていた。財閥一族の首長の直系の後継者と目《もく》される者は、たいていヨットか飛行機に乗っていた。

プレスタイン財閥の統率者、プレスタインのプレスタインは無数の馬車、自動車、ヨット、飛行機、汽車を所有していた。非常に高い地位にいたので、四十年もジョウントをおこなわなかった。いまだにジョウントをおこなって恥とも思わぬダーゲンハムやシェフィールドのような新興成金をひそかに軽蔑していた。

プレスタインはウォール街九十九にある銃眼のついた城に入った。これこそプレスタイン城であった。要員が配置され、有名なジョウント警備をおこなっている。全員が一族の服装をしていた。プレスタインが執務室に入るときは、いかにも統率者らしく威風あたりを払う足どりだった。プレスタインがあらわれたとき、接見を待っていた一人の官吏が、陳情者のひしめいているなかからとびだした。

「ミスタ・プレスタイン」彼は声をかけた。「わたしは全惑星徴収税局の者ですが、今朝ぜひお目にかかりたいと——」プレスタインは冷酷な眼つきで彼をさえぎった。

「プレスタインという人間は大勢いる」彼はいった。「しかし、わたしはプレスタインのプレスタインだ。一族と財閥の首長だ。わたしはプレスタインと呼ばれている。ミスタ・プレスタインではない。プレスタインだ」

彼はそのままふりむきもせずに執務室にはいった。職員たちはいっせいにあいさつした。

「おはようございます、プレスタイン」

プレスタインはうなずいて、うす気味のわるい笑いをうかべ、デスクに向かって腰をおろした。そのときジョウント警備員が笛を鳴らし、太鼓を打った。プレスタインは引見開始の合図をした。侍従が巻物をもって進み出た。プレスタインは携帯録音球やいっさいの機械的な事務装置を蔑《さげす》んでいた。

「プレスタイン傘下企業に関する報告」侍従武官は読みはじめた。「普通株式、高値―二〇一と二分の一、安値―二〇一と四分の一。平均相場、ニューヨーク、パリ、セイロン、東京――」

プレスタインはいらいらしたように手をふった。侍従武官にかわって侍従長が出てきた。

「あたらしいミスタ・プレストの叙任のご予定でございます。プレスタイン」

プレスタインはじれったさをおさえて、プレスタイン小売部の店を経営するプレスタイン・プレスト階級組織の四百九十七番目のミスタ・プレストの退屈な宣誓式をすませた。ミスタ・プレストに叙任される人物は、このときまでは自分自身の顔とからだをもっていた。ところが今や、彼は数年におよぶ注意ぶかいテストと教義に服従することでプレストの階級に選ばれ、それに加わるのである。

半年にわたって手術をうけたり心理的洗脳をうけて、この人物はほかの四百九十六人のミスタ・プレストとまったく区別のつかない人間に仕立てられるのだった。世界じゅうどこでも買物客はまったくおなじプレスタインの店に入り、おなじ顔とおなじからだつきの支配人のミスタ・プレストにむかえられるのだった。コダック財閥のミスタ・クイックとかモンゴメリ病院のアンクル・モンティのようなライヴァルはいるが、決して負けることはなかった。

儀式が終わると、プレスタインは急に立って一般叙任式は終わったと指示した。室内は高官だけがのこって、あとは退出した。プレスタインは身を嚙むようなじりじりした気分をおさえて歩きまわった。

「フォイル」彼はかすれたような声でいった。「ごくありきたりの船員だ。泥だ。屑だ。貧民の屑じゃないか。ところが、その男がわしの――」

「失礼ですが、プレスタイン」侍従長がびくびくしながら声をかけた。「東部標準時で十一時、太平洋標準時で八時でございます」

「ああ？」

「失礼でございますが、プレスタイン、太平洋標準時九時に進宙式でございます。ヴァンクーヴァー造船所で式を執行なさる予定でございますが」

「進宙式？」

「新輸送船、プレスタイン《プリンセス》でございます。造船所と三次元放送をいたしますにしてもかなり時間がかかりますので、そろそろお時間が……」

「じきじきに出席するぞ」

「じきじきに！」侍従長は口ごもった。「お言葉ではございますが、一時間ではとてもヴァンクーヴァーまで飛べません。プレスタイン。わたしは――」

「わしはジョウントする」プレスタインのプレスタインはどなった。非常に興奮しているのだった。

職員はおどろきあわてて準備をした。メッセンジャーがいっせいに全国のプレスタイン事務所へジョウントして連絡をとり、専用ジョウント台が空《あ》けられた。プレスタインはニューヨーク事務所内の急行用ジョウント台へ案内された。円形の台で窓がなく黒い帷幕《とばり》の下りた部屋にあった――部外者にこの地点を発見されたり記憶されることをさまたげるために必要な擬装と遮蔽幕だった。おなじ理由で、あらゆる私邸と事務所には一方通行の窓と、ドアのうしろに迷路がついていた。

ジョウントをするためには、自分の所在地と目的地をはっきり知る必要があった。さもないと、どこにも生きて到着することができない。未知の目的地へ到着することが不可能であると同様に、はっきりしない出発点からジョウントすることも不可能だった。射撃と同じで、まずねらいをきちんとさだめ、銃をしっかりと固定する必要があったのである。しかし、もし窓やドアがあると、そこを通して一瞥《いちべつ》することで、その場所のL・E・Sの座標を楽に記憶できてしまうのだ。

プレスタインはジョウント台にあがって、フィラデルフィアの目的地の統御地点を頭に描き、はっきりした光景と正確な場所を思い浮かべた。つぎに、おちついて全エネルギーをあげて目標に対する意志と信念を統御する。彼はジョウントした。一瞬眼がくらみぼうっとかすむ。ニューヨークの台が焦点から消えた。フィラデルフィアの台が焦点にぼうっとうかんできた。落下してから上昇するような感覚におそわれた。到着した。侍従長やほかの職員たちは、彼に遠慮してすぐあとから到着した。千六百キロと三千二百キロのジョウントで、プレスタインは太平洋標準時の朝の九時きっかりに、ヴァンクーヴァーの造船所の外に到着した。彼は、ニューヨークを午前十一時に出発したのだ。時差によって二時間の得になった。こういうこともジョウントの世界では常識になっていた。

塀のない造船所のコンクリートの敷地は(どんな塀でもジョウンターの侵入をふせぐことはできない)、黒い貨幣が白いテーブルの上に整然と配列され、敷きつめられているようだった。しかし接近してゆくと、貨幣のような物体はみるみる大きくなってくる。地中に深く掘られた黒い穴——地下ピットで、その開口部は三十メートルもあった。それぞれのまるい開口部の周囲には、コンクリートの建物、事務所、検査室、売店、更衣室があった。

これらは離着陸用ピット、乾ドックおよび造船所の建設用ピットだった。海をわたる船舶のように、宇宙船は重力にたいして、それ自身で自重をささえるようには設計されていない。通常の地球上の重力は、宇宙船の竜骨を卵のからのように破壊してしまう。船は、ふかいピット内で建設され、網目のようなせまい通路と建造格子台に垂直に立てられている。反重力スクリーンをはりめぐらしてささえてあるのだった。このおなじ地下ピットから離陸し、反重力光線で垂直上昇し、ついにはロッシュ限界点まで到達すると、こんどはみずからジェット推進をおこなうのだった。着陸する宇宙船は、ジェット推進を停止し、おなじ光線でゆっくり地下ピットへと入る。

プレスタインの随員たちが、ヴァンクーヴァー造船所に入ったとき、どのピットが操業中なのかわからなかった。いくつかの地下ピットから、宇宙船の先端や胴体が突き出していたからだ。ピット内作業員が船の後部を特殊な作業台に乗せるときは、反重力スクリーンによって四分の一、ないし二分の一も船体が地上に出てくる。プレスタインのV級輸送艇三隻、《ヴェガ》、《ヴェスタル》、《ヴォーガ》は、格納庫の中央付近に姿を見せていたが、《ヴォーガ》の周囲には溶接機の火花が散って、改装がおこなわれていた。

〈入口〉と書いてあるコンクリートの建物のところでプレスタインの一行は足をとめてつぎのような掲示を見た。

警告！　危険につき許可なく場内に立ち入るべからず。

訪問者用のバッジが一行にくばられた。プレスタインのプレスタインまでが、そのバッジをうけとった。そのバッジをもたずに入場したらどんなことになるか、よく知っていたからだった。一行は彼にしたがっていくつもの地下ピットを歩き、０‐３という標識のある場所へきた。その地下ピットの入口はプレスタイン旗で飾られ、小さな特別観覧席がととのえてあった。

プレスタインは、挨拶をうけ、各部門の高級職員に答礼した。プレスタイン楽団《バンド》が快活で金属的なプレスタイン制定の歌を演奏したが、ふいに楽器がひとつ狂ってしまったらしい。金属的な音が高く鳴りひびきはじめると、やがて楽団全体と驚愕の声までも圧倒してしまった。プレスタインはそれが楽器の音ではなく、造船所の警報であることに気がついた。

身分証明票、または訪問者のバッジを着用しない者が造船所に闖入《ちんにゅう》したのだ。防護施設のレーダー網がそれをとらえて警報を鳴らしたのだった。その不気味な警報音をとおして、プレスタインは警備員がいっせいに観覧席からジョウントして、コンクリートの敷地の各自の部署にもどる音を聞いた。彼直属のジョウント警備員が身辺にあつまってきて、油断なく警戒した。

不意に防衛地点の座標を指示する警報が鳴りひびいた。

「**身元不明の者が場内に侵入。エドワードのE9にあり。エドワードのE9より徒歩で西方に移動しつつあり**」

「何者かが侵入したにちがいありません」侍従長がさけんだ。

「わかっているよ」プレスタインはおちついて答えた。

「ここへジョウントしてこないのですから、きっと敵の者でございましょう」

「わかっている」

「**敵はデイヴィッドのD5に接近しつつあり。デイヴィッドのD5。依然歩行中。警戒せよ**」

「神の名にかけて！　こいつは何をたくらんでいるのでございましょう」侍従長が叫んだ。

「おまえはわが家の規範を知っているはずだぞ」プレスタインは冷たく答えた。「プレスタイン家につかえるいかなる従業員も、みだりに神の名を口にしてはならん」

「**敵はチャーリーのC5に接近しつつあり。チャーリーのC5に接近しつつあり**」

侍従長はプレスタインの腕にかるく手をかけた。「こちらへやってまいります。プレスタイン。どうぞ避難あそばされますように」

「避難などしない」

「プレスタイン、以前にも暗殺未遂がございました。三度までも。ここでもし――」

「この観覧席のいちばん上にあがるにはどうすればいいんだ」

「プレスタイン！」

「手つだってくれ」

プレスタインはまだヒステリックに心配している侍従長をしたがえながら観覧席のいちばん上にあがって、緊急警戒中のプレスタイン財閥の力を見まもった。眼下に、白いジャンパーを着た作業員たちが夢中になってピットからむらがり出てくる。警備員たちが騒ぎの中心めがけて遠くからジョウントしてくるのが見えた。

「敵は南方、ベーカーのB3に向かいつつあり、ベーカーのB3」

プレスタインは、B3のピットを監視した。一人の人物があらわれ、ピットに突進したが、すぐに方向を変え、すばやく身をかわしながら前へと突き進んでゆく。青い患者服を着た巨人で、黒い髪をみだし、遠くから見ると青黒い塗料をぬったような歪んだ顔つきだった。防衛施設の防御誘導磁場によって、男の服がぎらぎらとかがやいた。

「ベーカーのB3、警戒せよ。ベーカーのB3に接近せり」

叫喚と、はるかな銃声のひびき、スコープ銃の空気のうなりが聞えた。白い作業衣を着た数人の作業員が侵入者におどりかかった。その男は彼らをばたばたたおし、《ヴォーガ》の先端があらわれているB3のほうへ突進していった。稲妻のように作業員や警備員のあいだをくぐりぬけ、くるりと向きを変えては殴り、執拗に突き進んでゆく。

ふいに彼は足をとめ、火のついた上着に手をさしこんで、黒い爆発物をつかみだした。死の苦痛にもだえる動物のように痙攣的な身ぶりをしながら、男は爆発物の端を噛みきった。《ヴォーガ》に向かってそれが大きな放物線を描いて投げられた。つぎの瞬間、彼は殴りたおされていた。

「**爆発物。退避せよ。爆発物。退避せよ**」

「プレスタイン！」侍従長が必死になっていった。

プレスタインは彼をはらいのけ、爆薬が冷やかな日光をうけて《ヴォーガ》の先端に向けて曲線を描きながら落下してゆくのを凝視した。爆薬はピットの縁《へり》で反重力光線にとらえられ、巨大な、眼に見えない親指の爪ではじかれたように上へ飛ばされた。それは上へ上へと渦を巻いて急上昇し、五十、百、ついに三百メートルに達した。そのとき、眼もくらむ閃光を発し、その直後に大きな雷鳴が耳を打ち、地上のものを震撼させた。

プレスタインは立ちあがると、観覧席をおりて、進宙式の台壁《ポディアム》に行った。彼はプレスタイン《プリンセス》の発進ボタンに指をあてた。

「犯人が生きていたら、わしのところへつれてこい」侍従長にいってボタンを押した。

「ここに命名する——プレスタイン《フォース》」彼は勝ち誇るかのように叫んだ。

4

プレスタイン城における星室庁《スター・チェンバー》ともいえる〝会議室〟は楕円形の部屋で、象牙のパネルに純金で作られた背の高い鏡がかけられ、ステンドグラスの窓があった。そこには、ティファニー製作のロボット演奏者のついた金のオルガン、図書梯子の上にロボット図書員のいる金の装飾をほどこした書庫、球状記録器の前に人間そっくりの秘書のいるデスク、これもロボットのバーテンダーのいるアメリカ式のバーがあった。プレスタインとしては人間の召使のほうが好きだったが、ロボットたちは秘密をまもるから使っているのだった。

「どうぞおかけください、ヨーヴィル大尉」彼は丁重にいった。「こちらはミスタ・レジス・シェフィールドです。この事件でわたしの弁護士になっています。そちらの青年はシェフィールド氏の助手です」

「バニイはわたしの、いわば携帯法律全書といったわけでして」シェフィールドがそんな紹介をした。

プレスタインが制御装置に手をふれた。会議室の静物画に生命が吹きこまれた。オルガン演奏者がオルガンをひき、図書員が書物を分類し、秘書がタイプを打ち、バーテンダーはカクテルを作った。まさに壮観だった。

「あなたはフォイルとかいう男の話をなさっておいでしたな。ヨーヴィル大尉？」プレスタインは、彼の話をうながした。

中央諜報局のピーター・ヤン・ヨーヴィル大尉は、あの偉大な孟子の子孫で、内惑星連《IPA》合軍《F》の情報部に所属していた。二世紀にわたって、IPAFは諜報活動を中国人に委託してきた。中国人は、この五千年間に鋭敏な狡猾さを身につけて、驚異的な仕事をなしとげてきたからだった。ヤン・ヨーヴィル大尉は報道協会のおそるべき一員であり、迷信の研究家で、流暢《りゅうちょう》な秘密語を話した。どう見ても中国人には見えなかった。

ヤン・ヨーヴィルは、こたえるのをためらった。自分に対して向けられている精神的なプレッシャーを充分に感じていたからだ。かわりに、プレスタインの禁欲的でバシリスクのような顔を見まもった。シェフィールドは顔つきは鈍いが、攻撃的な表情だった。バニイという熱心な青年はウサギのような顔をしていて、まぎれもなく東洋人だった。

彼はざっくばらんな口調で話をきりだした。「われわれには十五等親以内の血族関係がありますか？」彼はバニイにマンダリン方言できいてみた。「わたしの出身は孟子という学者の血統ですが」

「するとわたしたちは代々の仇敵ですね」バニイはつっかえながらマンダリン方言でこた

えた。「かつて強大をほこったわたしの祖先は、紀元前三百四十二年に、孟子によって山東の知事の地位を追われましたからね」

「大いなる礼節をもって、あなたのへんてこりんな眉毛をそらせていただきましょう」ヤン・ヨーヴィルが言った。

「こちらこそ、あなたの乱杭歯《らんぐいば》を礼儀正しく焼きこがしてあげますよ」バニィが笑いながらこたえた。

「あんたがたは、何をしゃべっているのかね」プレスタインがさえぎった。

「われわれは三千年にわたる血族間の反目を再認識したわけでして」ヤン・ヨーヴィルはプレスタインに説明した。プレスタインは二人がなんの話をし、なんで笑ったのかわからなかったのでひどく気分を害したらしい。

「フォイルの件をかたづけるのはいつになるんだね？」彼がきいた。

「どのフォイルです？」シェフィールドがさえぎった。

「どのフォイルってきまっているじゃないか」

「プレスタイン一族と関係のあるフォイルは十三人もおります」

「おもしろい数ですな。わたしが迷信学博士だということはご存じですか？　いつか、鏡にきく術をご披露しましょう。ところでわたしがここにうかがったのは、今朝《けさ》ミスタ・プレスタインに危害を加えようとしたといわれるフォイルに関係がございましてね」

「プレスタインだ」プレスタインは訂正した。「わしはミスタではない。わしはプレスタインのプレスタインだ」

「プレスタインに対して、三度、暗殺未遂があったのですぞ」シェフィールドがいった。

「もっと明確にいっていただきましょう」

「今朝だけで三度ですか？　それはさぞおいそがしかったでしょうな」ヤン・ヨーヴィルはわざとためいきをついてみせた。シェフィールドは、自分がはっきりと敵対者であることを態度にあらわしていた。諜報員は別の切り口をためしてみることにした。「うちのミスタ・プレストが、もう少し明確な情報を流してくれれば助かるんですがね」

「あんたのミスタ・プレストだと！」プレスタインはおどろいて叫んだ。

「はあ。おたくの五百人のプレストのうちの一人が、わが諜報局の一員であることをご存じではなかったのですか？　それはおかしい。当然あなたが発見して、攪乱作戦を開始したものと思っていましたよ」

プレスタインはぎょっとしたようすだった。ヤン・ヨーヴィルは足を組んで活発に話をつづけた。「ついよけいなことを洩らすのが諜報活動の根本的な弱点ですな。おたくはまえもって方策を講じたほうがいいですよ」

「出まかせをいっているんだ」プレスタインはきゅうに口をきった。「当方のプレストで、ガリヴァー・フォイルのことを知っている者は一人もおらん」

「それはどうも」ヤン・ヨーヴィルは微笑した。「そのフォイルなんですよ、わたしたちがいただきたいのは。いつあなたは、うちにその男を引きわたしてくれますか？」

シェフィールドは、プレスタインに向かって眉をひそめると、ヤン・ヨーヴィルにひらきなおった。「うちというのは誰のことです？」彼は詰問した。

「中央課報局です」

「彼の身柄を欲しがる理由は？」

「あなたが女と寝るのは服を脱ぐ前ですか、それとも後ですか？」

「ずいぶん失礼なことをきくんですね」

「そちらこそ失礼ですよ。いつわれわれにフォイルを引きわたしていただけますか？」

「そちらが理由をあかしてくだされば」

「誰にです？」

「わたしに」シェフィールドはがっしりした人さし指で、掌を静かにたたいていた。「これは民事上の問題で、軍部には関係がありません。戦略物資、戦闘員、または戦時における戦略戦術に関係がない場合、民法が適用されるべきでしょう」

「一九一一地球法控訴三〇三条」バニイがささやいた。

「《ノーマッド》は戦略物資をはこんでいました」

「《ノーマッド》は火星銀行に白金を輸送していたんだ」プレスタインがどなった。「もしその金《かね》が――」

「わたしからお話し申しあげておりますから」シェフィールドがさえぎった。彼はヤン・ヨーヴィルにひらきなおった。「その戦略物資なるものの名をあげてください」

この露骨な挑戦には、さすがのヤン・ヨーヴィルもぎょっとした。《ノーマッド》事件の重大な点は、二十ポンドのパイアを積載していたことであり、それは全世界の需要をみたす量で、発見者が行方不明になった現在、もはやかけがえのないものになっていることを彼は知っていた。また彼には、おたがいがこのことを知っていることも、当のシェフィールドがそれに気がついていることも気づいていた。シェフィールドはパイア積載の事実を伏せておきたがっている。そのくせ、名前をあげられないものの名前をいえと要求したのだ。

ハッタリにはハッタリで応酬しようと思った。

「それではその名を申しあげましょう。《ノーマッド》は、パイアという物質を二十ポンド輸送していました」

プレスタインがぎょっとした。シェフィールドは彼をおさえた。「パイアというのはなんです？」

「うちの報告によれば――」

「プレスタインの部下のミスタ・プレストからの？」

「いや、あれはハッタリですよ」ヤン・ヨーヴィルはわらったが、瞬間的に自分をおさえた。「諜報局によれば、パイアは、のちに失踪したある人物がプレスタインのために作ったものです。パイアは合金で可燃性金属です。われわれが確実に知っているのはそれだけですがね。しかし、漠然とした報告はいくつか入っている……有名な機関からの信じられないような報告ですよ。もしわれわれの推測に誤りがなければ、パイアは戦争にあたって勝敗の鍵を握るものになります」

「ばかばかしい。いまだかつて、そんな力のある戦略物資があらわれたためしはない」

「ない？　一九四五年の原子爆弾。二〇二二年の反重力装置。二一九四年にタレーが発明した全域探知スクリーンはどうです。物資はしばしば勝敗を左右できるのです。ことに敵がそれを先に入手する可能性のある場合はね」

「現在はそんな可能性はない」

「パイアの重要性を認めていただいてありがたいですな」

「わたしは何も認めませんよ。いっさいを否認する」

「中央諜報局としては交換を申し入れる準備がありますよ。男一人に男一人。パイアの発明者をガリヴァー・フォイルと交換します」

「彼を見つけたのですか？」シェフィールドがたずねた。「それなら、なぜフォイルのことでわれわれを恫喝《どうかつ》するんです？」

「われわれの手に入ったのは死体だったからです」ヤン・ヨーヴィルが憤然といった。

「外衛星同盟の司令官は、彼をラッセルに六ヵ月も抑留して、彼から情報を得ようとした。わが軍は襲撃によって彼を救出しました。しかし七十九パーセントにおよぶ損害をうけましたよ。しかも救出したときは死体になっていた。外衛星同盟の連中は、われわれがそれほどの犠牲をはらって死体をはこびだしたことに気がついて、さぞ今ごろはおかしくてたまらないでしょう。こちらとしては敵がどの程度まで彼から情報を聞き出したか、依然としてわかっていないのです」

プレスタインはこれを聞いても椅子に平然とすわっていた。

「おい」ヤン・ヨーヴィルはどなった。「あんたはこの重大な危機がわからないのか、シェフィールド？　われわれは絶体絶命の立場なんだぞ。あんたはこの卑劣な取り引きでプレスタインのために何をかくそうとしているんだ？　あんたは自由党の指導者だ……もとから地球の愛国者だ。プレスタインとは古くから政治上の仇敵だ。彼がわれわれをうらぎらないうちに、彼と袂《たもと》をわかて、いいか」

「ヨーヴィル大尉」プレスタインは冷淡な口調でさえぎった。「その言葉には賛成できないね」

「われわれはどうあってもパイアが欲しいし、必要なんだ」ヤン・ヨーヴィルはつづけた。

「その二十ポンドのパイアを調査し、合成法を発見して戦争目的に応用することをまなばなければならない……もし外衛星同盟がまだ発見していないなら、敵がわれわれを攻撃しないうちに、これらすべてをやらなければならない。しかし、プレスタインは協力を断っている。なぜだ？　それは彼が与党に敵対しているからだ。自由党の利益になる戦争の勝利を欲していないからだ。プレスタインのような大富豪は決して負けることがないから、政治的にはわれわれが戦争に敗れることをのぞんでいるんだ。眼をさませ、シェフィールド。あんたは反逆者にまるめこまれているんだ。あんたはいったい何をするつもりなんだ？」

シェフィールドが答える前に会議室のドアに慎重なノックの音がして、ソール・ダーゲンハムがはいってきた。ダーゲンハムは内惑星連合の物理研究所の鬼才の一人で、するどい直観力、すばらしい記憶力、六次の計算を暗算でおこなう頭脳力をもった物理学者だった。しかし、彼はタイコ砂漠で事故にあい、原子爆発で普通なら死ぬはずのところを奇蹟的に助かった。そのかわり彼は危険な放射能をあびたため彼自身が〝危険物〟になったのだった。

内惑星連合政府は、彼に放射能をまき散らさないように依頼し、年に二万五千₵r支給した。彼は一日に五分以上はいかなる人物とも面接しないことにした。自室以外の場所に一日に三十分以上いることもなかった。ダーゲンハムは自分を隔離するよう政府から命令をうけ、そのための報償金をうけたので、研究を断念して巨大なダーゲンハム・クーリア会社を設立したのだった。

鉛色の皮膚、死人のような微笑をうかべた小柄な男が会議室に入るのを見たとき、ヤン・ヨーヴィルは自分の負けだと思った。この三人が相手では、とうてい彼に勝味はなかった。彼はただちに席を立った。

「わたしはフォイルに対する軍令部の命令を受けています」彼はいった。「諜報局に関するかぎり、会談はすべて終わりました。現在からは戦争状態ですな」

「ヨーヴィル大尉がお帰りになる」プレスタインはダーゲンハムをつれてきたジョウント警備員にどなった。「迷路をおとおししてお送り申しあげるんだ」

ヤン・ヨーヴィルは、その男がそばに寄ってきて礼をするまで待っていた。その男が丁重にドアのほうに案内したとき、ヤン・ヨーヴィルはプレスタインにまともに皮肉的な微笑を向けたと思うと、かすかな音を立てて消えてしまった。

「プレスタイン！」バニイは叫んだ。「あいつはジョウントしましたよ。この部屋は、あいつには出入り自由なんです。あいつは――」

「なるほど」プレスタインはひややかにいった。「警備長に連絡しろ」彼はびっくりしている警備員に命令した。「会議室の座標はもはや秘密ではなくなった。二十四時間以内に変更しなければならん。ところで、ミスタ・ダーゲンハム……」

「ちょっとお待ちください。軍令部の命令を受けているといっていましたから」ダーゲンハムはそういうと、ことわるでもなく説明をするでもなく、いきなり彼も消えた。プレスタインは眉をあげた。

「この会議室の座標を知っているのがほかにもいたのか」彼はつぶやいた。「しかし、あいつには少くとも秘密が公然のものになるまでは、知らんふりするだけの才覚はあったな」

ダーゲンハムがふたたびあらわれた。「迷路を通っている時間がおしかったので」彼はいった。「わたしは今、ワシントンで命令してきました。ヨーヴィルはこちらの手でおさえますよ。二時間でだいじょうぶですが、三時間かかるかもしれません、悪くいっても四時間でしょう」

「どうやって彼をおさえるのです」バニイがきいた。

ダーゲンハムは死人のような微笑を向けた。「ダーゲンハム・クーリアの飛脚標準FFCCですよ。楽しみ（FUN）・空想（FANTASY）・混乱（CONFUSION）・破局（CATASTROPHE）というわけです……まず四時間は見ておきましょう。ああ！　あなたの人形がこわれてしまいそうですよ、プレスタイン」ダーゲンハムの強力な放射能がロボットの電気装置に浸透して、ロボットたちがいきなり狂人のように跳びまわった。「わたしは帰りますから心配はいりません」

「フォイルは？」プレスタインがきいた。

「まだなんにも」ダーゲンハムは歯を見せて死神のような顔でにやりと笑った。「あの人物はまことに不思議ですな。ありとあらゆる薬品や療法をほどこしてみましたが――なんにもならない。外見上はごく普通の宇宙船乗りですが……あの顔の刺青は考慮に入れないことにして、ですが……しかし、内面には鋼鉄のような剛胆さがありましてね。何かのせいでそうなっているんですが、それをどうしても白状しないんです」

「何があるんです？」シェフィールドがきいた。

「こちらもそれをつきとめたいんですが」

「方法は？」

「それは申しあげられません。宇宙船の用意はできましたか、プレスタイン？」

プレスタインはうなずいた。

「われわれが《ノーマッド》を発見できるとは必ずしも考えてはいないが、もし発見できるものなら軍の先を越さなければならんからな。法的な準備はいいのか、シェフィールド！」

「だいじょうぶです。できれば法律上の問題にしたくないところですが」

「同感だね。しかし、そいつも保証できないよ。まあいいさ。今後の指示を待ってくれ。これからフォイルをイタめつけてやる」

「どこに監禁してあるのです？」

ダーゲンハムは頭をふった。「この部屋は安全ではありませんからな」彼は消えていった。

彼はシンシナティ、ニューオリンズ、モントレイを経てメキシコ・シティへジョウントした。そして彼はそこの総合地球大学の巨大な病院の精神科に姿をあらわした。病院でありながら、しかもこの都市の全部分を占めるこの部門を単なる精神科と呼ぶことはきわめて不適当だった。ダーゲンハムは臨床治療科の四十三階へジョウントしてあがると、フォイルが意識をなくしたまま浮遊している隔離タンクをのぞきこんだ。彼は患者に付きそっている有名な医師に眼を走らせた。

「ハロー、フリッツ」

「ハロー、ソール」

「すごいじゃないか。精神科長じきじきに病人の心配をしているなんて」

「きみにはほんとうに申しわけないことをしたからね、ソール」

「まだタイコ砂漠でのことを気にやんでいるのか、フリッツ？　おれはもう忘れたよ。おれの放射能でこの病棟をだめにしてないだろうね？」

「すべてきちんと遮蔽してあるからだいじょうぶさ」

「それじゃ、汚れ仕事の準備はいいかい？」

「きみのもとめているものはなんなのだ？」

「情報さ」

「その情報を得るために、この病院を宗教裁判所に変えなければいけないのかね？」

「そいつは名案だね」

「普通の薬物を使ってみたら？」

「とっくにやってみたよ。効《き》かない。こいつは普通の人間じゃない」

「そういうことは法律違反だとご存じのはずだがね」

「知っているよ。気がかわったのか？　手を引きたいのか？　二十五万できみの病院の設備を二倍にすることができるんだけどね」

「そうじゃないよ、ソール。きみにはいつも厄介になっているからな」

「それじゃ行こう。まず悪夢劇場《ナイトメア・シアター》へ」

二人は治療用タンクをひっぱって廊下を移動し、三十平方メートルの治療室に移った。

悪夢劇場というのは、患者に空想の世界をあたえることによってある種の衝撃を加え、現実世界へもどそうという治療法だった。しかし、現在では、患者の感情に衝撃をあたえることは、残酷だし、効果もうたがわしいということになっていた。

ダーゲンハムのために、精神科長は立体映写機の埃をはらって、全感覚映写機に接続した。フォイルをタンクから出し、蘇生注射をうち、フロアの中央に置いた。タンクをとりはらい、照明を消して密閉した操作室に入った。映写機のスイッチを入れた。

世界じゅうの子どもは、空想の世界が自分たちにとっては独自なものだと考えている。精神病理学者は、個人の空想のなかのよろこびや恐怖は、全人類がひとしくうけついでもっているものであることを知っている。恐怖、罪悪感、羞恥などの感情は、一人の人間からほかの人間へと相互に移り得るものであって、誰もその差異に気がつかない。総合大学の治療科には数千の感情テープが記録してあった。そしてこれらのさまざまな感情はすべて、悪夢劇場において、患者に体験させることができた。

フォイルは、はげしい呼吸をして汗を流しながら眼を覚ました。自分が眼ざめていることにはまったく気がついていないのだった。彼はヘビの髪をして、血走った眼をした復讐の神《ユーメニデス》の手中にあった。追いかけられ、とらえられ、高みからつき落され、焼かれ、皮を剝がれ、絞殺され、虫にたかられ、むさぼり食われたのだった。悲鳴をあげた。走った。悪夢劇場のレーダー歩行阻止帯が彼の歩行をおさえた。おそろしい悪夢のなかで、彼はにぶい動きでしか走れなくなった。彼が歯ぎしり、悲鳴、苦悩、追跡の音を同時に耳にしてくるしんでいると、執拗におなじ言葉がくりかえされた。

「《ノーマッド》はどこだ？　どこで《ノーマッド》をすてた？　《ノーマッド》はどこだ《ノーマッド》はどこだ《ノーマッド》はどこだ？」

「《ヴォーガ》」フォイルはつぶやいた。「《ヴォーガ》」

彼は固定観念に憑かれていた。

「《ノーマッド》はどこだ？　どこで《ノーマッド》をすてた？　《ノーマッド》はどうした？　《ノーマッド》はどこだ？」

「《ヴォーガ》」フォイルは叫んだ。「《ヴォーガ》《ヴォーガ》《ヴォーガ》」

操作室のなかで、ダーゲンハムは悪態をついた。映写機をあつかっていた精神科長は時計に眼をはしらせた。「一分四十五秒だよ、ソール。彼はこれ以上耐えられない」

「どうしても秘密をはかせてやる。最後の実験にかかってくれ」

彼らはフォイルを埋葬した。生きたまま、ゆっくりと、冷酷に、怖ろしいほどに。フォイルは暗くふかい場所へとはこばれ、光も空気もない悪臭をはなつ粘液のなかに入れられたのだ。ゆっくりと窒息してゆくなか、遠くから声がひびいてきた。

「《ノーマッド》はどこだ？　どこで《ノーマッド》をすてた？　《ノーマッド》が見つかれば逃げられるぞ。《ノーマッド》はどこだ？」

しかしこのとき、フォイルの意識は安全な場所にのがれていた。《ノーマッド》の船尾甲板と屋根のあいだにある光も空気もない柩《ひつぎ》のなかで、快適に浮遊していたのだ。からだをまるめて胎児のようになり、眠ろうとしていた。満足していた。逃げるのだ。《ヴォーガ》を発見するのだ。

「くそ野郎め！」ダーゲンハムがどなった。「前にこの悪夢劇場に耐えた者がいるのか、フリッツ？」

「ほとんどいない。たしかにきみのいうとおりだね、普通の人間じゃないよ、ソール」

「どうあっても秘密をはきださせなければならない。よし、こいつはもうだめだ。こんどは誇大妄想法をやってみよう」

「準備はできているよ」

「よし、はじめよう」

　誇大妄想法というのは、誇大妄想患者を六種類に判定し分類する、治療科のドラマティックな診断上のテクニックだった。

　フォイルは豪華なベッドで眼をさました。天鵞絨《ビロード》の幕を張った寝室にいたのだ。好奇の眼であたりを見まわす。やわらかい日光が格子窓から流れている。召使が静かに衣裳をひろげていた。

「おい……」フォイルは声をかけた。

　召使がふりかえった。「おはようございます、ミスタ・フォーマイル」

「え？」

「とてもよい朝でございます。わたくしはちょうど茶色のお召しものと、コードヴァンの靴を用意しておりました」

「どうかしたのかい、あんた？」

「わたくしが——」その召使は不思議そうにフォイルを見つめた。「どうかいたしましたか、ミスタ・フォーマイル？」

「おれがなんだって？」

「あなたのお名前でございます」

「おれの名前がフォーマイルだって？」彼はベッドからあわてて起きあがった。「よせよ、そんなんじゃないぜ。フォイルだ。ガリー・フォイルっていうんだ、おれは」

召使は唇を噛んだ。「ちょっとお待ちください」彼は外に一歩出て、何か叫んだ。そのあとで何か低い声でいった。白い衣裳をまとった美しい女が寝室に入ってきて、ベッドのはじに腰をおろした。フォイルの両手をとると、彼の眼にひたと視線を向けてくる。彼女の顔には愁《うれ》いをふくんだ表情があった。

「あなた《ダーリン》、あなた《ダーリン》、あなた《ダーリン》」彼女はささやいた。「あなたはまたあんな話をはじめるんじゃないでしょうね？　またぶりかえしたって医者がいってましたわ」

「また何がぶりかえしたって？」

「ガリヴァー・フォイルの夢物語よ、あなたが宇宙船の船員だとか……」

「おれはガリー・フォイルだ。そいつがおれの名前だよ。ガリー・フォイルだ」

「とんでもない。そんなものはあなたがこの数週間抱いていた妄想よ。あなたは過労だし、お酒を飲みすぎたのね」

「生まれてからずっとガリー・フォイルだったんだ」

「ええ、そうよ、あなた。あなたはそんな気がしているだけなの。でもちがうのよ。あなたはジョフリー・フォーマイルなのよ。ジョフリー・フォーマイル。あなたは——ああ、あなたにお話ししてもムダだわ。さあ、服を着てくださいね。階下《した》にきてくださらなければいけません。あなたのオフィスがたいへんよ」

フォイルは召使の手で服を着させてもらい、ふらつきながら階下へおりた。明らかに彼を崇拝しているらしいあの美しい女性は、画架や、描きかけの画布がいくつもちらばっている巨大なスタジオのなかを案内した。デスク、書類棚、株式相場表示機、事務員、秘書、職員でいっぱいになっている大広間へつれていかれた。彼らはガラスやクロームずくめの天井の高い実験所へ入った。焼燃器が光をちらつかせ、音をたてていた。

「いったいこれはなんだ?」フォイルはきいた。

女は豪華な肘掛椅子にフォイルを腰かけさせた。そのかたわらに巨大な机があって、不思議な符号のついた興味ぶかい書類がちらばっていた。フォイルは書類のいくつかに署名があるのを見た。ジョフリー・フォーマイルと、堂々たる筆蹟で署名がなぐり書きされてあった。

「どうもたいへんな誤解だな」フォイルがいいだした。

女がさえぎった。「ここにドクター・リイガンがおいでです。先生に説明していただきますわ」

きびきびした態度でなかなか印象的な紳士がフォイルのところにやってきて、脈搏をはかり、眼をしらべ、満足そうにうなずいた。

「結構です」彼はいった。「たいへん結構です。そのうちに完全に回復しますよ、ミスタ・フォーマイル。さて、わたしの話をちょっと聞いていただきましょうか？」

フォイルはうなずいた。

「あなたは過去のことを何もおぼえていらっしゃらない。あやまった記憶しかないのですよ。過労ですな。あなたは重要な人物なので、あなたに対していろいろな要求が多すぎたのです――一ヵ月前から過度に飲酒をなさるようになられた。いや、ちがうとおっしゃってもだめですよ。あなたは正気ではなくなられたのです」

「おれは――」

「ご自分が、あの有名なジェフ・フォーマイルではないと確信なさってしまった。子どもが責任を回避するようなものですな。ご自分をフォイルという名前の、普通の宇宙船乗りだとお思いになられた。ガリヴァー・フォイルでしたね？　へんな番号のついた……」

「ガリー・フォイルだ。ＡＳ‐１２８／１２７：００６。それがおれだ。それが――」

「それはあなたではございません。ここにおいでになるのがあなたなのですよ」ドクター・リイガンは透明なガラスの壁を通して見える不思議なオフィスに向かって手をふった。

「前の記憶を追い出せれば、ほんとうの記憶がとりもどせるのです。もしわたしたちの力で、あなたが宇宙船乗りの夢をすてる助けになれれば、このかがやかしい現実はすべてあなたのものなのですよ」

ドクター・リイガンは催眠術でもかけるように、眼鏡をきらりと光らせて身をかがめた。

「あなたのあやまった記憶を詳細にお話しねがえれば、わたしがそれを追い出しますから。どこで宇宙船《ノーマッド》を去ったんですか？　どうやって逃げました？　現在《ノーマッド》はどこにあるとお思いですか？」

フォイルは今まさに自分の手中にあるように思われるこのロマンティックで魅力的な光景を前にして思わず逡巡した。

「おれがノーマッドを去ったのは、たしか――」いいかけて口を閉じた。

ドクター・リイガンの眼鏡に悪魔の顔がのぞいていた……歪んだ顔にN♂MADと刺青《いれずみ》されたおそろしい虎の顔だった。フォイルは立ちあがった。

「うそつきめ！」彼はどなった。「おれの話はほんとうだぞ。こんな話はインチキじゃないか。おれの身に起ったことはほんとうなんだ。おれはほんとうにおれなんだ」

ソール・ダーゲンハムが実験室に入ってきた。「よし」彼は叫んだ。「やられた。失敗だ」

実験室、事務室、スタジオのあわただしい光景が終わった。この劇の俳優たちはもはや二度とフォイルに眼を向けず、静かに立ち去った。ダーゲンハムはフォイルに向かって死人のような微笑をみせた。「なかなかタフだな、あんた？　えらく変わっているね。わたしはソール・ダーゲンハムだ。五分間だけ話しあってみよう。庭園にきてくれ」

病院の建物の屋上にある精神安定庭園は、治療計画に大きな成功をもたらしたもののひとつだった。背景、いっさいの景観、色彩、あらゆる場所が、敵意をやわらげ、反抗をなだめ、怒りをしずめ、ヒステリーを発散させ、憂鬱《メランコリー》を吸収するように考案されていた。

「腰かけなさい」ダーゲンハムは透明な水のせせらぎがきこえるプールのそばのベンチをさしていった。「ジョウントしようとしてもムダだよ──きみは薬を飲まされているからね。わたしはあまりきみのそばに近寄れないんだ。放射能を帯びているんでね。どういう意味かわかるかい？」

フォイルはむっつりと頭をふった。ダーゲンハムは燃えるような蘭の花のまわりをつつむような恰好に両手をさしのべて、しばらくそのままにしていた。

「この花をよくごらん」彼はいった。「あとでわかるよ」

彼は小径を歩きまわっていたが、いきなりふりかえった。「たしかにきみのいうとおりだ。きみの身に起ったことは事実だよ……しかし、何があったんだ？」

「ちくしょうめ」フォイルはどなった。

「おいおい、フォイル、わたしはきみを尊敬しているんだよ」

「その素朴な生きかたには率直さと勇気がある。きみは原始人だよ。フォイル。わたしはきみをしらべてきた。きみがプレスタインの造船所で投げた爆弾、あいつはご愛嬌だった。きみは金や物資を盗み出して、もう少しで総合陸軍病院をめちゃくちゃにするところだった」ダーゲンハムは指を折った。「ロッカーを略奪し、窓のない部屋からぬけだし、薬局から薬を盗み、実験室の倉庫から器具を盗んだ」

「くたばれ」

「しかしプレスタインになんのうらみがあるんだ？　きみが造船所を爆破しようとしたのはなぜだ？　何をするつもりだったのかね、フォイル？」

「くたばれ」

ダーゲンハムは微笑した。「話しあうつもりなら、答えてくれないと困るね。きみの言葉はどうも簡単すぎるよ。《ノーマッド》はどうした？」

「《ノーマッド》のことなんか知るものか」

「《ノーマッド》は、七カ月以上前に最後の報告をよこした。きみがただ一人の生存者なのか？　その間《かん》、きみは何をしていた？　顔に装飾をほどこしていたのか？」

「《ノーマッド》のことなんか何も知らんよ」

「いかん、いかん、フォイル。そんなことをいってもきかないよ。その顔の《ノーマッド》という刺青が証拠だ。まあたらしい刺青じゃないか。課報局の調査では、《ノーマッド》の出発の際に、きみが乗り組んでいたことがわかった。フォイル、ガリヴァー、AS－128／127：006、三等機関士。きみは五十年も昔に行方不明になった宇宙船で帰ってきた。きみは原子炉で料理をしていた。課報局はこういった質問に全部答えてもらいたがっている。中央課報局が被疑者からどんな手段で返事をさせるか考えてみたまえ」

フォイルはぎょっとした。ダーゲンハムは自分の言葉がまさにフォイルの急所をついたのを見てうなずいた。「だからわたしの話も聞いてくれ。われわれは情報が欲しいんだ。フォイル。わたしはきみを罠にかけて情報を得ようとした。それはみとめる。きみがあまりにも強靭すぎて失敗した。それも認めよう。こんどはまっとうな取り引きを申しこんでいるんだよ。きみが協力してくれれば、われわれがきみを保護しよう。それがいやなら、きみは五年間も課報局の実験室に入れられて、情報を頭から剝ぎとられることになる」

フォイルがおそれたのは殺されると思ったからではなく、自由をうばわれると考えたからだった。いつの日にかふたたび《ヴォーガ》にまみえて、八つ裂きにし、中身をえぐりだして復讐してやるには、あくまで自由でなければならなかったのだ。

「取り引きって、なんの？」

「《ノーマッド》に何があったか、どこで船を離れたかを話してくれ」

「なぜだ？」

「なぜって？　サルベージするためだよ」

「サルベージすることはない。破壊されているよ、それだけさ」

「破壊されていたって、サルベージできるよ」

「何百万キロも飛んでいって破片をかきあつめようってのか？　冗談はよせよ」

「よし」ダーゲンハムが怒っていった。「じつは荷物があるんだ」

「あいつは大きく裂けたんだ。荷物なんかのこっているものか」

「あんたの知らない荷物があったのだ」ダーゲンハムはだいたんにいった。「《ノーマッド》は白金を火星銀行に輸送していた。銀行はしょっちゅう清算をしなければならないんでね。普通、惑星間で巨額の貿易がおこなわれているから、帳簿上で決算ができる。ところが、戦争のため通常貿易ができなくなり、火星銀行はプレスタインに二千数百万の貸しができ、その現金の回収方法がないままになっていた。プレスタインはその金を、固形状白金で《ノーマッド》に載せて送った。その白金はパーサーの金庫にしまってあったんだ」

「二千万」フォイルは低い声でいった。

「謝礼に何千でもさしあげよう。あの艇には保険がかかっている。しかしそれは保険業者のボーンズ・アンド・ウイッグが回収の権利を持つことになる。あいつらはプレスタインよりうるさいんだ。しかし、あんたにお礼はするよ。そうだな……二万クレジットにしよう」

「二千万か」フォイルはまた低くつぶやいた。

「敵の襲撃隊は《ノーマッド》を軌道上で捕捉攻撃したが、白金はそのまま残したものとわれわれは思っている。彼らは船を捕獲しなかったし略奪もしなかったはずだ。さもなければきみが生き残ったはずはない。つまりパーサーの金庫がまだ——きみは聞いているのか、フォイル？」

フォイルは聞いていなかった。彼はその二千万を見ていた……二万ではない……《ヴォーガ》に対する復讐の資金としての二千万の白金だった。ロッカーや実験室のかっぱらいはもうやめるのだ。《ヴォーガ》をとらえて破壊するための二千万の資金だった。

「フォイル！」

フォイルは夢想からさめた。ダーゲンハムに眼を向けた。

「おれは《ノーマッド》のことは何も知らないんだ」彼はいった。

「どうしたんだ、いったい？　どうしてまた黙ってしまったんだ？」

「《ノーマッド》のことは何も知らない」

「相当の謝礼を出そうというんだよ。宇宙船乗りなら二万のクレジットと聞いただけで涙を流してよろこぶだろう。一年間も泣けるくらいだ。それ以上何が欲しいんだ？」

「おれは《ノーマッド》のことは何も知らない」

「きみはわれわれか課報局かのどちらかをえらぶんだぞ、フォイル」

「あんたは課報局におれを引きわたしたくないらしいね。さもなきゃ、そんなに金をやすやす投げ出すようなまねはしないはずだ。だが、とにかくムダだよ。おれは《ノーマッド》のことは何も知らないんでね」

「この野郎——」ダーゲンハムは怒りをおさえようとした。彼はこの狡猾な野蛮人を相手に不必要な感情をいささか出し過ぎたのだった。「きみのいうとおりだ」彼はいった。「われわれは課報局がきみをつかまえなければいいとおもっている。だが、われわれは準備をととのえたんだ」声がひきしまった。「きみは黙っていればわれわれを追いはらえるとおもっているね。こっちを出しぬいて《ノーマッド》にもどれると考えている」

「ちがう」フォイルはいった。

「いいか、よく聞けよ、ニューヨークに弁護士を待たせてあるんだ。彼はきみを海賊行為《ハイジャック》で告訴したんだ。宇宙間海賊行為、殺人、略奪だ。きみに無期懲役を求刑する。プレスタインはあと二十四時間できみの有罪の判決を聞くことになるぞ。きみになんらかの犯罪前科があれば、頭蓋切開ということになる。きみは脳髄を切開され、二度とジョウントのできないように脳を半分焼かれるのだ」

ダーゲンハムは話をやめ、じっとフォイルを見つめた。フォイルが頭をふると、彼は話をつづけた。

「もしきみに犯罪の前科がなければ、まず十年は治療をうけることになる。われわれはこの文明の時代に罪人を罰することはない。治療は罰よりも悪いからな。きみは洞窟病院の暗い穴のなかにすてられる。二度と出られないように暗黒の独房に入れられてしまうのだ。きみは形だけの注射や治療をうけるが、暗闇のなかでやせ衰えてゆく。きみが話す気になるまで入れられるのさ。永久にきみを監禁しておくんだ。だから、決心しろよ」

「《ノーマッド》のことは何も知らないんだ」フォイルがいった。

「よし」ダーゲンハムは唾をはいた。ふいに彼は、前に両手でかこんだ蘭の花を指さした。すっかり萎《しお》れて枯れていた。

「きさまはこんなふうになるんだぞ」

5

スペインとフランスの国境に近いサン・ジロン近郊の南に、グフル・マルテルというフランス最深の深淵がある。その洞窟はピレネー山脈の下に何キロもうねってつづく。そこは地球上でもっともおそろしい洞窟病院であった。かつてそのぬばたまの暗黒からジョウントして外に出た患者は一人もいない。自分の方向を把握したり、暗い病院の深い地下洞窟のジョウント座標を身につけることに成功した患者は一人としていなかった。

前額部の脳切術を除いて、人にジョウントを停止させる方法はわずか三つしかない。それは頭部に打撲をくわえて脳震盪を起させること、精神集中の意欲減退を起させること、ジョウント座標を隠蔽することである。ジョウント時代においては三つのなかで隠蔽法がもっとも実用的と考えられていた。

グフル・マルテルの延々《えんえん》たる通路にならぶ監房は自然石を掘鑿《くっさく》したものだった。そこには一度も照明がつけられたことがなかった。通路もおなじだった。赤外線照明の光が暗黒にあふれている。特製レンズの監視眼鏡をかけた警備員や付添人にしか見えない。患者たちにはグフル・マルテルの、かぐろい沈黙に、地下水の流れが遠く聞えるだけだった。フォイルには、沈黙と水流と毎日の病院生活があるだけだった。八時に（時間の死に絶えたこの深淵では何時だろうとおなじだったが）ベルの音で眼がさめた。起きあがって、圧搾空気管で独房に送りこまれる朝食をうけとる。すぐに食べなければならない。代用品の陶器でできた茶碗や皿は十五分たつと時限的に融解するようにしてあるからだった。八時半に独房のドアがひらかれ、フォイルをはじめ数百人の患者が何も見ることなく、足を踏みしめて、まがりくねった廊下を歩き衛生室へ行く。

依然として暗黒に閉ざされたこの病院で、患者は加工場の牛肉のように処理される。消毒され、ひげをそられ、X線治療をうけ、脱臭され、薬を飲まされ、接種をうける。紙の制服は脱がされて、パルプにするために工場におくりかえされる。あたらしい制服が支給される。やがて彼らは、衛生室に行っているあいだに自動的に消毒された独房へもどるのだった。正午まで、フォイルは独房でいつ果てるとも知れない治療の話や講義、道徳と倫理の指導講話を聞く。やがてふたたび沈黙がやってくる。遠い水の音と、眼鏡をかけた警備員が通路を静かに歩く音しか聞えなかった。

午後には作業療法がある。各房のテレビ・スクリーンがつくと、患者はスクリーンの映像に手をさし入れる。立体的になんでも見えるし、放送された物体や道具を手に感じることができた。患者は病院の制服を裁断して、縫ったり、台所用品を作って食事の用意をする。実際には何にも触れないのだが、その動作は遠距離操作によって作業場に伝達されて作業をする。このみじかい時間の気分転換のあとにまたしても闇と沈黙が訪れる。

しかし何度となく……週に一度か二度（あるいは年に一度か二度なのかもしれない）遠くで爆発音が押し殺したように聞えてくる。その震動のせいで、沈黙のなかで燃えつづけていた復讐の念からフォイルはふと気をそらすことがあった。彼は、衛生室であたりにいた見えない人影に低い声で質問した。「あの爆発はなんだ？」

「爆発？」

「破裂音だ。ずいぶん遠くで聞えるんだが」

「あれは青《ブルー》ジョウントだよ」

「なんだって？」

「青ジョウントだ。ときどき、ここの生活に耐えられなくなる人間が出る。そいつはもうここにはもどらないのさ。未知の青い彼方へジョウントしていく」

「無残だな」

「ああ。自分のいる場所がわからないんだからな。行先もわからない。暗黒に向かって青ジョウントをする……そいつらが山のなかで爆発するのが聞える。グワーンとね。青ジョウントさ」

おどろいたが理解はできた。闇と、沈黙と、単調さが人を狂気に追いこんだり自暴自棄にするのだ。孤独感は耐えがたいものだった。グフル・マルテル監房病院に入院させられた患者たちは、おたがいに言葉をささやいたり聞きとったりできる朝の衛生の時間が待ちどおしい。しかしそれもわずかな時間しかつづかず、また自暴自棄になってゆく。それからいつかまた遠い爆発音が聞えるのだった。

ときには衛生室で患者たちが敵対しあって、凶暴な喧嘩がはじまる。こんなことは特殊眼鏡をかけた警備員の仲裁ですぐにしずめられる。そして朝の講義では、道徳教育の録音で忍耐の美徳というご託宣を聞かされた。

フォイルはそのテープの一語一句、あらゆる雑音にいたるまで頭にきざみこんだ。彼はその講師たちの声を憎むようになった。治療の単調さも気にせず、作業療法を機械的におこなうようになったが、かぎりない孤独の時間に屈しなければならなかった。激怒だけでは孤独を破ることはできなかった。

日々や食事や説教の数を忘れた。彼はもはや衛生室で人と話をしなくなった。精神がただよいはじめ、あてどもなくさまよいはじめた。自分が《ノーマッド》にもどって、生きるためにふたたび闘っているのだという気がした。やがて彼はこのあわい幻想を抱く力もうしなって、ふかくふかく緊張病《キャタトーニャ》のなかに沈みはじめた。子宮の沈黙と、子宮の暗黒と、子宮の内部へ。

夢は消えていった。はじめ天使が彼にハミングするのが聞えた。その次に彼女は静かに歌った。三度目には、彼は彼女が心をかきむしるような低い語調で、「ああ……」とか、「ううう！」とか、「おお……」というのが聞えた。

彼は女の声を聞きながら深淵に沈んでいった。

「出口があるのよ」天使はやさしくなぐさめるように低く声をかけてきた。その声はやさしく温かみがあったが、それでいて怒りに燃えていた。激怒した天使の声だった。「出口があるのよ」

その声はいずこともなく彼の耳にささやく。絶望の論理的帰結として、グフル・マルテルには出口があるのだと彼は思うようになった。前にはそれに気がつかなかったのがバカだったのだ。

「そうだ」彼はつぶやいた。「出口があるんだ」

かすかに息をのむ声が聞え、ついでそれが低い質問になった。「そこにいるのは誰なの？」

「おれしかいない」フォイルはいった。「おれはあんたを知ってるよ」

「どこにいるの？」

「ここだ。いつもここにいる」

「でも、誰もいないわ。わたししかいないもの」

「おれを助けてくれてありがとう」

「声を聞かれるとよくないわ」憤怒の天使はつぶやいた。

「きみはおれに出口を教えてくれた。青ジョウントさ」

「青ジョウント！　まあ、それではこれは夢じゃないんだわ。あなたは貧民語を話しているわね。あなたは現実のひとなのね、誰なの？」

「ガリー・フォイル」

「だけど、あなたはわたしの監房にはいないのよ。近くにもいないわ。男のひとたちはグフル・マルテルの北の象限《クアドロント》にいるのよ。女は南の象限よ。私は南＝九〇〇にいるの。あなたはどこなの？」

「北＝一一一」

「四百メートルも離れているのよ。だけど、どうしてわたしたちは話が――あ、そうだ！〈ささやきライン〉なのよ。伝説だとばかり思ってたわ、でもほんとうなのね。あなたとわたしには〈ささやきライン〉が通じているのよ」

「さあ、はじめるぞ」フォイルはささやいた。「青ジョウントをやる」

「待って、フォイル、ね、青ジョウントのことは忘れて。そのままにしていて。これは奇蹟なのよ」

「奇蹟ってなんだ！」

「このグフル・マルテルには聴覚上の異常現象が起るのよ……地下の洞窟で起るの……反

響音とか、通行音とか、ささやき声が地下道で共鳴するような異常現象よ。ここに長いこと入れられているひとは〈ささやきライン〉と呼んでいるわ。わたしは少しも信じていなかったの。誰も信じた人間なんかいなかった。でも、これは事実だわ。今、わたしたちはおたがいに〈ささやきライン〉で話しあっている。わたしたち以外には誰にもきこえないの。わたしたち、話ができるのよ、フォイル。計画を立てることもできるわ。もしかしたら――脱出することもできるのよ」

彼女の名前はジスベラ・マックイーンだった。彼女はすぐに興奮する性質《たち》で、他人から干渉されることを嫌い、知的な女性だったが、窃盗罪のためグフル・マルテルで五年間の治療をうけているのだった。ジスベラはフォイルに自分が社会に反逆した理由をひどく憤激しながら説明した。

「ジョウントが女性にとってどんなものだったか、あなたにはわからないでしょうね、ガリー。おかげでわたしたちは部屋に監禁され、後宮《こうきゅう》に逆行してしまったのよ」

「後宮ってなんだい？」

「ハレムよ。女たちがいつでも寝られるようにかこわれている場所。文明がはじまってから何千年もたった現在でも、わたしたちはまだ財産なのよ。ジョウントは女性の貞操や、価値に非常な危険を及ぼすので、まるで純金の皿のように金庫のなかにとじこめられるのよ。わたしたちには、どうすることもできないわ。仕事もない。将来性もない。ガリー、そんな状態を打破して、法律をふみにじらなければ、自由にはなれないのよ」

「きみがそれをしなければならなかったのか、ジズ？」

「わたしは独立しなければならなかったのよ、ガリー。わたしは自分で生きなければならなかったの。社会がそんなふうにしむけたわ。家を飛び出して悪い女になったのもそのせいよ」そしてジズは自分のおそろしい反抗の話を詳しく話しつづけた。

フォイルは彼女に《ノーマッド》や《ヴォーガ》のこと、自分の抱いている憎悪や計画を話した。自分の容貌や二千万の白金が小惑星で待っていることはいわなかった。

「《ノーマッド》はどうしたの？」ジスベラがきいた。「あなたのお話にあったダーゲンハムという男がいったようなことがあったの？　外衛星同盟の襲撃隊に爆破されたのかしら？」

「おれは知らないんだ。思い出せない」

「きっと爆発で記憶を喪失したのね。衝撃。それに半年も一人でいたせいだわ。あなたは《ノーマッド》に、何か救い出す価値のあるものがあるかどうかご存じなの？」

「いいや」

「ダーゲンハムはいった？」

「いいや」フォイルは嘘をついた。

「それなら、彼があなたをグフル・マルテルに入れたのはべつな理由があってのことよ、きっと。何か《ノーマッド》にあったものを欲しがっているんだわ」

「そうだよ、ジズ」

「でも、あなたってバカね、《ヴォーガ》をそんなふうに爆破しようなんて。自分を傷つけた罠に食ってかかる野獣みたいだわ。鋼鉄には生命がないのよ。《ヴォーガ》を処罰したってなんにもならないわよ」

「《ヴォーガ》はおれを見すてたんだぜ」

「あなたは自分の脳みそを処罰すべきなのよ、ガリー。そんな罠をしかけた脳みそをね。誰が《ヴォーガ》に乗っていたか調べてごらんなさい。あなたを救わなくてもいいって命令をしたのが誰なのか調べるのよ。その人間を罰しなさい」

「でも、どうやって？」

「《ノーマッド》を航行させる計算や爆弾のつくりかたを理解できた脳みそなら、それだって考えられるでしょうに。だけど爆弾はもうだめ。そのかわり頭を使うのよ。《ヴォーガ》の乗組員の一人をつきとめなさい。その人がほかの乗員を教えてくれるでしょう。その人たちをたぐっていくのよ。誰が命令したかつきとめるの。その人間を罰しなさい。でも、時間がかかるわよ、ガリー……時間とお金が」

「おれは死ぬまでやりとげるよ」

何時間も〈ささやきライン〉で声をひそめて話をした。二人の声は低かったが、耳もとではなしているようにはっきりと聞えた。それぞれの監房には、べつな房の話が聞える特別な場所はひとつしかなかった。だからその奇蹟を発見するにはずいぶん時間がかかる。しかし、もう彼らは失われた時を回復したのだ。そしてジスベラはフォイルを教育したのだった。

「ガリー、もしわたしたちがグフル・マルテルを脱走する場合、二人いっしょにやらなければいけないのよ。だけどわたしは無学な人にはたよれないわ」

「誰が無学だ?」

「あなたよ」ジスベラがずばりと答えた。「半分は貧民語をはなさなけりゃならないもの、わたしが」

「おれだって読み書きぐらいできるんだぞ」

「だけどそれだけでしょう……つまり、暴力をふるう以外、あなたはまるで無能なのよ」

「なにがいいたいんだよ」フォイルは怒っていった。

「わたしがいいたいのはね、いい、もし先がとがってなかったら、この世でいちばん強力な鑿《のみ》だって、使いみちがないってこと。ガリー、わたしたちはあなたの知性をもっともっと磨きあげなきゃならないの。あなたを教育するのよ、それがすべてだわ」

彼は降伏した。彼女のいうとおりだと思った。脱走の目的ばかりでなく、《ヴォーガ》

探索のためにも、どうしても訓練が必要だった。ジスベラは建築家の娘で教育があった。ときどき彼はくるしい勉強がいやになって、小声で喧嘩したものだが、結局は彼があやまってケリがつく。また、ときにはジスベラが教えるのにあきて、おたがいにとりとめのない話をつづけては、暗黒のなかでおたがいに夢を見たものだった。

「わたしたち愛しあうようになったのね、ガリー」

「おれもそう思う、ジズ」

「わたしは醜い老婆なのよ、ガリー。百五歳よ。あなたはどんなふうかしら？」

「ものすごいんだよ」

「どんなふうにものすごいの？」

「おれの顔が」

「あなたの話って、ロマンティックね。かえって男のひとを魅力的にする傷がついているわけね」

「そうじゃない。会ってみればわかるよ。いや、こういういいかたはいけないな、ジズ。きまっているんだ。〝会ってみれば〟じゃない。会うんだ」

「そのとおりよ」

「おれたちはいつか会えるよな、そうだろ、ジズ」

「そのときが早くくればいいわ、ガリー」とジスベラの遠い声がきびきびした事務的なものになった。「だけどわたしたち夢にうかされるのをやめて、仕事にとりかからなければいけないわ。計画と準備をするのよ」

ジスベラはグフル・マルテルについてのおびただしい情報をあつめていた。誰ひとり洞窟病院の外へジョウントして出た者はいなかったが、地下組織が数十年にわたって病院に関するあらゆる情報をあつめていたのだ。こういう情報がそろっていたからこそ、彼女は脱走の話をはじめたのだった。

「ぜったいに、少しも疑ってはいけないの。ここの防備施設には十ぐらい脱出口があるはずよ」

「まだ発見した者は誰もない」

「二人で協力してやった者もいないわ。わたしたちは情報をあつめて成功するのよ」

彼はもはや衛生室への往復にふらふら歩くようなことはしなかった。廊下の壁にふれたり、ドアや室内の織物に注意したり、かぞえたり、聞いたり、推測して報告した。衛生室の房のなかの一歩一歩に注意してジズに報告した。自分のまわりでシャワーを浴びている人や消毒室の人たちに小声で質問してはうまく目的を達した。ジスベラとフォイルは、グフル・マルテルの日課やその警備施設の状況を頭のなかにきざみこんだ。

ある朝、衛生室からの帰途、独房にまさに入ろうとしたとたんに呼びとめられた。

「そのまま列に入っていろ、フォイル」

「ここは北＝一一一号だぞ。ここはおれの房だ」

「そのまま動け」

彼は恐怖を感じた。「おれをべつの房に移すのか？」

「面会人だ」

北通廊の端まで歩かされた。その場所はべつに三本の大きな通廊が交叉して、巨大な十字路になっていた。その十字路の中心に本部や作業場や診療所、植物園などがあった。フォイルは独房とおなじ暗い部屋に入れられた。うしろでドアが閉った。彼は闇のなかにぼうっとかすかに光るものがいるのに気がついた。朦朧としたからだと死人の顔をした化身の像だった。骨と皮だけになった顔の上についている二つの円盤は眼窩か赤外線眼鏡かいずれかだった。

「おはよう」ソール・ダーゲンハムがいった。

「あんたか？」フォイルは叫んだ。

「いかにも。五分間だけ時間がある。まあ腰をおちつけなさい、うしろに椅子がある」

フォイルは手さぐりで椅子をさがしてゆっくり腰をおろした。

「たのしいかね？」ダーゲンハムがきいた。

「なんの用だ、ダーゲンハム？」

「かわったね」ダーゲンハムはひややかにいった。「このまえ話をしたとき、きみはくたばれといったものだが」

「くたばれ、ダーゲンハム。これで気がすんだか」

「きみの返事はよくなった。話もだ。かわってきたね」ダーゲンハムがいった。「目端《めはし》がずいぶんきくようになった。わたしとしては気にくわないね。どうしたんだ？」

「おれは夜学へ行ったのさ」

「ここに十カ月もいたことになる」

「十カ月！」フォイルはおどろいた。「そんなにたったのか？」

「見ず聞かずの十カ月。孤独の十カ月。まいったろう」

「ああ、まいってしまったさ、まったく」

「当然泣きっつらをしているはずだが。やっぱり思ったとおりだ。きみは普通じゃない。このようすだと、ずいぶん時間がかかるな。われわれは待てない。そこであたらしい提案をしたいんだ」

「いいさ、しろよ」

「《ノーマッド》の白金の十パーセント。二百万やろう」

「二百万！」フォイルは叫んだ。「はじめからどうしてそう切り出さなかったんだ？」

「あんたの器量がわからなかったからな。話はいいか？」

「だいたいいね。しかしまだだ」

「ほかに何がある？」

「グフル・マルテルを出る」

「もちろんだ」

「ほかにも出してもらう人間がいる」

「それもみとめよう」ダーゲンハムの声がするどくなった。「ほかにまだあるのか？」

「おれがプレスタインの書類を見てもいいことにする」

「不可能だな。気はたしかなのか？　いいかげんにしろ」

「彼の船の乗組員名簿だ」

「ああ」ダーゲンハムは熱心さをとりもどした。「それならわたしが手配してやろう。ほかに何か？」

「ない」

「よし、話はきまった」ダーゲンハムはよろこんだ。幽鬼のようなぼうっとした光が椅子から立ちのぼった。「六時間後に釈放しよう。きみの友人のほうもすぐに手配するよ。こんなに手間どったことは残念だったが、きみがどういう人間なのかこっちは想像もつかなかったんだよ、フォイル」

「あんたは、どうしておれのところにテレパスを送りこまなかったんだ？」

「テレパスだって？　たしかにきみのいうとおりだよ、フォイル。だが、内惑星連合には完全なテレパスは十人しかいない。彼らのスケジュールは十年先までいっぱいなんだ。愛のためだろうと、金のためだろうと、彼らのスケジュールに割りこむのはとうてい無理なのさ」

「そいつは失礼した、ダーゲンハム。あんたが自分の仕事をわかってないんじゃないかって思ったんでね」

「おい、その言葉には傷ついたぞ」

「それに、いまのは全部でたらめだな」

「そんなにおだてないでくれよ」

「あんたにはテレパスをやとうことができる。二百万のうちのほんのちょっとを使えば、やとうのなんて簡単にできただろう」

「政府は決して……」

「おまえらはみんな、政府のためになんかやっちゃいないじゃねえか。ちがうな。あまりにもホットな何かがあるんで、あんたはテレパスを近づけたくないんだ」

ぼんやりした光が室内にかがやいてフォイルを照らした。

「きみはどの程度まで知っているんだ？　何をさぐっているんだ？　誰のためにやっているんだ？」ダーゲンハムは両手をふった。「やれやれ、わたしとしたことがなんてバカだったんだ。きみは普通の存在じゃない。ただの宇宙船乗りじゃなかったというのにな。誰のために働いているんだ？」

フォイルはダーゲンハムの手をはらいのけた。「誰のためでもない」彼はいった。「おれのためだ」

「誰のためでもないって？　うっかりだまされるところだったよ、フォイル。ヤン・ヨーヴィル大尉にわたしの祝福の言葉をつたえてくれ。思った以上に立派な部下をもっているとな」

「ヤン・ヨーヴィルなんて聞いたこともない」

「きみときみの仲間をここで朽ち果てさせてやろう。先刻の話は取り消しだ。きさまをこの病院のいちばんひどい監房に入れてやる。グフル・マルテルの底まで沈めてやるぞ――警備員、おい！　警――」

フォイルはダーゲンハムの咽喉をつかみ、彼をフロアに引きたおして敷石に頭をたたきつけた。ダーゲンハムは一度もがいたが、すぐに静かになった。フォイルは彼から眼鏡をとってかけた。視力が回復して、やわらかい赤やバラ色の光や影が見えてきた。

彼がいたのは応接室でテーブルと椅子二脚があった。フォイルはダーゲンハムの上着をぬがせて両手をいきおいよく突っこんだので肩のところがやぶれてしまった。ダーゲンハムの帽子がテーブルの上にのっていた。へりをふかくおろして顔をかくすようにしてかぶった。

反対側の壁にはドアがふたつあった。彼はそのドアのひとつを少し開けた。ドアは北側の通廊に通じていた。彼はドアを閉めると、部屋を横ぎってもうひとつのドアを開けた。そのドアはジョウント妨害の迷路に通じていた。彼はそのドアを走りぬけて迷路へ入っていった。だが、すぐに迷ってしまった。ぐるぐる道をかけまわったあげく、いつのまにかまたもとの応接室にもどっていた。ダーゲンハムは起きあがろうとしてもがいていた。

フォイルはまた迷路にもどった。走った。閉ざされたドアにたどりついて、それを押し開けた。そこは普通の照明のついた大きな作業場だった。機械の椅子に腰をおろして作業していた二人の技術者がおどろいて眼をあげた。

フォイルは大きなハンマーをひったくると、原始人のように跳びかかって殴りたおした。はるかうしろでダーゲンハムが叫んでいるのが聞えた。あらあらしくあたりを見まわしたが、袋小路に入ったことを知って恐怖をおぼえた。作業場はL字形だった。フォイルはいそいで角をまわりこみ、つぎのジョウント妨害ドアを突きぬけたが、そこでまた迷ってしまった。グフル・マルテルの警報装置が鳴りひびきはじめた。フォイルは大ハンマーで迷路の壁をたたきつけ、うすいプラスチックの覆いをくだいて、はじめて自分が女性を収容する象限の赤外線が輝いている南の通廊にいることを知った。

婦人警備員が二人、廊下をあわてて走ってきた。フォイルはハンマーをふりまわして殴りたおした。もう少しで廊下のつきあたりだった。その前方には、ずらりと監房のドアが並んでつづいていた。そのドアにはいずれも赤く光った番号がついていた。廊下の天井には赤い光が輝いていた。フォイルは爪先で背伸びして立つと、頭上の照明をたたき割った。ソケットまで破壊し、電線も切断した。廊下は眼鏡をかけていても何も見えなくなった。

「これであいこだ。みんな真っ暗闇になったぜ」フォイルはあえぎ、手で壁をさぐりながら廊下を走り、監房のドアをかぞえた。ジスベラは前に南の象限の様子を正確に教えてくれていた。彼は南＝九〇〇をめざして、かぞえながら進んでいった。ここでまた、警備員にぶつかった。彼はその女めがけてハンマーをたたきつけた。女は悲鳴をあげてたおれた。女の患者たちも悲鳴をあげはじめた。フォイルは番号をかぞえるのを忘れ、どんどん走った。

「ジズ！」彼はどなった。

彼女の声が聞えた。また警備員にぶつかったが、これもやっつけて、ジスベラの監房にたどりついた。

「ガリー、おねがい……」その声は押し殺したようだった。

「うしろにさがれ、うしろに」彼はハンマーでドアを三度たたきつけ、内側に押しあけた。房の内部にもがいて入ると、誰かにぶつかった。

「ジズかい？」彼は息をはずませた。「ごめんよ……ちょっと入れてもらおうと思ったんだ」

「ガリー、あなたは……」

「うん。こんなところで会うなんてすごいじゃないか、なあ？　外に出るんだ。出ろよ！」彼女を房から引っぱり出した。「事務室をとおるわけにはいかない。おれがもどったら大さわぎになる。きみの衛生室の病棟はどっちだ？」

「ガリー、気でもちがったの？」

「全象限が暗くなっている。電線を切った。まだ脱出できる可能性はある。行こう。行くんだ」

彼女を力いっぱい押した。彼女は通路に出て、婦人衛生拘置所の自動開閉室へ彼をつれていった。自動機械が制服をぬがして、石鹸をつけ、水にぬらし、殺菌をしているあいだに、フォイルは手さぐりで医療観察窓のガラス板をさがした。彼はそれを見つけ、ハンマーをふって粉砕した。

「入れ、ジズ」

彼女を窓から投げこみ、あとを追った。二人とも裸で石鹸をべとべとにつけているので、怪我をして、血が流れた。フォイルは闇のなかをころがるようにして医務官の通用ドアをさがした。

「ドアが見つからないんだ、ジズ。診療所から出るドアが。おれは――」

「シッ！」

「しかし──」

「だまって、ガリー」

石鹸のついた手が彼の口をさぐりあてかるくおさえた。彼女は彼の両肩をきつく抱きしめたので、指の爪が皮膚にささった。洞窟の病院を歩いてくる足音がすぐ近くにひびいてきた。警備員たちはめったやたらに衛生室をかけまわっているのだ。赤外線照明はまだ修理されていなかった。

「窓に気がつかないかもしれないわ」ジスベラは低く押し殺した声でいった。「静かにして」

二人はフロアにうずくまった。うろたえた足音が病棟の内部につづいていた。やがて足音は聞えなくなった。

「もう誰もいないわ」ジスベラがささやいた。「だけどすぐ探照灯をつけるわよ。さあ、ガリー、出るのよ」

「だが、診療所から出るドアが、ジズ。おれはここに──」

「ドアなんかないわ。螺旋階段を使ってあがるのよ。あの連中だってここから逃げると思っているわ。わたしたちは洗濯用のエレヴェーターに乗らなきゃだめなのよ。うまくいけばいいけど。ああ、ガリー。あなたはバカね。ほんとうにバカだわ」

二人は観察窓をとおって病棟のなかにもどっていった。エレヴェーターを闇のなかでさがしたが、彼らには何も見えなかった。

サイレンのうなりがいきなり洞窟じゅうにひびきわたり、いっさいの音響を消してしまった。息づまる静寂がやってきた。

「わたしたちの跡を追うために、Gフォーンを使っているのよ。ガリー」

「なんだって？」

「地中探知器よ、八百メートルもある固い岩をとおして人のささやきも聞きとれるの。だからサイレンを鳴らして全部を静かにしたのよ」

「エレヴェーター？」

「見つからないわ」

「よし、ついてこい」

「どこへ？」

「逃げるんだ」

「どこへ？」

「知るものか。しかしおれはむざむざつかまるような真似はしないぜ。ついてきな。少し運動したほうがきみのためになる」

ふたたびジスベラをまえに押し出して、二人は暗黒のなかを、あえぎ、つまずき、ころびながら南象限の最深部に走っていった。ジスベラは、通路の角にぶつかって二度倒れた。

フォイルは二十ポンドの大ハンマーを手に持って、柄をアンテナのように前に突き出しながら先に立って走った。やがてなにもない壁につきあたり、ついに廊下のはじまできたことがわかった。またしても罠にはまりこんだのだ。

「どうするの？」

「さあ、おれの計画も行きづまったらしい」

「ああ、ガリー……ガリー……」ジスベラはすすり泣いた。

「きみに考え出してもらいたいところだね。爆弾を使うなといったっけ。ここに今、爆弾がひとつあればなあ──待てよ」彼は二人がもたれかかっていた壁に手をふれた。水がにじんでいる。格子状のモルタルの継ぎ目だという気がした。

「こいつは自然の洞窟の壁じゃない。人工だ。煉瓦と石だ。さわってみろ」

ジスベラは壁に手をあてた。「それで」

「この通路はここで行きどまりじゃないってわけさ。つづいているんだ。それを途中でふさいだものなんだ」

彼はジスベラを通路に押し出し、フロアに手をこすりつけて石鹸をおとし、壁に大ハンマーをたたきつけはじめた。うめきとあえぎが彼の口からもれた。

「あいつらがやってくるわ」ジズがいった。「足音がきこえる」

ハンマーをたたきつけるにぶい音とくだける音が重なってひびいた。はじめ低い音がきこえ、それからゆるんだモルタルからバラバラ小石の落ちる音がきこえた。フォイルは努力を倍にした。突然くだけた音がして、つめたい空気がほとばしり出て二人の顔にあたった。

「突きぬけた」フォイルはつぶやいた。

乱暴に壁を突き破った穴の縁をたたいてみた。煉瓦、石、古いモルタルが飛散した。フォイルは打つのをやめてジスベラを呼んだ。

「入ってみろ」

彼はハンマーをすてて、彼女をつかみ胸の高さの穴に押しあげた。彼女はするどい縁でもがいて、痛さのあまり悲鳴をあげた。フォイルはぐいぐい彼女を押しこんで、肩から肘まですっかり押しこんでしまった。彼女の両脚から手をはなすと、彼女が向こう側にたおれた音がした。

フォイルは勇気を出して、ぎざぎざした壁の穴に飛びこんでいった。崩れた煉瓦やモルタルのかたまりのなかにたおれたとき、ジスベラがさしのべてきた手にふれた。二人はついに誰もいないグフル・マルテルの洞窟のつめたい暗黒に完全に入ったのだ……何十キロもつづく人跡未踏の洞穴や洞窟のなかに。

「おれたちはきっと出られるぞ」フォイルが低くつぶやいた。

「ほんとうに出口はあるのかしら、ガリー」ジスベラは寒さでふるえていた。「ここもみんな袋小路かもしれないわ。病院から壁で遮断されているのよ」

「出口はあるはずだ」

「見つかるかどうか」

「どうしても見つけなければならないんだ。さあ行こう」

二人は暗黒のなかを進んでいった。フォイルは、もう必要がなくなった眼鏡をとった。二人は岩棚や岩角や低い天井にごつごつぶつかった。坂や急な段をころげ落ちた。剃刀《かみそり》の背のような稜線を越えて平地に登って一歩踏み出したとき、足が宙を踏んでころがり落ちた。二人ともガラスのような地面に落ちた。フォイルはそれを手さぐりし舌でなめてみた。

「氷だ」彼はつぶやいた。「吉兆だ。おれたちは氷の洞窟のなかにいるんだよ。ジズ、地下氷河だ」

二人はぞくぞくふるえながら立ちあがり、何千年の昔からグフル・マルテルの深淵にできた氷のなかを必死に進んだ。小さな岩の林のなかにのぼってゆく。林のはじでフォイルは足をとめ、手をのばしてへし折った。金属的なひびきがきこえた。彼はジスベラの手をとって先細の長い石筍《せきじゅん》の円錐をにぎらせた。

「杖だ」彼はいった。

もう一本たたき折って、二人は闇のなかを盲人のように、手さぐりし、つまずきながら進んだ。恐怖のどよめき……はげしい息づかいと心臓の高鳴り、石杖の音、おびただしい水滴の音、グフル・マルテルの地下水が奔流する遠い音以外には何も聞えなかった。

「そっちへ行ってはいけない」フォイルは彼女の肩をかるく突いた。「もっと左だ」

「どこへ向かって進んでいるのか、少しはわかるの？」

「下だよ。ジズ。下り坂にそって行くんだ」

「何か名案があるの？」

「うん。すごいんだ。すごいもんだよ！　爆弾のかわりに頭を使うってのは」

「頭ですって……」とジスベラは気ちがいじみた甲高い笑いをあげた。「あなたはハンマーで南の象限に押し入ったくせに、爆弾のかわりに頭を使うなんてとんでもないわ」彼女は手のつけられないほど嘲弄的に叫んだ。たまりかねたフォイルは彼女をつかんでぐいぐい揺すぶった。

「静かにしろ、ジズ。Gフォーンでおれたちを追跡していたらどうする。きみの声は火星からでも聞えるんだぞ」

「ごめんなさい、ガリー。ごめんなさいね、あ、あたし……」声がふるえていた。「でもどうして下に行くの？」

「川だ。おれたちがいつも聞いていた川さ。近いはずだ。たぶん氷河が溶けてるんだ」

「川？」

「ただひとつの確実な出口さ。この山のどこかで外に出るはずだ。おれたちは泳ぐんだ」

「ガリー。気がちがったのね！」

「どうしたんだ。きみは泳げないのか？」

「あ、あたし、泳げるわ、でも——」

「それならやってみなきゃだめだ。絶対にだよ。ジズ。さあ行こう」

二人の力がおとろえはじめるにつれて、川の奔流の音はますます大きくなってきた。ジスベラはとうとうあえいで足をとめた。

「ガリー、あたし、休まなきゃダメよ」

「寒すぎる。歩きつづけるんだ」

「ダメだわ」

「歩きつづけろ」彼は彼女の腕をとろうと手さぐりした。

「手をどかしてよ」彼女はあらあらしく叫んだ。一瞬彼女はひどい怒りにかられた。彼はおどろいて手を離した。

「どうしたんだ？　おちつけよ、ジズ。おれはあんたがたよりなんだ」

「なんのために？　計画を立てなきゃだめだっていったでしょう——脱走するときは……ところがあなたのおかげでこんな罠にかかったのよ」

「おれが罠にかけられたんだ。ダーゲンハムはおれの独房をかえるつもりだった。もうあの〈ささやきライン〉を使えなくなる。だから強行しなければならなかったんだよ、ジズ……それにおれたち、脱出したじゃないか？」

「どこへ脱出しているの。グフル・マルテルのなかでさまよっているだけじゃないの。川をさがして溺死しようとしているわ。あんたはバカよ、ガリー。こんな罠にかけられるなんてわたしもバカだったわ。いまいましい！　なんでも自分の低能の水準にまで引き下げるのよ。わたしまで道づれにして。逃げる。闘う。殴る。あんたの知っているのはそれだけよ。打つ。こわす。爆破する。殺す——ガリー！」

ジスベラはふいに悲鳴をあげた。闇のなかでゆるんだ石ががらがらと崩れ落ちる音がし、彼女の悲鳴は小さくなって、大きな水音とともに消えていった。フォイルは彼女のからだが水中でのたうつ音をきいた。前におどりでながら叫ぶ。「ジズ！」そのとき、彼もまた、よろめきながら断崖のふちを越えてしまった。

彼は落ち、気絶するほどの衝撃とともに水面にたたきつけられた。氷のような水が彼をつつみこむ。水面がどこだかまったくわからなかった。息ができずにもがき、急流に冷たく細い岩のあいだを流され、気がつくと泡立つ水面におどりでていた。ごほごほと咳きこみながら叫ぶ。フォイルはジスベラがこたえるのをきいた。さかまく激流のなか、その声はかすかで、くぐもっていた。流れの中を必死で泳ぎ、なんとか彼女に追いつこうとする。

彼は叫んだ。彼女のこたえる声がますます小さくなってゆく。奔流のうなりがいっそう大きくなり、いきなり彼は滝に飲みこまれた。ふかい滝壺の底までまきこまれ、必死に水面に出ようともがいた。渦巻く流れが、なめらかな岩壁に押しつけられている冷たいからだに、彼のからだをからみつかせた。

「ジズ！」

「ガリー！　うれしいわ！」

二人はほんの一瞬、抱きあった。その間も水ははげしく彼らにぶつかった。

「ガリー……」ジスベラは咳をした。「ここをとおっているのよ」

「川が？」

「ええ」

彼は、彼女を追い越し、からだを岩壁にささえながら地下水のトンネルの口を手でさぐった。水流は二人をぐいぐいひきずりこもうとしていた。フォイルはあえいだ。左右をしらべた。

「ここをのぼって出ることはできない。とおりぬけないといけないよ」

「空気がないわ。ガリー。奔流が穴いっぱいに流れているもの」

「息をとめればいいんだ」

「息をとめても、このトンネルのほうが長いかもしれないわ」

「運を天にまかせるんだ」

「できないわ」

「やるんだ。ほかに方法はない。肺をいっぱいにしろ。おれにしっかりつかまって」

二人は水のなかでおたがいにからだをささえあい、息をはずませて、空気を吸った。フォイルはジスベラを地下水のトンネルにかるく押しやった。「先に行くんだ。おれはすぐあとから行く……もしきみが万一の場合に助ける」

「なんてこと！」ジスベラは声をふるわせて叫んだ。彼女は水中に沈み、流れにまかせてトンネルの口に吸いこまれていった。フォイルは後につづいた。彼らはガラスのようになめらかな表面のトンネルを右に左にぶつかりながら急流を下流へと流されていった。フォイルは頭や肩にジスベラの脚が当るのを感じながら彼女のすぐうしろを泳いだ。やがてまたうなりが聞え、トンネルを出たとき、肺は大きく息を吐き出し、眼も見えはじめた。やがてまたやっと水面に出て呼吸することができた。つるつるしたトンネルの側面がなくなって、ぎざぎざした岩に変わった。フォイルはジスベラの脚をつかむと、川の横につきでた石にしがみついた。

「のぼるんだ」彼は叫んだ。

「え？」

「のぼって出ないといけないんだ。先のほうにうなりがきこえるだろう？　あれは滝だ。こなごなになるぞ。出ろ、ジズ」

彼女は力がよわすぎて流れから出られなかった。彼は彼女のからだを岩の上に投げ上げてあとからつづいた。やがて彼はやっとの思いで立ちあがった。

「先へ進もう」彼はいった。「川に沿っていけ、いいか？」

彼女は答えなかった。しかしさからわなかった。彼は、彼女を元気づけた。二人は急流の岸にそって闇のなかをつまずきながら進んだ。二人のわたってきた岩は巨大で、墓標のように無数に散在し、まるで迷路のようになっていた。そのあいだをよろよろしながら縫って歩いているうちに、川を見うしなってしまった。川の音はきこえた。だが、川にもどることはできなかった。どこへ行くこともできなかった。

「迷っちまった」フォイルはうんざりしながらうめいた。「おれたちはまた迷子になっちまった。こんどはほんとうにどうしようもない。いったいどうすりゃいいんだ」

ジスベラが泣きはじめた。無力感にさいなまれ、逆上したようすで。フォイルはよろめきながら立ちどまると、すわりこんだ。彼女を抱きよせると、となりにすわらせた。

「きみのいうとおりだよ」彼はいった。「どうやら大バカものだ。おれは二人ともジョウントできない場所に出てしまったんだ」

彼女は答えなかった。

「頭をつかうなんてがらじゃなかった」彼は躊躇した。「もう一度もときた道をたどって病院へ帰るべきだと思うんだろう？」

「もどれるものですか」

「そうかな。ちょっと待ってくれよ。頭をつかおうぜ。たとえばどんちゃん騒ぎをするなんてどうだ？　あいつらはGフォーンで、おれたちの跡をつけてるはずだろう？」

「やつらにはきこえやしないわよ……あたしたちが生きてるうちには、ぜったい見つからないわ」

「だいじょうぶだ。充分きこえる音がだせるさ。きみがおれを、いつもみたいにぶっとばせばいいんだ。ふたりとも楽しめるぜ」

「もうだまって」

「なんてことだ」彼はからだをまげて仰臥すると、頭をやわらかい草の茂みの上にのせた。「少くとも、おれは《ノーマッド》にもどれる可能性はある。青ジョウントさ。食料はあるし、おれの行先を眼にうかべることもできるんだ。おれはもう――」いいかけて彼はふいにからだをまっすぐ起した。「ジズ！」

「くだらないことしゃべらないでよ」

彼は地面に手をやって芝土と草のかたまりをかき集めた。それを彼女の顔につきつける。

「この匂いを嗅いでみろ」彼は笑った。「おれたちはグフル・マルテルの外に出ているんだ」

「え？」

「外は夜なんだよ。だから暗いんだ。洞窟から出たんだ。でも気がつかなかったのさ。おれたちは外に出たんだ、ジズ。おれたちはやったんだよ！」

彼らはあたりを見、聞き、匂いをかいだ。夜はさだかではなかったが、やわらかい夜風の音がきこえ、甘い植物のかおりが鼻をついた。はるか遠くで犬が吠えた。

「ああ、ガリー」ジスベラは信じられないというようにささやいた。「わたしたち、グフル・マルテルから出たのね。今はただ夜明けを待つだけ」

彼女は笑った。彼女は彼に抱きついてキスした。彼は彼女を抱きしめた。二人は興奮しながら話しあった。二人はやわらかい草の上にぐったりと横になった。しかし心はおちつかず、興奮しきっていて、じりじりしながら、さまざまな気もちにかられた。二人の前には人生のすべてがあった。

「ハロー、ガリー。やさしい、ガリー。ハロー、ガリー。やっとわたしたちは生きのびたのね」

「ハロー、ジズ」

「わたし、あなたに、いつかは会えるっていったでしょう……いつか近いうちにって。わたしいったわね。あなた。今日こそ、その日よ」

「日じゃない、夜だ」

「夜よ、そうだわ。でも、もう〈ささやきライン〉での夜のひそひそ話は終わったのよ。もう、わたしたちには夜じゃないわ」

突然、二人は自分たちが裸のからだをぴったりつけあって横たわっていて、もはや離れることができないことに気がついた。ジスベラは静かになり動かなくなった。彼は怒ったように彼女のからだを抱きしめ、ある欲望に駆られていった。彼女にもひとしくその欲望が生まれていた。

暁《あかつき》がやってきて、彼は彼女の美しい姿を見た。赤っぽい髪にやさしい口もと、背が高くすらりとしていた。

しかし、暁がやってきたときに、彼女は彼の顔を見たのだった。

6

医師のハーリィ・ベイカーは、モンタナ・オレゴン地区で小さな全科診療所を開業していた。サハラで流行していたヴィンテージ・トラクターの大会に週末ごとに参加して消費するジーゼル・オイルの費用がやっとという程度の収入しかなかった。ほんとうの収入はトレントンにある整形病院からあがった。ベイカーは、月、水、金の夜間、病院にジョウントした。ずいぶん多い診察料が入ったし、見世物の怪物を創造したり、地下都市ではたらく人のために皮膚や、筋肉や、骨を改造した。

ベイカーは、スポケインの自邸のすずしいヴェランダにくつろいで、ジズ・マックイーンが脱出した話を聞いていた。

「いったんグフル・マルテルの外の平地に出てしまうと、あとは楽でした。ハンターの小屋を見つけて忍びこみ服を失敬しましたの。猟銃もありましたわ……爆薬で殺す昔なつかしい鋼鉄製のものですわ。わたしたちはその銃をもっていって地元の人間に売りつけました。それから、自分たちが記憶しているいちばん近いジョウント台へ行くことにしました」

「どこです？」

「ビアリッツですわ」

「夜旅行したのですね？」

「もちろんですわ」

「フォイルの顔をどういうふうにしました？」

「メーキャップをしてみましたが、効果はありませんでした。あのおそろしい刺青《いれずみ》が透いて見えるんです。それで、わたしは黒い代用皮膚を買って吹きつけてみました」

「効果はありましたか？」

「いいえ」ジズは怒ったようにいった。「なにしろ顔を動かさないようにしていなければなりませんものね、そうしないと、代用皮膚に亀裂が入って剝がれてしまいますから。フォイルは自分をおさえることができなかったんです。絶対にできないんですの。なにしろひどかったんです」

「それで、今はどこにいるのです？」

「サム・クァットが世話をしていますわ」

「サムは、もう仕事から手を引いたはずだが」

「そうなんです」ジスベラは陰気にいった。「だけど彼はわたしに借りがありますの。だからフォイルの世話をしてもらうことにしたんです。警官につかまらないように、サムと二人でたえずジョウントして、逃げまわっています」

「おもしろい」ベイカーがつぶやいた。「わたしは今まで一度も刺青をした人間を見たことがない。もはや死に絶えた芸術だと思っていましたよ。フォイルをわたしのコレクションにくわえたい。わたしが珍品を蒐集していることはご存じでしょう、ジズ？」

「トレントンのあなたの動物園を知らない人はいませんわ、ベイカー。あのおそろしい動物園を」

「先月、正真正銘の兄弟の嚢胞《のうほう》を手に入れましてね」ベイカーは熱く語りはじめた。

「そんなお話はききたくありません」ジズがぴしゃりとさえぎる。「それに、フォイルをあなたの動物園に入れるつもりもありません。フォイルの顔の整形がおできになりますか？　刺青をきれいにできます？　総合陸軍病院ではうまくいかなかったと、彼はいってるんですけれど」

「あの病院の連中はわたしほど経験がないんでね。ふむ。何かで読んだことがあるような気がするんだが……なんだったかな……あれは？　ちょっと待ってくださいよ」ベイカーは立ちあがって、かすかな音をたてて姿を消した。二十分後に、彼は、ぼろぼろになった本を持って得意満面の表情でもどってきた。

「わかりましたよ」ベイカーがいった。「三年前、カルテクの図書館で読んだ記憶があった。すごいでしょう、わたしの記憶力は」

「あなたの記憶力なんてどうでもいいのです。フォイルの顔はどうなりますの？」

「なんとかなる」ベイカーは、その本のページをくって考えこんだ。「うん、だいじょうぶだ。二硫酸インジゴだな。これを合成しなければならないだろう……」ベイカーは本を閉じてうなずいた。「やってみましょう。あなたのおっしゃるように珍奇な刺青だとすれば、せっかくの顔を整形するのはざんねんだが」

「あなたのご趣味はべつのときにお願いします」彼女は怒って叫んだ。「わたしたちは逃亡中なのよ、おわかりでしょう？　はじめてグフル・マルテルから脱走した人間なの。警察はわたしたちを捕まえるまで、決して追跡の手を休めないわ。彼らにとっては、わたしたちは超特別の獲物なのよ」

「しかし――」

「フォイルがあの刺青の顔のままで、わたしたちがいつまでグフル・マルテルの外で逃げまわっていられると思うの？」

「何をそんなに怒ってるんですか？」

「怒ってなんかいないわ。ただ説明してるだけじゃない」

「彼にとっては動物園にいるのもたのしいかもしれませんよ」ベイカーは説得するようにいった。「まさに保護されるわけですから。そう、ひとつ眼女のとなりの部屋が……」

「動物園の話はもうなし。終わりです。わかりましたか」

「承知しました。でもあなたは、どうしてそんなにフォイルのことを心配しているんです？　彼とはなんの関係もないんでしょう」

「あなたこそ、どうしてわたしが心配していることを心配するの？　わたしはただ手術をお願いしているだけなのよ。ちゃんと料金も払いますわ」

「料金は高いですよ。しかし、わたしはあなたが好きだ。あなたに金を投げ出すようなことはさせまいとしてるんですよ」

「よして」

「わたしにだって好奇心はありましてね」

「そこまでおっしゃるのなら申しましょう。彼がわたしを助けてくれたんです。こんどはわたしがあのひとを助けてあげようと思っているんです」

ベイカーは皮肉な微笑をもらした。「それなら、最新式の顔のままにしといてやったほうがいい」

「何をいうの」

「わたしが思うに、彼の顔に興味があるからきれいにしてやりたいんですな」

「もうやめて、ベイカー。手術をするの、それとも、しないつもり？」

「料金は五千ですよ」

「くわしく説明してください」

「酸合成に千、手術に三千、それに千が――」

「好奇心に？」

「いや」ベイカーは、また、にやりとした。「麻酔に」

「どうして麻酔をかけるの？」

ベイカーは古ぼけた本をもう一度開いた。「これはほんとうに激痛をともなう手術なんです。どうやって刺青を彫るかご存じですか？　まず針をとり、染料に浸し、皮膚のなかにその針を打ちこむんです。その刺青の染料を漂白するには、こちらも針で彼の顔の刺青に沿って、すきまからすきまへと二硫酸インジゴを打ちこんでいくんですがね、これはとっても痛いんですよ」

ジスベラは、眼をかがやかせた。「麻酔なしでできますか？」

「できることはできますが、フォイルが――」

「フォイルなんかどうでもいいの。わたしが払うお金は四千よ。麻酔なしで。フォイルをくるしませてやって」

「ジズ！　あんたは彼がどんなことになるかわからないから、そんなことをいっているんだ」

「いいのよ。くるしめてやるの」彼女がひどくあらあらしく笑ったので、ベイカーはおどろいた。

「あいつもあの顔でくるしめばいいのよ」

ベイカーの整形病院は煉瓦造りの円形三階建で、かつては郊外軌道の古い駅の建物だった。トレントン・ロケット発着港のそばにあり、後部の窓からは反重力光線を照射しているピットの口が見えた。ベイカーの患者は、宇宙船が光線に乗って静かに上下し、舷窓を光らせ、セント・エルモの灯のような認識信号を点滅し、巨大な船体がびりびり震動するのを見て、うれしがっていた。

病院の地下は、金で買ったり、黙って失敬してきた珍奇な動物、自然の変異や怪物たちの動物園になっていた。ベイカーはこれらの生き物に情熱をそそぎ、長い時間をともにすごし、ふつうの人間が美術品を鑑賞するように、そのまがまがしい光景をながめながら酒をたのしんだ。二階には、手術を受けた患者の病室、実験室、スタッフルーム、調理場があった。

いつもは網膜の実験に使用されていた手術室のひとつで、ベイカーはフォイルの顔の手術にかかった。強力な照明の下で、小さな鋼鉄のハンマーと白金の注射針を使って、こまかい手術をした。ベイカーはフォイルの顔の刺青をたどり、皮膚のなかのひとつひとつの微細な傷痕を見つけだしては針をそのなかに打ちこんでいた。フォイルの頭は固く緊縛されていたが、からだは緊縛されてはいなかった。彼の筋肉はハンマーを打つたびにもだえたが、けっしてからだを動かさなかった。彼は手術台の横を手で握りしめていた。

「自分をおさえろ――」歯をくいしばりながらフォイルはいった。「きみがいつもいってたことさ、ジズ。おれはいま、そいつを練習してるんだ」かれはウィンクした。

「動かないで」ベイカーが命じる。

「この痛みを笑いとばそうとしてるんだがね」

「おまえはだいじょうぶだよ」サム・クァットはそういったが、彼のほうが具合が悪そうにみえた。横目でジスベラの怒ったような顔をちらりとながめ、「なにかいうことあるかい、ジズ」

「彼は学んでるわ」

ベイカーは針を打ちこみ、注射をつづけた。

「おい、サム」フォイルは、やっと聞きとれるほどの声でつぶやいた。「あんたは自分専用の宇宙船をもっているそうじゃないか、ジズに聞いたぜ、悪事はひきあらしいな、ええ?」

「ああ、そのとおりさ。四人乗りのやつでね。双発ジェット船さ。土星週末用《サターン・ウィークエンダー》だよ」

付き添っていたサム・クァットがいった。

「土星の週末?」

「土星の週末は九十日もつづくからね。三カ月の食料と燃料を運ぶように設計してある」

「そいつは、おれにもってこいだな」フォイルはつぶやいた。「サム、その船を賃貸ししないか？」

「なんのために？」

「ちょっとヤバいことなんだ」

「合法的なことか？」

「いや」

「それならおことわりだね。近ごろすっかり勇気がなくなったんだ。警察につかまらないように、きみといっしょにジョウントしてたときによくわかったよ。おれはもう引退してるんだ。おれの欲しいのは平和だけだ」

「五万はらうよ。五万欲しくないか？　日曜日にはたっぷりその金をかぞえることができるんだぜ」

針は冷酷に打ちつづけられた。フォイルのからだは針を打つたびにびりびり動いた。

「五万ぐらいならもうもっているよ。現金でその十倍の金をウィーンの銀行に預けてある」クァットはポケットに手を入れて、きらきら光る放射性の鍵の輪をとりだした。「ほら、これが銀行の鍵だ。こっちがヨーブルグのおれの邸の鍵だ。二十室、二十エーカーだよ。こっちのはモントークにある《ウィークエンダー》の鍵だ。おれを誘惑しようとしたってだめだぜ。手おくれにならないうちにやめることにしたんだ。ヨーブルグにジョウントして帰って、余生をたのしく送るつもりだ」

「おれに《ウィークエンダー》を貸してくれ。あんたはヨーブルグで金をかぞえてればいいじゃないか」

「いつ金をかぞえるんだね？」

「おれが帰ったら」

「信用貸しにしてあとで金をうけとる約束にしたいのか？」

「保証がある」

彼は鼻をならした。「どんな保証だ？」

「小惑星でサルベージ作業をやる。《ノーマッド》という宇宙船だ」

「その《ノーマッド》とやらに何があるんだ？　なんでそのサルベージの仕事がひきあうんだ？」

「まだわからないよ」

「うそにきまっているさ」

「まだわからないんだよ」フォイルはかたくなに低い声でいった。「しかし、価値のあるものがあるはずなんだ。ジズにきいてみろ」

「いいか」クァットがいった。「おまえに教えてやりたいことがある。仕事は合法的にやるものさ、そうだろう？　おまえの考えていることぐらい読めるよ。なかなかすみにおけないことを考えているらしい。しかし誰にも割りこませたくない。だから、そうやって人の親切をあてにして……」

フォイルは、針の下でもだえたが、はげしい執着に憑かれて、くりかえした。「ジズにきいてみろ」

「まともな取り引きをするつもりなら、まともな相談をしろよ」クァットは怒ったようにいった。「どうやって襲おうか考えてる刺青をした虎みたいに、おれのまわりをうろつくんじゃない。いいか、あんたには友人はおれたち二人しかいないんだぞ。裏をかくような、あざといまねはよせ——」

フォイルの唇からもれた叫びで、クァットの話は中断された。

「動くんじゃない」ベイカーがいった。「きみが頭を動かすと針がうまく動かせないんだよ」彼はジズベラに強い視線をじっと向けた。彼女の唇がふるえていた。不意に彼女は財布を開けて五百₡r紙幣を出した。その紙幣をビーカーの横に置いた。

「あたしたちは外で待つことにするわ」彼女はいった。

彼女はホールで気を失った。クァットは彼女を引きずるようにして椅子に腰かけさせてから看護師を呼んだ。看護師はアンモニアを嗅がせた。彼女がひどくはげしく泣きはじめたので、クァットはびっくりした。看護師を帰してから、ジズが泣きやむまでうろうろしていた。

「いったいどうしたっていうんだ?」彼がきいた。「あの金にいったいどんな意味があったんだ？」

「あれは報奨金よ」

「報奨金って、何にたいする？」

「その話はしたくないわ」

「元気になったかい」

「いいえ」

「何かおれにできることでもあるかい？」

「いいえ」

長いあいだおたがいに沈黙していた。やがてジスベラが疲れた声できいた。「あなたはあの話、ガリーときめるつもり？」

「おれが？　いやだね。どうふんだところでヤバい話じゃないか」

「《ノーマッド》には何かすごい価値のあるものがつまれてあるはずよ。さもなきゃ、ダーゲンハムがガリーをあんなに追いまわしたりしないわ」

「おれにはまったく興味がないね。あんたはどうだい？」

「わたし？　わたしだってそんな気はないわ。もう二度とガリー・フォイルにはかかわりあいたくないくらいよ」

また話が切れた。しばらくしてクァットがきいた。

「おれはもう帰ってもいいかい？」

「あなたにも迷惑をかけたわね、サム」

「あの刺青の虎を一日じゅう世話していると、生きたここちがしなかったよ」

「ごめんなさいね、サム」

「きみがメンフィスで逮捕されたときに、おれはあんなことをしたんだから、これでこっちも顔は立つわけだが」

「わたしを残して逃げてもあの場合当然だったわ」

「おれたちのすることはいつも当然なんだよ、ただ、ときどきしてはいけないことをしてしまうんだ」

「そうね、サム、わたしにもわかるわ」

「そんなことをすると、一生かかってそのつぐないをすることになる。そういう意味じゃ、おれは今夜恩をかえすことができた。だから、もう帰ってもいいだろう？」

「ヨーブルグに帰ってたのしくくらすの？」

「まあね」

「まだわたしをひとりっきりにしないでちょうだい、サム。自分を恥じているのよ、わたし」

「なんで？」

「うすぎたない動物への虐待行為よ」

「何がいいたいんだい？」

「どうでもいいことよ。しばらくそのへんにいてちょうだいね。あなたのたのしい生活の話を聞かせて。何がそんなにたのしいのかしら？」

「そうだな」クァットはいった。「子どものころに欲しかったものはなんでもあるんだ。十五歳のときに欲しいと思ったものが五十歳になって全部手に入ったら、そいつが幸福ってものさ。ところで、おれは十五のとき……」

クァットは少年時代に自分が心に秘めていた理想や、野心や、失敗などを話しつづけた。

やがて、ベイカーが手術室から出てきた。

「終わりました？」ジスベラは熱心にきいた。

「終わりました。麻酔をかけてからは仕事がはかどりました。顔に包帯を巻いていますよ。まもなく回復するでしょうよ」

「よわっていますか？」

「もちろんですとも」

「どのくらいで包帯がとれますかしら？」

「六、七日ですね」

「顔はきれいになりますか？」

「あなたは彼の顔に関心がないと思っていましたがね、きれいになるはずです。わたしの技術をほめていただきたいところですね、ジスベラ……それにわたしの賢明なところも。わたしはフォイルのサルベージ旅行に同行するつもりですよ」

「なんだって？」クァットは笑った。「あんたは見こみのないものに賭けようっていうのかい、ベイカー？　もう少しりこうだと思ってたよ」

「いかにもわたしはりこうものさ。フォイルは苦痛がひどかったので麻酔をかけたんだが、すっかりしゃべったよ。《ノーマッド》には白金で二千万積んであるんだが」

「二千万！」サム・クァットの顔が暗くなり、さっとジスベラに向けられた。しかし彼女のほうも憤怒のいろをうかべていた。

「わたしの顔を見ないでよ、サム。知らなかったのよ、わたしだって。わたしにまでかくしていたのよ。ダーゲンハムに追いまわされる理由がわからないっていったくせに」

「その話をしたのはダーゲンハムなんだ」ベイカーがいった。「うっかりその話をもらしたわけさ」

「殺してやるわ」ジスベラがいった。「この手で彼をズタズタに引き裂いてやる。あんなやつは、あなたの動物園にほうりこんでやるわ、ベイカー。あなたの動物園にたたきこんでちょうだい、あんなやつ」

手術室のドアがあいて付添いが二人、ひくひく動いているフォイルをストレッチャーに乗せて出てきた。頭ぜんたいが包帯で白い球になっていた。

「意識はあるのか？」クァットがベイカーにきいた。

「あとはわたしが引きうけたわ」ジスベラが、いきなりいいだした。「話があるのよ、このフォイルに！」

フォイルは包帯のマスクを通して低い声で答えた。ジスベラがあらあらしくくってかかろうとして息を大きく吸いこんだとき、病院の壁のひとつがすっと消え、雷鳴のような音がひびいて彼らの全身を震動させた。建物ぜんたいが、何度もくりかえして起る爆発で揺れたかと思うと、カラスが戦場に散乱する死者の内臓におそいかかるように、制服をつけた男たちが外の街路から壁の割れ目を通ってぞくぞくと内部へジョウントしてきた。

「襲撃だ！」ベイカーが叫んだ。「襲撃だ！」

「ちくしょうめ！」クァットはふるえた。

制服の男たちは建物のいたるところに群がって、呼びかわしていた。

「フォイル！　フォイル！　フォイル！　フォイル！」

ベイカーはかすかな音をたてて消えていった。付添人も、フォイルを見すててジョウントしていった。

「いまいましい襲撃だ！」クァットはジスベラをぐいぐい揺さぶった。「逃げろ、ジズ！　逃げるんだ！」

「フォイルを見すててはいけないわ！」ジスベラが叫んだ。

「やむを得ないじゃないか、ズラかるんだ！」

「このひとを残して逃げるわけにはいかないのよ」

ジスベラはストレッチャーを押して廊下を走らせた。クァットは彼女のかたわらをどたどたと歩いた。病院の喚声はますます大きくなった。

「フォイル！　フォイル！　フォイル！」

「おい、こんなやつは見すてるんだ」クァットがうながした。「あいつらの前に投げ出してやるんだ」

「いやよ」

「こっちがつかまったら最後、おそろしいことになるぞ」

「このひとを残していくわけにはいかないのよ」

角をまがった。手術をうけたあとの患者たち、翼をばたばたしている鳥人、アザラシのように這いずりまわって歩く人魚、両性人、巨人、矮人、双頭同体児、半人半馬獣、啼き声をあげる人面獅身《スフィンクス》などの群れが大騒ぎをしているなかへ踏みこんでしまった。ふるえおののいているジスベラとクァットめがけてこの怪物たちがひしめいてきた。

「フォイルをストレッチャーからおろして」ジスベラは叫んだ。

クァットはフォイルをストレッチャーから引きおろした。フォイルは立とうとしたが腰を落してしまった。ジスベラは、彼の腕をとり、サムと力をあわせてかかえあげ、ベイカーの怪物の動物園へ投げこんだ。畸形の怪物は、加速された時間感覚を持っているので、電光石火の早さで病棟を飛びまわっては、耳をつんざくコウモリのような甲高い叫びを発していた。

「ジョウントして彼をつれだしてちょうだい、サム」

「あいつが、こっちを裏切ったのに?」

「彼をおいてはいけないわ、サム。そのくらいのことはわかってもいいはずよ。ジョウントして、ケイスターのところへ逃げて」

ジスベラはクァットを助けてフォイルを肩に背負わせた。怪物たちはおそろしい悲鳴をあげつづけていた。病棟のドアが押しあけられた。気圧銃の閃光が十数本、たちまちうなりをあげ、ひしめいている怪物を薙《な》ぎ倒した。クァットは壁にがくんとたたきつけられ、フォイルを落した。黒と青がまざった傷が彼のこめかみにあらわれた。

「早く逃げろ」クァットがどなった。「おれはだめだ」

「サム!」

「おれはだめだ。ジョウントできない。逃げろ」

クァットはジョウントができなくなっていた。脳震盪をはらいのけようとして、からだをまっすぐに立たせたが、病棟になだれこんできた制服の男たちとぶつかってたおれた。

ジスベラはフォイルの腕をとって病棟の裏へ逃げ、食料庫、診療所、洗濯用品庫をとおり、がたがたの階段をおりて、白蟻が食い荒らした埃のなかに踏みこんだ。

地下食料庫へ逃げた。ベイカーの怪物たちは檻をめちゃめちゃに破り、敵の巣を攻撃して巣の蜜を吸う蜜蜂のように地下室にむらがっていた。ひとつ眼の女は手で桶からバターをすくっては口につめこんでいた。鼻の上についた隻眼が、ジズとフォイルをぎろりと見た。

ジスベラはフォイルを引きずるようにして地下食料庫をとおりぬけ、閂《かんぬき》のかかった木のドアを見つけて蹴りあげた。よろめきながらこわれかけた階段をおりると、もとは石炭庫だったところに出た。頭上の震動と喚声がますますふかく空虚にひびいてきた。石炭庫の一方の側にある搬入口は鉄の口のついた扉でふさがれていた。ジスベラはフォイルと力をあわせ扉を開き、石炭搬入口から外に出た。

整形病院の外に出ると、裏の壁に身を押しつけてあたりをうかがった。二人の前にはトレントン・ロケット発着港のピットがあり、二人がやっと息をととのえたとき、ジズは輸送艇が静かに反重力光線に乗ってピットに降りてくるのを眼にした。舷窓がきらきらと光り、認識信号はおぞましいネオン・サインのように点滅し、病院の裏の壁を照らし出した。

人影がひとつ、病院の屋根から跳んだ。サム・クァットが必死になって脱出を試みたのだった。落下する物体の緩衝となる反重力光線のとどく範囲に到達しようとして、手足をばたつかせて空間に飛び出したのだった。地上二十メートルのところで彼は光線の条《すじ》のなかに落ちた。しかしそれは作動していなかった。そのまま落下していって、ピットの入口の縁《へり》にたたきつけられた。

ジスベラはすすり泣いた。無意識にフォイルの腕をつかんだまま、彼女はコンクリートを走ってサム・クァットの死体に駆け寄った。そこでフォイルから手を離すと、クァットの頭にやさしく手をふれた。指が血でよごれた。フォイルは眼の部分の包帯を引き裂くと、ガーゼをとおして見えるように穴を作った。ジスベラの泣き声を聞き、うしろのベイカーの病院から聞える喚声を耳にしながら、なにごとかひとりつぶやいていた。何かを探すようにクァットのからだを手探りしていたが、やがてたちあがると、ジスベラをひっぱりあげた。

「逃げなきゃだめだ」彼はつぶやいた。「ここから脱出するんだ。おれたちは発見されたぞ」

ジスベラは動こうともしなかった。フォイルは全身の力をふりしぼって彼女を立たせた。

「タイムズ・スクェア」彼はつぶやいた。「ジョウントしろ、ジズ」

制服の男たちがどっとまわりにあつまってきた。フォイルはジスベラの腕を離してタイムズ・スクェアへジョウントした。巨大な台の上でジョウントしている人たちが、いきなり頭に白い包帯の球をつけて出現した巨大な男をおどろいたように見ていた。このジョウント台はフットボール競技場をふたつあわせたほどの広さだった。フォイルは包帯を透《すか》してじっとあたりを見まわした。ジスベラのいる気配はなかったが、どこかにいるのかもしれない。彼は声をあげてさけんだ。

「モントークだ、ジズ！　モントーク！　阿房台だ！」

フォイルは最後の力をふりしぼり、祈りをこめてジョウントした。冷厳な北東風がブロック・アイランドから吹いて、中世の旧跡の地にあるジョウント台に脆《もろ》い氷の結晶を吹きつけていた。また一人の人影が台の上に姿をあらわした。フォイルは風と雪のなかをよろめきながら寄っていった。ジスベラだった。凍って、道に迷ったような感じに見えた。

「よかった」フォイルはつぶやいた。「よかった。サムはどこに《ウィークエンダー》を格納してあるんだ？」彼は、ジスベラの肘をつかんで揺すぶった。「サムはどこに《ウィークエンダー》をしまっているんだ？」

「サムは死んだわ」

「どこに《サターン・ウィークエンダー》を置いてあるんだ？」

「サムはもう死んでしまったのよ。サムが。彼にはもうおそれるものはないのよ」

「宇宙船はどこにあるんだ、ジズ？」

「灯台の裏手の広場よ」

「行こう」

「どこへ？」

「サムの船だよ」フォイルは大きな手をジスベラの眼の前につきだした。きらきら光る鍵を掌にのせていた。「あいつの鍵をもらってきたんだ。行こう」

「彼からもらったの？」

「死体から失敬したんだ」

「食屍鬼《グール》！」彼女は感情がたかぶって狂ったように笑いはじめた。「嘘つき……色情狂……虎……食屍鬼《グール》。生きた癌……ガリー・フォイル」

しかし彼女は彼について、吹雪のモントーク航空灯台へ行った。

ソール・ダーゲンハムは、かつらをかぶった軽業師三人、大蛇をもった四人の美しい女たち、金髪のカールに皮肉な口もとの子どもが一人、中世の甲冑をつけた決闘戦士一人、中に金魚が入って泳いでいるガラスの義足をつけた男一人をあつめていった。「ようし、作戦は終了した。全員解散して、みんなにクーリア本部で報告するように伝達しろ」

このショウ出演の連中はいっせいにジョウントして姿を消した。レジス・シェフィールドは眼をこすりながらたずねた。

「あの気ちがいじみた連中はなんだね、ダーゲンハム？」

「あれは、得意のＦＦＣ作戦の一部ですがね。たのしみ《ファン》・空想《ファンタジイ》・混乱《コンフユージョン》・破局《カタストロフィ》ですよ」ダーゲンハムはプレスタインに向かって死人のような微笑を見せた。「もしなんなら、料金はおかえしいたしますよ、プレスタイン」

「まさかやめるつもりじゃないんだろうな」

「いえ、わたしはたのしんでおりますのでね。無料でもはたらきますよ。なにしろ、いまだかつてフォイルのような男を相手にわたりあったことはございませんので。まことにユニークな人物ですな」

「どんなふうに？」シェフィールドが詰問した。

「わたしは彼がグフル・マルテルから脱出できるようにとりはからいました。彼はうまく逃げた。しかし、わたしの計画したように脱出したわけではありませんでした。こんどの混乱と破局では、彼が警察に逮捕されないように手を打っておきました。たしかに彼は警察の手を逃れた。しかし、これまたわたしの予想とはちがっていました……彼は自分の方法で逃げたのです。たのしみと空想とで、中央諜報局に逮捕されないようにわたしは手はずをととのえておいた。諜報局の手に落ちなかったことはたしかですが……これまたほかならぬ彼の方法で逃げている。《ノーマッド》に行こうとすることができるように、わたしは彼を遠まわりなやりかたではあるが宇宙船に乗りこませようとしました。ところが彼は遠まわりをしなかった。いきなり自分で宇宙船を手に入れてしまった。彼は目下出発の途中ですよ」

「あとを追うつもりかね？」

「もちろんです」とダーゲンハムはここで躊躇のいろを見せた。「しかし、ベイカーの病院で何をしていたのでしょうな？」

「整形手術じゃないかね」シェフィールドがほのめかした。「あたらしい顔？」

「まさか。ベイカーは腕がいいが、そんなに早く整形はできませんよ。小手術をやったのでしょう。フォイルは頭に包帯をしておりましたから」

「あの刺青だ」プレスタインがいった。

ダーゲンハムがうなずくと、微笑が口もとから消えた。「それが心配なんですよ。プレスタイン、ベイカーがあの刺青をとったとしたら、こちらにはフォイルがまったくわからなくなりますからね」

「ダーゲンハム、あいつの顔が変わるものか」

「われわれは彼の顔を見たことがないのですよ……刺青の顔しか」

「わたしはその男を見たことがないんだが」シェフィールドがいった。「その仮面《マスク》はどんなものでした？」

「虎に似ているんですよ。わたしはフォイルと二度ばかり長い時間いっしょにいましてね。当然彼の顔を記憶していていいはずなんだがおぼえていない。おぼえているのはあの刺青だけですよ」

「ばかばかしい」シェフィールドはむっつりいった。

「そんなことはありませんよ。しかし、そんなことはどうでもいいのです。彼はわれわれを《ノーマッド》に案内してくれるんですからね。あなたの白金とパイアのありかに連れていってくれるわけですよ、プレスタイン。もうまもなくカタがつくんですが、わたしは少し残念なんです。いや、もうほとんどカタがついたと申しましょうか。さっきもいいましたように、わたしは結構たのしみましたよ。あの男はほんとうにユニークな人物ですなあ」

7

《サターン・ウィークエンダー》は娯楽用ヨットとして作られていた。四人たっぷり乗れるので二人ではひろすぎる。しかしフォイルとジズ・マックイーンにとってはひろすぎるほどではなかった。フォイルは主船室で寝た。ジズは船長室を占領していた。

出発してから七日目にジスベラはフォイルに話しかけた。話しかけたのはこれが二度目だった。

「包帯をとりましょう、食屍鬼《グール》」

フォイルはむっつりしてコーヒーをわかしていたが、ギャリイを出て、浴室へ行った。ジスベラの入ったあとで湯に入り、洗面所の鏡の前に立った。ジスベラは洗面器の上にのりだすようにして、エーテルのカプセルを開け、らんぼうな手つきで濡らして包帯をとりはじめた。細長いガーゼがゆっくり剝ぎとられた。フォイルはくるしい不安におそわれていた。

「ベイカーの手術はうまくいったか？」

返事がなかった。

「どこか手をぬいたんじゃないのか?」

包帯をとる作業がつづいた。

「痛みは二日前にとまったんだよ」

なんの返事もなかった。

「おい、ジズ! まだ怒っているのか?」

ジスベラの手の動きがとまった。フォイルの包帯をした顔に憎悪の眼を向けた。

「あなたはどう思う?」

「おれがきいているんだ」

「答はイエスよ」

「なぜだ?」

「あなたにはわかりっこないわ」

「教えてくれ」

「よしてよ」

「おれを怒っているんなら、どうしてついてきた?」

「サムとわたしのぶんをとるためよ」

「金か?」

「うるさいわね」

「ついてくる必要はなかった。おれを信用してくれればよかったんだ」

「あんたを信用するですって？　あんたを？」ジスベラはおかしくもないのに笑って、また包帯をとりはじめた。フォイルは彼女の手をはらいのけた。

「おれが自分でやる」

彼女は包帯をした彼の顔に平手打ちを食わせた。「わたしのいうとおりにするの。静かにするのよ、食屍鬼《グール》」

彼女は包帯をとりつづけた。細長いガーゼが剝がれてフォイルの眼が出てきた。その眼は暗く、いたましげにジスベラをじっと眺めていた。まぶたはきれいになっていた。鼻すじがきれいになっていた。細長いガーゼがフォイルの顎から剝がされた。青黒くなっている。フォイルはあっと鏡に見入ってあえいだ。

「顎をぬかしやがった！」彼は叫んだ。「ベイカーがだました――」

「うるさいったら」ジスベラがみじかく返事をした。「ひげじゃないの」

いちばん最後のガーゼが手早く剝がされて頰や、口や、額が出てきた。眼から頰にかけてきれいになっていた。その他の部分は、この七日間にはえた青黒いひげでおおわれていた。

「そりなさい」ジズが命令した。

フォイルは、水を出して顔をぬらし、ひげそり用のクリームをつけてひげをおとした。それから顔を鏡に近づけて調べた。あまりにも鏡に見入っていたので、ジスベラがすぐ近くに頭を寄せていたのに気がつかなかった。刺青の跡はひとつも残っていなかった。二人とも思わず吐息をもらした。

「きれいだ」フォイルはいった。「すっかりとれている。うまくやってくれたんだ」突然彼はさらに身をかがめてもっとくわしく調べた。ジスベラにとってはじめて見る顔だったと同時に、自分にもまるであたらしく見えた。「おれはかわった。こんな顔をしていたおぼえがない。あいつはおれがはじめからこんな顔だと思って手術をしたんだろうか？」

「そうじゃないわ」ジスベラがいった。「あなたがかわってしまったのは内面なのよ。今のあなたが見ているのは大法螺吹きで、ペテン師の食屍鬼《グール》よ」

「おい！　よせ。おれにかまわないでくれ」

「食屍鬼《グール》」ジスベラはきらきら眼をかがやかせてフォイルの顔を見つめながらくりかえした。「大法螺吹き、ペテン師」

彼女の両肩をつかんで昇降口階段のほうに投げとばした。彼女はメイン・ラウンジに飛ばされたが、やっと柱にしがみついてからだを一回転させた。「食屍鬼《グール》」彼女がさけんだ。「法螺吹き！　ペテン師！　食屍鬼《グール》！　色情狂！　野獣！」

フォイルは彼女を追いかけて、またからだに手をかけるとはげしく揺すぶった。赤い髪が、頭のうしろでたばねていたクリップからはずれて、人魚の髪のようにひろがった。彼女の顔にうかんでいた燃えるような表情は、フォイルの怒りを情熱に変えた。何をもとめているか、ジズにははっきりわかった。

「色情狂」ジズが低くいった。「動物……」

「おい、ジズ——」

「照明を消して」ジズベラはささやいた。フォイルはあてずっぽうに、スイッチのほうに手をのばして、ボタンを押した。《サターン・ウィークエンダー》は、舷窓を暗くしたまままはるかな小惑星群をさして進んでいった。

何時間も、まどろみ、低いささやきをかわし、やさしくふれあいながら、二人は船室のなかにうかんでいた。

「かわいそうな《プア》ガリー」ジズベラはささやいた。「かわいそうな《プア》ガリー……」

「貧しく《プア》はないよ」彼はいった。「金持なんだ……もうすぐにね」

「そうだわ、ゆたかで空虚よ。あなたのなかには何もないのね、ガリー……憎悪と復讐しかないのよ」

「それで充分だ」

「今は充分ね。でもあとになったら？」

「あとになったら？　それは事情によるさ」

「あなたの内面によるのよ、ガリー。あなたがつかむものによって」

「ちがう。おれの将来はおれがとりのぞくものによってきまるんだ」

「ガリー……グフル・マルテルでわたしにかくしていたのはどうしてなの？　なぜ《ノーマッド》に財宝があることをわたしにいわなかったの？」

「いえなかったんだ」

「わたしを信用しなかったのね？」

「そうじゃない。自分でもどうしようもなかったんだ。おれの内面にあるもののせいで。……おれがとりのぞかなければならないものがそれなんだよ」

「あなたは他人にあやつられているわ」

「うん、あやつられているんだな、きっと。抑制することが身につかないんだ、ジズ。おれだって、そうしたいんだが、それができない」

「やってみる気なの？」

「ああ。ほんとうだよ。しかし、いざというときになると何かが起って――」

「虎のようにおそいかかるのね」

「きみをポケットに入れて歩けるものならなあ、ジズ……おれに注意をしてくれるし……おれをおさえてくれるだろうし……」

「そんなことは誰もしてあげられないわ、ガリー。自分で身につけなければいけないのよ」

長いあいだ、彼はその言葉をかみしめた。やがて彼はためらいながら話した。「ジズ……金のことなんだが……？」

「お金なんかどうだっていいわよ」

「そのつもりでいてほしいんだけど」

「まあ、ガリー」

「おれがきみにわたすまいとしているせいでは……ないんだよ。もし《ヴォーガ》のことがなかったら、きみが欲しいだけなんでもあげるんだが。なんでもだよ！　おれが死ぬときには残っているものは全部きみにあげる。しかし、おれはこわいんだよ、ジズ。《ヴォーガ》は強いんだ……なにしろプレスタインや、ダーゲンハムや、あの弁護士のシェフィールドが相手なんだ。どんなに少しの金でもだいじにしなければいけないんだよ、ジズ。もしきみに金をやる約束をしたら、力に差が生じることになると思うんだ、《ヴォーガ》とおれのね」

「わたしは？」

「わたし？」彼はこたえを待った。「わたしって？」

「あなたはすっかり憑かれているのね」彼女はうんざりしていった。「一部だけじゃなくてあなたの全部が」

「そうよ、ガリー。全部よ。わたしのからだを愛したのはただ皮膚でだけ。ほかは《ヴォーガ》をつけ狙っているのよ」

その瞬間、前部にある操縦室のレーダー警報がふいに不愉快な警告をひびかせた。

「目標ゼロ」フォイルはつぶやいた。もはやおちつきがなくなり、ふたたび憑かれたようになっていた。彼は操縦室へとびこんでいった。

かくて彼は、火星、木星間の小惑星帯にあるサルガッソにもどってきたのだった。岩石や、漂流物や、科学人によって回収された宇宙事故の難破船の残骸で作られたものだった。彼の顔にN♂MAD（ノーマッド）と刺青をした上、科学的に彼をM♀IRA（モイラ）という名前の女と媾合《こうごう》させたあのJ♂SEPH（ジョゼフ）と彼の一族の故郷へもどったのだった。

フォイルは不意に野蛮な憤激に駆られて、小惑星めがけて突進した。宇宙から飛来すると、前進用ジェットからほとばしる炎の泡で制動をかけ、そのがらくたのかたまりのまわり近くに《サターン・ウィークエンダー》をきりきり旋回させた。大きくまわりこんで、暗い入口、ジョゼフと科学人が空間にただよう残骸をあつめるために出てくる大きな昇降ロ、フォイルがはじめて地球へ帰ろうとしたとき、この小惑星の側面をぶちぬいたままあたらしいクレーターなどの上を通過した。小惑星の温室の巨大な窓のつぎはぎ修理部分をかすめるように通過したとき、刺青で小さな斑点がポツポツうかんでいる数百人の人間が顔を出してこの宇宙船を見あげるのが見えた。

「ほら、おれはあいつらを殺さなかったんだ」彼はつぶやいた。「あいつらは小惑星の内部に逃げたんだ……おそらく他の部分の修理がすむまで、内部の深い場所で生活しているんだろう」

「あの人たちをたすけるつもり、ガリー？」

「どうして？」

「損害をあたえたわ」

「あいつらなんか、くそくらえだ。おれには自分の問題がある。しかしこれで安心だよ。これで、もうおれたちの邪魔はしないだろう」

彼はもう一度小惑星のまわりを旋回し《ウィークエンダー》をあたらしいクレーターの入口に着陸させた。

「ここから仕事をはじめよう」彼はいった。「宇宙服を着ろよ、ジズ。さあいいか！　行くぞ！」

彼は気ちがいじみた様子でいらだちながら彼女をせきたてた。自分もいそいだ。二人は宇宙服を密閉して《ウィークエンダー》を離れ、クレーターのなかの残骸のあいだをもがきながらとおりぬけ、小惑星の荒れはてた内部へ入っていった。まるで巨大な昆虫がうがったトンネルのなかをもがきながらとおりぬけているようだった。フォイルは自分の服の超短波通信機スイッチを入れ、ジズに話しかけた。「ここでは迷子にならないようにしろ。おれから離れるな。すぐそばにいてくれ」

「どこに行くの、わたしたち？」

「《ノーマッド》をさがしに行くのさ。おれは逃げるとき、あいつらが《ノーマッド》をこの小惑星にセメントで固めていたのをおぼえているんだ。だが、場所はおぼえていない。《ノーマッド》をさがさなければならないんだよ」

通路には空気がないため、二人の歩く音はひびかず、震動がじかに金属と岩につたわる。二人は一度深呼吸をするために古代の戦艦の凹んだ船体のそばで足をとめた。それに寄りかかると、内部から信号の律動的なひびきがつたわるのが感じられた。

フォイルは不気味な微笑をうかべた。

「このなかにジョゼフと科学人がいるのさ」彼はいった。「簡単な応答をもとめているんだ。いいかげんな返事をしてやろう」彼は船体を二度強く打った。「さてこんどはおれの妻あての私信だ」彼の顔が暗くなった。彼は怒ったように船体をたたきつけてふりかえった。「さあ、行こう」

しかし、二人が探索をつづけているあいだ、その信号はあとを追ってきた。小惑星の外縁部が放棄されていることはすぐにわかった。この種族は内部へ撤退したのだ。しばらくして、アルミニウムの縦穴のずっと下で昇降ドアが開き、光がもれでたと思うと、ジョゼフがガラスの繊維でつくった古代の宇宙服を着てあらわれた。その悪魔のような顔がひたと視線を向け、両手を嘆願するように握りあわせ、悪魔の口を動かしていた。

フォイルはその老人をにらみつけ、彼に進み寄って足をとめ、拳をにぎりしめて、こみあげてくる怒りに咽喉をならした。そのフォイルを見たジスベラは恐怖の叫びをあげた。もとの刺青がファイルの顔にもどっていたのだ。蒼白な皮膚になまなましい血のような赤み、黒のかわりに緋色がうかび、模様も色もそのまま虎の顔になっていた。

「ガリー！」彼女は叫んだ。「ああ！　あなたの顔！」

フォイルは彼女を黙殺してジョゼフをにらみつけて立っていた。老人ジョゼフのほうは嘆願の身ぶりをして、惑星の内部に入るように二人をさし招いて消えていった。そのときフォイルはジスベラに向かってたずねた。「なんだ？　どうしたんだ？」

宇宙服のヘルメットの透明な球体を透して、彼女にははっきり彼の顔が見えた。フォイルの内部に生じた憤怒がだんだん消えるにつれて、ジスベラには血のような赤みの刺青がうすれて消えていくのが見えた。

「あのふざけたじいさんを見たか？」とフォイルがきいた。「あいつがジョゼフさ。このおれにあんなまねをしたあげくこんどは嘆願しているんだ、わかったろう？……きみはなんていったんだ？」

「あなたの顔よ、ガリー。あなたの顔がどういうことになったかわかったわ」

「なんの話だ？」

「自分をおさえてくれるものが欲しいといってたわね、ガリー。だけど、もうあなたにはあるのよ。あなたの顔。それが——」ジスベラは気ちがいじみた笑いをあげた。「あなたは自分をおさえることをおぼえなければだめよ、ガリー。もうあなたはけっして感情に負けることはできないわ……どんな感情でも……だって——」

しかし彼は彼女から眼をそらせると、不意にアルミニウムの縦穴に向かって叫びをあげて駆け寄った。開いたドアの前の台にさっとおりて、勝ちほこるように喚声をあげはじめた。そのドアは、縦、横、高さがそれぞれ一メートル二十センチ、一メートル二十センチ、二メートル七十センチで器具ロッカーに通じていた。ロッカーのなかには棚がいくつかあって、よせあつめの古い食料、すてた容器などが散乱していた。これこそ《ノーマッド》のフォイルの柩《ひつぎ》だった。

ジョゼフと彼の部下は、フォイルが脱走したあとの大破壊でそれ以後の作業が不可能になってしまわないうちに、《ノーマッド》の残骸をこの小惑星に固着させることに成功したのだ。内部にはまったく手をふれていなかった。フォイルはジスベラの腕をとって、いそいで艇内を引っぱって歩き、とうとうパーサーの部屋へたどりついた。フォイルは難破物や破片をかきわけて、ついに無表情につめたい大きな鋼鉄の蓋を露出させた。

「どちらかをえらばなければいけないんだ」彼は息をはずませた。「この金庫をとりはずして、仕事のできる地球へはこんで帰るか、それともここでそれを開けるか。おれとしてはここで開けたい。ダーゲンハムは嘘をついていたのかもしれない。とにかく、サムが《ウィークエンダー》にどんな道具を積んであるかが問題だな。船にもどろう、ジズ」

《ウィークエンダー》にもどって、いそいで道具をさがしたが、それまで彼女が押し黙っていることにはまるで気がつかなかった。

「何もない！」彼はじりじりして叫んだ。「ハンマーもドリルも置いてない。壜や缶詰を開ける道具しかない」

ジスベラは返事をしなかった。彼女は彼の顔から少しも眼を離さなかった。

「どうしてそんなふうにおれを見るんだ？」フォイルがきいた。

「魅せられてしまったのよ」ジスベラはゆっくり答えた。

「何に？」

「あなたに見せるものがあるわ、ガリー」

「なんだ？」

「わたしがどんなにあなたを軽蔑しているかってこと」

ジスベラは彼の顔に三度平手打ちを食わせた。いきなり打たれた痛みに、フォイルはあらあらしく立ちあがった。ジスベラは鏡をとって彼の前に出した。「その顔を」

「顔を見てごらんなさい、ガリー」彼女はしずかにいった。

見た。もとの刺青の顔が皮膚の下に血のような赤みに燃えたち、おのれの顔を緋と白の虎斑《とらふ》の模様に変えているのを見た。あまりのおそろしさに思わずぞっとしたので、怒りはすぐに消え、同時にその模様も消えた。

「ああ……」彼は低い声でいった。「ああ、なんということだ……」

「それを見せてあげるために怒らせなければならなかったのよ」ジスベラがいった。

「どういうことなんだ、ジズ？ ベイカーが手術のときに手をぬいたのか？」

「そうじゃないと思うわ。皮膚の下に傷があるんじゃないかしら、ガリー……はじめの刺青のあとの刺青除去のための針の傷ね。ふだんはその模様が出ないけれど、感情がたかぶって、心臓が血を送りはじめるとあらわれてくるのよ……あなたが激怒したり、恐怖したり、情熱的になったり、何かに憑かれたりしたとき……わかるでしょう？」

頭をふった。まだ自分の顔を凝視して、驚愕したように手をあてていた。

「自分がおさえられないときに注意させるため、わたしをポケットに入れて歩けたらいいなっていったわね。それよりいいものができたのよ、ガリー。いいえ、もっとわるいものかもしれないわ、かわいそうなひと。あなたは自分の顔をもったのよ」

「ちがう！」彼はいった。「ちがう！」

「とりみだしてはいけないわ、ガリー。もうぜったいに飲みすぎたり、食べすぎたり、愛しすぎたり、憎みすぎたりしてはいけないのよ……どんなことがあっても、ぎりぎり自分をおさえなければいけないわ」

「ちがう！」彼は必死にいいかえした。「こんなのはなおせるんだ。ベイカーだってなおせるし、ほかのやつにだってなおせる。自分が怪物になりはしないかとびくびくしながら歩きまわるなんてできるものか」

「わたしは、なおらないと思うわ、ガリー」

「植皮なら……」

「だめよ、植皮するにしても傷がふかすぎるもの。あなたはぜったいにこの傷痕が消せないわ。このままで生きていくことをまなばなければいけないのよ」

フォイルは不意に逆上して鏡を投げつけた。血の赤みの模様が皮膚の下にさっとあらわれた。いきなり主船室からとびだすと昇降ドアに寄っていって、宇宙服を引きおろして着はじめた。

「ガリー！　どこへ行くの？　何をするつもり？」

「道具をとるんだ」彼は叫んだ。「金庫を開ける道具だ」

「どこへ？」

「小惑星のなかだ。あいつらには難破船からとった道具で満杯の倉庫がいっぱいあるんだ。ドリルや、おれの必要なものはなんでもあるはずだ。おれについてくるな。めんどうなことになるかもしれないからな。おれの顔は今どうなってる？　あの模様が出てるのか？　くそ、どうなってたっておれの知ったことか」

宇宙服を密閉して小惑星内部へ入っていった。人間の居住地区と誰もいない外縁部の境界のハッチを発見した。ドアをがんがんたたきつけた。ちょっと待ってからまたたたきつけ、傲然《ごうぜん》たる態度で呼びつづけた。やっとドアが開く。手がさしのべられて彼を引き入れるとドアが閉められた。そこにはエア・ロックがなかった。

あかるい光をうけてまばたきながら、自分の前にあつまっているジョゼフや、顔におそろしい装飾をした民衆にはげしい顔を向けた。ジョゼフが驚愕し、その悪魔の口がノーマッドという発音のかたちをとるのを見て、自分の顔が赤と白に燃えあがっているにちがいないと思った。

フォイルは民衆のなかを大股でとおりぬけ、あらあらしくその連中を押しのけた。宇宙服の手の甲でジョゼフを殴りつけた。ぼうっとあかるく見える居住通路をさぐりまわって、とうとう半分が洞穴で半分が古代の船体でできている部屋にぶつかった。そこには道具がおさめられてあった。

ドリル、ダイヤモンドの切断器、酸、テルミット焼夷剤、結晶破壊機、ダイナマイト、ヒューズなどをさがしだしてかきあつめた。静かに回転している小惑星の内部では、用具の全重量はたかだか百ポンドほどの軽さになっていた。用具をひとまとめにして電線でぐるぐるしばりつけ倉庫を出ようとした。

ジョゼフと科学人は、狼を待っているノミのように待ち構えていた。いっせいにとびかかってきたが、彼はその連中をふみにじり、よろこびと残酷さをあじわいながらバタバタなぎたおして進んだ。宇宙服が彼らの攻撃から身をまもった。彼は外部へ出るハッチをさがしながら通路を走った。

ジスベラの声がイヤホーンに鈴《すず》を鳴らすように、興奮しきって聞えてきた。「ガリー、聞える？　わたしはジズ。ガリー、たいへんよ」

「どうした」

「二分前にべつな宇宙船が出現したの。小惑星の反対側に停泊しているわ」

「なんだって！」

「黄蜂みたいな黄と黒のマークがあるのよ」

「ダーゲンハムの旗だ！」

「やっぱり尾《つ》けられていたのね」

「ほかには？　おそらくダーゲンハムのやつは、おれたちがグフル・マルテルを脱走して以来ずっと目を離さなかったんだ。こいつに気がつかないとはウカツだったたな。いそいで仕事をきりあげるんだ、ジズ。宇宙服を着て《ノーマッド》でおれを待て。パーサーの部屋だ。いいか」

「だけど、ガリー……」

「もう無線はつかうな。向こうはおれたちの電波を傍受しているかもしれんぞ。行くんだ！」

惑星のなかを進み、閉じたドアにたどりつき、その前にいた見張りをたおし、ドアを力まかせに開けて外縁部通路の空虚な内部へ入った。科学人はすっかりおびえていたので、ハッチを閉めて彼を食いとめようとはしなかった。しかしあとを尾けることはわかっていた。彼らは怒り狂っていたのだった。

くねくねした道や角をとおって《ノーマッド》の残骸に用具をはこんだ。ジズベラはパーサーの部屋で彼を待っていた。超短波通信機のスイッチを入れようとしたが、フォイルが押しとめた。ヘルメットを彼女のヘルメットにくっつけて叫んだ。「短波を使うな。傍受されて、おれたちの位置がわかってしまう。こうやっても聞えるだろう？」

彼女はうなずいた。

「よし。おそらくまだ一時間はダーゲンハムに見つかるまい。ジョゼフやここの暴徒がおれたちにおそいかかるまで、これも一時間の余裕はある、おれたちは絶体絶命なんだ。大いそぎで仕事をかたづけなけりゃいけないんだ」

彼女はまたうなずいた。

「金庫を開けて白金をはこんでる余裕がない」

「入っているかどうか」

「ダーゲンハムが追ってきたろう？　白金がある証拠だ。金庫ぜんたいを《ノーマッド》から切断して《ウィークエンダー》に乗せなければいけない。それから出発だ」

「でも――」

「おれのいうとおりにするんだ。《ウィークエンダー》にもどれ。内部を空《から》にしておけ。不要のものは全部すてろ。非常食料以外は全部だ」

「どうして？」

「この金庫の重さが何トンあるかわからないし、重力のある場所へもどったとき、あの宇宙船でははこべなくなるかもしれないからだ。あらかじめ考えておかないといけない。帰途はくるしいだろうが、それだけのことはあるんだ。重いものをすてろ。早く！　行けよ、行くんだ！」

彼女を押しのけると、それっきり眼もくれず金庫のとりはずしにかかった。船体そのものであるの鋼鉄のなかにはめこまれているのだった。直径が一メートル以上あろうかと思われる大きな鋼鉄の球体だった。それは《ノーマッド》の船底板や竜骨十二カ所に溶接してある。フォイルはその溶接個所を、順々に酸、ドリル、焼夷剤、冷却剤を使って金庫の撤去作業をおこなった。構造張力の理論にもとづいて作業をした……結晶構造に亀裂が入り、物理的強度が破壊されるまで、熱し、冷却し、浸蝕したのだった。金属がもろくなってきた。

ジスベラがもどってきたとき、フォイルはすでに四十五分経過したことを知った。焼夷剤をかけて揺すぶると、金庫の球体は十二の角《つの》を表面から突き出して宙にぶらさがった。フォイルはいそいでジスベラを呼び、二人で力をあわせて金庫を引っぱった。二人がかりでもそのかたまりはびくともしなかった。疲れきってがっくり腰をおろしたとき、《ノーマッド》の船体の亀裂から洩れていた日光がす早く影にさえぎられた。二人は眼をあげた。宇宙船が小惑星から四百メートルたらずのところを巡回していた。

フォイルはヘルメットをジスベラに近づけた。「ダーゲンハムめ」彼はあえいだ。「おれたちをさがしているぞ。おそらく乗員をおろして捜査しているんだ。ジョゼフに事情を聞いてすぐここへくるぞ」

「ああ、ガリー……」

「まだチャンスはある。あと二、三回周回するまで《ウィークエンダー》は発見できないだろう。クレーターの中に隠してあるからな。そのあいだに金庫を移すことができるだろう」

「どうやって、ガリー？」

「知るもんか、くそ！　知るもんか」彼は困《こう》じはてて掌に拳をたたきつけた。「どうすりゃいいんだ」

「爆破して切断するわけにはいかないの？」

「爆破だって……？　頭を使うかわりに爆弾を使うのか？　頭のいいジスベラらしくないことをいうなよ」

「だってしかたがないわ。爆発物で切断するのよ。ロケット噴射のような作用をするから」

「よし、わかった。だけどそのあとは？　どうやってそれを船にもちこむ？　爆発をつづけるわけにはいかないぜ。時間がないんだ」

「だから、船のほうを金庫に近づけるのよ」

「なんだって？」

「金庫を宇宙に吹っ飛ばすのよ。それから船で寄っていって、金庫をメイン・ハッチに引きこむの。わかるでしょう？」

彼にものみこめた。「なるほどね、ジズ、そうすればいいな」フォイルは用具の束《たば》にとんでいって、ダイナマイトとヒューズとキャップをえらびはじめた。

「短波を使わなければいけないな。一人は金庫のそばにいるんだ。もう一人は船を操縦する。金庫のそばにいるほうが船に位置を知らせる。いいね？」

「ええ。操縦はあなたがしたほうがいいわ、ガリー。わたしが知らせるから」

フォイルはうなずいて爆薬を金庫の正面にすえると、キャップとヒューズをとりつけた。

「真空ヒューズだよ、ジズ。時限は二分間。短波で合図をしたら、ヒューズの先を引いてすぐに安全な場所に退避しろ。いいか？」

「いいわ」

「金庫の近くにいるんだぞ。船に爆破の連絡をとったら、すぐ行動を起せ。ぐずぐずするな。時間がひどくすくないんだ」

彼女の肩をかるく押して《ウィークエンダー》にもどった。外側のドアを開けて、エア・ロックの内部のドアも開けておいた。船内の空気はすぐ空《から》になった。空気がなくなった上、ジスベラの手で積載物を処分されてしまった《ウィークエンダー》は陰気であれはてた感じだった。

フォイルはすぐに操縦席へ行って腰をおろし、超短波通信機のスイッチを入れた。「待機」彼は低くいった。「さあ行くぞ」

ジェットに点火し、三秒間噴射をおこなってから前進した。《ウィークエンダー》はあっというまに上昇し、クジラが海面に姿をあらわすように背や胴体から処分品を払いのけた。いったん上昇してもどったとき、フォイルが叫んだ。

「ダイナマイトだ、ジズ！　今だ！」

爆発音はなかった。閃光も見えない。あらたなクレーターが眼下の小惑星に口を開けて、小石の花がぱっと上方に咲き、くるくる回転してにぶく光りながらゆっくり飛んでくる鋼鉄球を急速に追い越した。

「速度をゆるめて」ジスベラの声がイヤホーンに冷静にひびいていた。「あなたのほうが早すぎるのよ。あ、それからいま、厄介なことになったわ」

彼は、後部のジェットで制動をかけて、おどろいて下を見た。小惑星の表面は黄蜂の大群がむらがっていた。黄と黒の縞模様の宇宙服を着たダーゲンハムの部下の乗組員だった。彼らは白い服を着た一人のまわりに群がっていた。その影は身をかわしたり、まわりこみながら、敵をうまく避けていた。ジスベラだった。

「そのまま進んで」ジズの声は静かだった。が、彼女のくるしい息づかいがわかった。「もうすこし速度をおとして……横に九十度かたむけて」

彼は眼下の闘争を注視しながら、ほとんど自動的に彼女の命令にしたがった。金庫が接近するにつれて《ウィークエンダー》の胴体にかくれてその軌道が見えなくなった。しかし、まだジスベラやダーゲンハムの部下は見えた。彼女が自分の宇宙服のロケットに点火した……小さな火炎が彼女の背中から噴き出すのが見えた……そしてジズは小惑星の表面から急上昇してきた。ダーゲンハムの部下たちは、いっせいに追跡してきた。数人はジスベラの追跡をやめて、まっすぐ《ウィークエンダー》を追って上昇してきた。

「わずかしか時間がないのよ、ガリー」ジスベラは息をはずませていたが、声はまだしっかりしていた。「ダーゲンハムの船が反対側からおりてきたわ。でも、部下が信号で連絡して、そちらへ向かっていくかもしれないわ、きっと。そこにいてよ、ガリー。あと十秒」

黄蜂の群れは小さい白服に接近して包囲した。

「フォイル！ 聞えるか？ フォイル」ダーゲンハムの声だった。はじめはかすれていたが、やがてはっきりしてきた。「こちらはダーゲンハムだ。おまえの波長で呼んでいる。出ろ、フォイル！」

「ジズ！ ジズ！ そいつらをかわせるか？」

「そこにいて、ガリー……さ、行くわ。入口に入ったわ」

金庫がゆっくりメイン・ハッチに突き入ったときの大きな震動で《ウィークエンダー》がはげしく動揺した。同時に白い宇宙服が黄蜂の群れからぬけだしてきた。もうれつな追跡をうけながら《ウィークエンダー》に向かってロケットで突進してきた。

「がんばれ、ジズ！ がんばれ！」フォイルは叫んだ。「いいか！ もう少しだ！」

ジスベラが《ウィークエンダー》の胴体にかくれて見えなくなったとき、フォイルは操縦装置をセットしていつでも全速航行できるように準備をした。

「フォイル！ 返事をしないのか？ こちらはダーゲンハムだ」

「きさまなんかくそくらえ、ダーゲンハム」と彼は叫んだ。「乗ったら知らせろ、ジズ。そしてそのままにしていろ」

「だめなのよ、ガリー」

「がんばれ」

「乗れないのよ。金庫が入口をふさいでいるの。途中までしか入っていないのよ」

「ジズ！」

「入口がないわ」彼女は絶望的な叫びをあげた。「わたしは閉め出されているのよ」

彼はあらあらしく周囲を見まわした。ダーゲンハムの部下がぞくぞく《ウィークエンダー》の船体に乗りあがってきていた。ダーゲンハムの艇はまっすぐこちらに向かって小惑星のみじかい地平線の上に上昇している。彼は頭がぐるぐるまわりはじめた。

「フォイル、おまえはもうだめだぞ。おまえも女も。しかし、ここで提案をしよう……」

「ガリー、助けて。なんとかしてちょうだい、ガリー。わたし、もう意識が！」

「《ヴォーガ》」彼は押し殺したような声でいった。眼を閉じて、操縦装置を手にあてた。後部ジェットが轟音をあげた。《ウィークエンダー》は大きく動揺し、震動しながら前進した。ダーゲンハムの部下もジスベラも置きざりにしたのだ。フォイルは操縦席にたたきつけられ、10Gの加速度をうけて眼がくらんだ。その加速度も彼を駆りたてている情熱よりは、力もなく、苦痛でもなく、凶暴なものでもなかった。

そして意識が遠くなり視界が薄れてくると、彼の顔には血のように赤い、あの憑かれたような傷があらわれてきた。

第二部

胸に深く　わが支配する
　憤《いきどお》ろしき　夢を秘め
燃えたつ槍と　たける馬もて
　わが赴くは　死の曠野《あらの》。

幽鬼と影の　騎士として
　わが呼ばれしは　死の試合
世のつねの　旅にしあらね
　遙けき世界の涯《はて》を往《ゆ》く――
　　　トム・ア・ベドラム

8

瘴癘《えやみ》が惑星群を毒し古い年は朽ちていった。戦争は加速度がついたように、これまでの物語じみた襲撃や、宇宙間の小戦闘という遠くの事件から、身近な生産施設の大破壊へと発展した。世界大戦が終末に達し、全太陽系戦争が勃発しはじめたことがあきらかになった。

各交戦国はきたるべき大破壊の準備に着々と人員資材を動員した。外衛星同盟は一般徴兵法を施行し内惑星連合もこれにならった。工業、貿易関係、科学者、技術者、頭脳労働者が徴用され、統制と弾圧がこれにつづいた。陸軍と宇宙軍は徴発と支配に手をのばした。

産業は服従した。なぜなら、この戦争は（すべての戦争とおなじように）産業闘争が転化した状態にほかならなかったからである。しかし、人民が反抗した。徴兵忌避のジョウント、労働者の就労忌避ジョウントが重大な問題となった。スパイと侵略に対する恐怖がひろまった。ヒステリー患者が密告者になり、各地で私刑《リンチ》をひきおこした。バフィン・アイランドからフォークランドまで全国の家庭は不吉な前兆に戦慄した。生気をうしないかけたこの年は、四《フォー》マイルサーカスの出現でやっと息を吹き返したようなものだった。

これは宇宙最大の小惑星、セレスからやってきた富裕な若い道化師、セレスのジョフリー・フォーマイルのグロテスクな一行につけられて有名になった綽名《あだな》だった。セレスのフォーマイルは非常な富豪だったし、また非常に愉快な人物だった。いつの時代にもいる成金の典型だった。ウィスコンシンのグリーン・ベイへ到着した彼の一行は、ドサまわりのサーカスとブルガリアの小君主の喜劇的な廷臣をまぜあわせたようなものだった。

朝早く、法律家の身分をしめす筒形の帽子をかぶった弁護士が一人、手にキャンプ敷地の予定表を持って姿をあらわした。ミシガン湖に面した四エーカーの牧場を借りることにきめて、とほうもない地代を支払った。二十分後、メイスン・アンド・ディクスン財閥の測量員の一団が、彼のところへやってきた。測量員はキャンプの敷地を決定し、四マイルサーカスが到着したといううわさがひろまった。ウィスコンシン、ミシガン、ミネソタの各地から人びとがぞくぞくとあつまってきた。

テントのつつみを背負った二十人の作業員がジョウントしてきた。命令の怒号、叫び、圧搾空気のうなりなどのすさまじい前奏曲が奏でられた。二十の巨大なテントはたちまちふくれあがり、冬陽をあびてラックとラテックスを塗った表面がかがやいた。見物人がいっせいに歓声をあげた。

六発ヘリコプターが降りてきて、巨大な仮設地の上にうかんだ。ヘリコプターの胴体部が開き、資材が滝のように投下される。召使、侍僕、料理人、給仕が何人もジョウントしてきた。彼らはテントに家具をそなえ装飾をほどこした。調理場はけむりを出しはじめ、フライをあげたり、肉を焼いたり、パンを焼いたりする匂いがキャンプに充満した。フォーマイルの私設警官が勤務につき、四エーカーにわたってパトロールし、見物人の大群を制していた。

やがて、航空機、自動車、バス、トラック、自転車のほかに、フォーマイルの随員たちがジョウントしてきた。図書員と書籍、科学者と実験室、哲学者、詩人、運動家がぞくぞくとやってきた。刀剣とサーベルの台架が立てられ、柔道《ジュウドウ》の畳《たたみ》や拳闘のリングがおかれた。十五メートルのプールがつくられて、湖からポンプで水をみたした。

音楽家、俳優、手品師、軽業師が到着した。騒動は耳を聾《ろう》せんばかりだった。機械工の一団がフォーマイルのジーゼル収穫機に油をさして発動機の回転を増しはじめた。最後にキャンプのあとを追う人たちがやってきた。妻、娘、妾、淫売婦、乞食、詐欺師などだった。昼に近いころにはサーカスのどよめきが四《フォー》マイル離れたところでもきこえた。綽名はこれに因《ちな》んだものだった。

昼になって、セレスのフォーマイルは豪華をきわめた乗物に乗って到着した。巨大な水陸両用機が南から爆音をあげてやってきて、湖水に降りた。航空機からLST舟艇があらわれ、うなりをあげて岸に向かってきた。前部の壁がたおれて橋になると、二十世紀時代の軍用車が出てきた。見物人にとってはおどろくべきものがつぎつぎにあらわれた。軍用車は約二十メートル走ってキャンプの中心で停止した。

「こんどは何がくるのだろう？　自転車かな」

「いや、ローラー・スケートだよ」

「竹馬に乗ってくるさ」

ところがフォーマイルはみごとに見物人の予想の裏をかいた。軍用車からサーカスの大砲の砲口があらわれた。黒色火薬が爆発してセレスのフォーマイルが大砲から発射され、美しい弧を描いて四人の侍僕が網をもって待ちかまえているテントに降りた。彼をむかえる喝采が、およそ十キロ先からもきこえた。フォーマイルは従僕の肩の上によじ登ると、静粛をもとめる身ぶりをした。

「友人たちよ、ローマ人たちよ、同胞たちよ」フォーマイルは熱心に語りはじめた。「どうか耳を傾けてはくれまいか——一五六四年に生まれ、一六一六年に死んだシェイクスピアの『ジュリアス・シーザー』のなかの台詞《せりふ》でございます。おお、なんだ！」四羽の白いハトがフォーマイルの袖のたもとから顔を出し、羽ばたきながら飛んでいった。彼はびっくりしたように目を丸くしたが、気をとりなおしてつづけた。「友人たちよ、あいさつの言葉をのべさせていただきましょう、こんにちは《ボン・ジュール》、上品なかたがた《ボン・トン》よ、陽気な仲間《ボン・ヴィヴァン》たちよ、良きご旅行を《ボン・ヴォワイヤージュ》、良き《ボン》——クソッ、こんどは何が!?」フォーマイルのポケットが火を噴いて、四本のローマ花火が飛び出す。慌てふためく彼のからだから、大量の吹き流しと紙ふぶきがまき散らされた。「友人たちよ……静粛に！　わたしにこのスピーチをきちんとやらせてください。どうかお静かに！　友人たちよ——！」フォーマイルはうろたえたように自分を見下ろした。彼の衣装はとび散り、けばけばしい真紅の下着姿になっていたのだ。「クラインマン！」彼は荒れ狂い、うなり声をあげた。「クラインマン！　おめえのクソッタレ催眠トレーニングは役立たずだべ！」

　もじゃもじゃ頭がテントのなかから飛び出した。「あんた、ゆんべちゃんと勉強したんだべ、フォーマイル」

「おお、そんのとおりだ。二時間も勉強したべ。催眠オーヴンのなかさ、ずっと頭つっこんでたぞ。〈マジック〉っちゅうやつだわ、クラインマンさんよ」

「ちがう、ちがう、ちがう！」もじゃもじゃ頭は吠えたけった。「なんどいったらわかるんだべ？　〈マジック〉ちゅうのは手品のことで、〈スピーチ〉ではねえぞ。この大馬鹿《ダムコ》頭《フ》！　おめえまちがった催眠機さ、頭つっこんだべ！」

　そのとき、真紅の下着が溶けはじめた。フォーマイルはおおあわてで、従僕のふるえる肩からたおれるように落っこちると、自分のテントのなかへと消えた。大笑いの渦と大歓声がまいあがった。四マイルサーカスのどよめきは最高潮になった。飲食がかぎりもなくつづけられた。音楽は一度もやまなかった。演芸がいつまでもつづいた。フォーマイルはテントのなかで服を着換えては、気がかわりまたあたらしい服にとりかえ、ぬぎすて、侍僕を蹴とばして、ひどく下品なフランス語とロンドンの社交界の言葉をまぜながら気どったようすで服の仕立係を呼んだ。あたらしい服を半分着かけてから入浴しなかったことを思い出した。仕立職人をなぐりつけ、プールに香料十ガロンを混入するように命じたとき、詩的なインスピレーションがうかんだ。彼は雇いの詩人を呼び出した。

「これを書いておけ」フォーマイルは命じた。「王は死せり《ル・ロア・エ・モール》——待てよ、月《ムーン》につく韻はなんだ」

「六月《ジューン》でございます」詩人が答えた。「口吟《クルーン》、まもなく《スーン》、砂丘《デューン》、田舎者《ルーン》、正午《ヌーン》、古ゲルマ《ルー》ン文字《ン》、音調《テューン》、恩沢《ブーン》……」

「そうだ、実験をわすれていたぞ！」フォーマイルは叫んだ。「ボーン博士！　ボーン博士」

半分裸のままであわてて実験台に走っていったが、化学者、ボーン博士とぶつかって二人はテントの途中までころがった。化学者がフロアから起きあがろうとしたところを、痛いほどつよく絞めつけた。

「野口《ノグチ》！」フォーマイルは叫んだ。「おい！　野口《ノグチ》はいないか！　おれは柔道の絞めの新《あら》手《て》を発明したぞ」

フォーマイルは立ちあがって、絶息している化学者を引きずりあげ、柔道の畳のある場所へジョウントした。小柄な日本人がその業《わざ》を調べて頭をふった。

「いけませんですな」日本人は丁寧に叱言《こごと》をいった。「ふフフフフ。気管を絞めるのがかならずしも絶息の原因にはなりませんです。ふフフフ。お見せしますよ」彼は眼をまわした化学者をつかまえてさっとふりまわすと、自分で自分をいつまでも絞めるようにして畳の上においた。「見ていてください、フォーマイル」

しかしフォーマイルは図書室に行って、ブロッホの『性生活』という本（八ポンド九オンス）で図書員の頭をなぐっていた。その不幸な男は無限活動機の製造に関する書物を一冊も書けなかったからだった。ついで物理実験室へとんでいって、そこで歯車の実験をするために高価な精密時計をこわしてしまい、楽団の舞台へ行ったと思うと指揮棒をつかんで管絃楽をめちゃめちゃにしてしまった。それからスケートで、香料を入れた水泳プールに落ち、わいわいさわぎながら引きあげられた。こんどはみんなに退れと命じた。

「おれは一人で考えることがあるんだ」フォーマイルはまわりにいた侍僕たちを蹴とばしながらいった。みんなが足を引きずりながらドアから出ていきかけて、まだドアを閉めきらないうちに彼はもう高鼾《たかいびき》だった。

鼾がやみ、フォーマイルは起きあがった。「これで今日は、あいつらもおれの邪魔をしにこないだろう」彼はつぶやいて化粧室へとびこんだ。鏡の前に立って、自分の顔を見ながらふかく息を吸ってとめた。一分して息を吐き出したが、まだ顔にはあの模様は出なかった。つづけて息をとめては、脈搏や筋肉をきつく押し、鉄のような冷静さで緊張をおさえた。二分二十秒で血のような赤い痕跡があらわれた。フォイルは息を吐き出した。虎の模様は消えていった。

「まえよりよくなった」彼はつぶやいた。「かなりよくなった。行者《ぎょうじゃ》の老人のいうとおりだ。観行相応の哲理、ヨーガだ。抑制するのだ。脈搏、呼吸、内臓、頭脳を」

服をぬいでからだを調べた。健康状態はすばらしかったが、まだ皮膚には首から踵《かかと》にいたるまで、こまかい銀色の筋が網の目のように出ていた。まるで誰かがフォイルの肉に神経系統のアウトラインをきざみつけたような感じだった。その銀色の筋は、まだ消えずに残っている手術の傷痕だった。

フォイルは火星の統合幕僚旅団の主任外科医に二百万₵rの金を握らせて、非常に戦闘的な肉体になる変形手術をうけた。全神経網状組織が入れ換えられ、マイクロトランジスターや変圧器が筋肉や骨のなかに埋めこまれ、微細なプラチナが脊椎の基盤に挿入されていた。フォイルはこれに豆ぐらいの大きさのパワーパックをつけてスイッチを入れた。鉄の肉体はほとんど機械的に内部で電子震動をはじめた。

「人間よりずっと機械に近い」彼は思った。服を着た。セレスのフォーマイルのぜいたくな服をすてて、黒い戦闘服をえらんだ。

彼はウィスコンシンの松林にある、ものさびた建物のなかのロビン・ウエンズバリのアパートにジョウントした。四マイルサーカスがグリーン・ベイにあらわれたのは、じつはこれが目的だったのだ。暗黒と何もない空間のなかに到着して転落した。「座標を間違えた！」彼は思った。「ジョウントしそこなったのかな？」彼は腐敗した死骸がころがっている、こわれたフロアの上にどしんとぶつかった。

フォイルは眼にもとまらぬ急激な反動で跳びあがった。右上の臼歯を舌でつよく押したのだ。からだの半分を電力機械に変形した手術で、制御装置が歯のなかにおさめられたのだ。フォイルが舌で歯を押すと、網膜の末梢神経が刺激され眼はあわい光を発した。青白い二本の光線でその死骸に視線をおとした。

死体はロビン・ウエンズバリのアパートの下の部屋にたおれていた。内臓がえぐりだされていた。フォイルは眼をあげた。もとはロビンの居間だった場所に三メートルの穴が開いていた。建物ぜんたいに炎と、煙と、腐敗臭がこもっていた。

「おそわれたんだな」フォイルはしずかにいった。「ここはおそわれたんだ。何があったんだろう？」

ジョウント時代には全世界の浮浪人や放浪者などが、あたらしい階級を形成していた。彼らは夜ごとに獲物、災害のあとの遺棄物、腐肉をもとめて闇のなかを、東部から西部へ移動した。地震で倉庫がこわれたりすると、つぎの夜にはそこをおそっていた。火事で家が開放されたり、爆発で商店の防護施設がなくなったりすると、いっせいにジョウントしていって掠奪《りゃくだつ》をはじめた。みずからジョウント襲団と称していた。山犬とおなじだった。

フォイルは破壊された建物のなかをあがって上の階の廊下に出た。ジョウント襲団はここでキャンプしたのだ。仔牛を丸焼きにしていた。その火は屋根の破れをつきぬけて空に火花を散らしている。火をかこんで男が十数人、女が三人あつまっていた。あらあらしく、凶暴な面魂《つらだましい》でロンドンなまりのあるスラングで早口にしゃべっていた。不似合な服を着てシャンパンのグラスでビールを飲んでいた。

黒い服を着た大男ががらくたの道をやってきたとき、フォイルの顔には怒りと恐怖の不吉な模様があらわれ、はげしい力を秘めた眼から青白い光線を発していた。あわてて立ちあがる山犬のなかをしずかにとおりぬけ、ロビン・ウエンズバリのアパートの入口へ行った。鉄のような抑制、ものに動じないようすがあらわれていた。

「彼女が死んだとすれば」彼は思った。「おれは終わりだ。彼女を利用しなければいけないんだが。しかし、彼女が死んでいたら……」

ロビンの部屋も、すっかりあらされていた。居間のフロアには、楕円形で、ぎざぎざした穴が大きく開いていた。フォイルは死体をさがしまわった。

寝室のベッドの上に男が二人、一人の女を相手に何かやっている最中だった。男たちはフォイルがきたのにおどろいて罵声を浴びせた。女は裸体のまま狂ったようにもがいて、背中を硬直させてそっくりかえっていたが、フォイルの姿を見て、あわててからだをかくそうとしながら悲鳴をあげた。男たちはフォイルに向かってとびかかってきた。

一歩後退して、舌で上の門歯を押した。全神経系統がうなりをあげて活動を開始し、からだのなかのありとあらゆる感覚や反射が五官のひとつによって加速された。

その効果はただちに外部の世界の活動を一瞬にして極度のスロー・モーションにすることだった。音がきわめてこまかく分解してしまう。色はスペクトルを赤にしてしまった。襲撃してきた二人は夢のようなけだるい不活発さで彼のほうに向かってただよってくるような感じだった。いっさいの外部が緩慢になるのに対して、フォイルの活動は眼にもとまらぬ早さだった。彼は自分に向かってすこしずつ進んでくる打撃をかわし、その男の背後にまわりこみ、ぐいっとつかみあげて居間の穴をめがけて投げつけた。もう一人の男も投げつけた。フォイルの加速された感覚にとっては、彼らのからだはゆっくりと漂っているような感じで、しかも宙にフワリととびだして手を少しずつ前に出し、口からは重く固まった音が出てきたようだった。

フォイルはベッドの上にすくんでいる女にくるりと向きなおって寄っていった。

「し　た　い　は　ど　こ　だ　？」声が不明瞭に分解して出てきた。

女は悲鳴をあげた。

フォイルはふたたび上の門歯を押して加速をとめた。外部の世界がスロー・モーションから普通の状態に切り換えられた。音と色はもとのスペクトルにもどり、二人の山犬はさっと穴に消えて階下の部屋に落下した。

「死体があったのか？」フォイルはしずかにくりかえした。「黒人の女だが？」相手の女にはのみこめなかったのだ。女は白い乳房と下腹部を隠した。彼は女の髪をつかんでふりまわし、居間のフロアの穴に投げとばした。

ロビンの手がかりになるものをさがしたが、広間からどやどや出てきた暴徒にじゃまされた。彼らは手に手に松明《たいまつ》と、武器のかわりになるものをつかんでいた。ジョウント襲団は人殺し専門ではなかった。無力な連中をくるしめて死亡させるだけだった。「じゃまをするな」フォイルはしずかに警告して、棚や、ひっくり返った家具の下をさがしまわった。ミンクを着て三角帽をかぶった首領株の男に叱咤《しった》されて、みんながじりじりつめ寄ってきた。三角帽の男がいきなりフォイルに松明を投げつけた。火がついた。彼はふたたび加速をおこなったので、ジョウント襲団はたちまち生きた彫刻に変形した。フォイルは椅子をつかんで、スロー・モーションの人間たちをなぐりつけた。彼らはそのままからだをまっすぐにしている。彼は三角帽の男をフロアに投げたおして、馬乗りになった。彼は減速した。

ふたたび外部世界がよみがえってきた。山犬たちはみるみるたおれた。三角帽の男はうめいた。「黒人の女だ。ひどく背が高い。すごい美人だ」

「ここに死体があったか？」フォイルがきいた。

その男はうめきながらフォイルの眼をえぐろうとした。

「きさまたちは死体の尻を追いまわしているじゃないか」フォイルはしずかにいった。「きさまたちのなかには、生きている女とあれをやるより死んだ女をおかすのが好きなやつがいる。ここでその女の死体を見つけなかったか？」

まんぞくな返答が得られなかったので、松明をとってミンクの服に火をつけた。あわてて逃げ出すジョウント襲団の首領のあとを追って居間に行った。その男は悲鳴をあげて穴の縁《へり》でよろめき、下の闇のなかに落ちていった。

「死体があったか？」フォイルはしずかに下に向かって叫んだ。返事に彼は頭をふった。「うまくいかないな」彼はつぶやいた。「情報を吐かせる方法をおぼえないといけないな。ダーゲンハムなら、その方法のひとつやふたつ教えてくれるだろうが」

彼は電子系統のスイッチを切ってジョウントした。

彼はグリーン・ベイにもどった。髪が焦げ、皮膚が焼けたむっとする悪臭がしているので、臭気止めを買いにプレスタインの支店（宝石、香水、化粧品、イオン、日用品販売）へ行った。ところがこの支店のミスタ・プレストは四マイルサーカスの到着を見ていたらしく、彼が誰なのか気がついたのだった。フォイルはさっそくもとのセレスのフォーマイルになりすました。おどけたり跳びはねたりしながら一オンスにつき百₡rも出して十二オンス入りの五号壜を買い求め、からだにかるくふりかけてから、ミスタ・プレストをおもしろがらせるためにその壜を街路にすててしまった。

郡の登記局の記録係はフォイルが何者なのかを知らなかったし、ひどく頑固で非妥協的であった。

「おことわりします。郡の記録は、正当な理由による裁判所の命令がなければ見せられません」

フォイルは眼ざとくこの男をしらべた。「虚弱タイプだ」彼は見さだめた。「やせて、骨が長く、力がない、怒りっぽいタイプ。わがまま、ペダンティック、意固地、頑固。買収しにくい。陰気にすぎて謹厳実直。しかし抑圧されたものがある、こいつが泣きどころだな」

一時間後、四マイルサーカスから女が六人行って記録係を待ち伏せした。弁舌さわやかな説得力があったし、悪いことにかけてはたいへんな才能があった。二時間後、記録係は肉欲と悪徳にまどわされてすっかり秘密を話してしまった。あのアパートの建物は二週間前にガス爆発を起し、ジョウント襲団のあらすままになっていたのだ。間借人は追い出されていた。ロビン・ウエンズバリはアイアン・マウンテン試験所の近くにある慈善病院に保護されていた。

「保護拘禁か？」フォイルは不思議な気がした。「なんのために？　彼女が何をしたんだ？」

四マイルサーカスは、三十分かかってクリスマス・パーティ慰問団を編成した。パーティの構成員は音楽家、歌手、俳優、道化師などで、このアイアン・マウンテンの座標を知っていた。道化の首領にひきいられて、音楽や、花火や、火酒や、贈物をいっぱい持っていっせいにジョウントした。彼らは試験所の防御装置のレーダー網に入ったが、笑いをまき起しながら通過を許された。セレスのフォーマイルはサンタクロースに変装し、肩にかけた大きな袋から紙幣をまき散らしながら、叫んだり踊ったりした。一行は彼について慈善病院になだれこんだ。サンタクロースは看護婦たちにキスしたり、付添人に酒を飲ませたり、患者たちにプレゼントをやったり、廊下に金をまき散らしたり、たのしい大さわぎになった。さわぎが最高潮に達したとき、突然彼は消えた。ずっとあとになって患者が一人失踪したことが判明した。彼女はそれまで絶対安静で、ジョウントはできなかった。事実はサンタの袋に入って病院から脱出したのだった。

フォイルは、彼女を背負ったまま病院の庭にジョウントした。寒空の下のしずかな松林のなかで彼女を袋から出した。彼女は簡素な白い患者服を着て美しかった。彼は自分の衣裳を脱いだ。彼女にひたと眼を向けて、自分を思い出してくれるかどうか待っていた。

彼女は驚愕して混乱していた。彼女のテレパシーが稲妻のようにひらめいた。**「まあ！　誰なのかしら？　どうしたんでしょう？　音楽。大騒ぎ。どうして袋に入れて誘拐されたのかしら？　酔いどれがトロンボーンをいたずらしているわ。そうよ、ヴァージィニア、ここにいるのはサンタクロースだわ。わたしになんの用があるのかしら？　誰なんだろう？」**

「わたくしことセレスのフォーマイルでございい」とフォイルがいった。

「なんですって？　誰？　あのフォーマイル？　ああそうね。**道化だわ。成金紳士。俗悪。低劣。猥褻《わいせつ》。四マイルサーカス。**まあわたしはテレパシーではなしをしているのかしら！　あなた聞える？」

「聞えますよ、ミス・ウエンズバリ」フォイルはしずかにいった。

「あなたは何をなさったんです？　どうして？　わたしをどうしようっていうの？　わたしは——」

「あなたに顔を見てもらいたいんですよ」

「こんにちは《ボン・ジュール》、マダム。この袋のなかにどうぞ。わたしをごらんなさい。見ていますわ」

ロビンはみだれた思いをおさえようとしながらいった。彼女は彼に眼をあげたが、誰だかわからなかった。**「顔だわ。こういう顔は何度も見たわ。男たちの顔よ！　男の顔つき。発情している男はいつもこうだわ。神さまは、劣情からわたしたちを救ってくださらない**

のかしら？」

「おれの発情期《さかり》は終わっているよ、ミス・ウエンズバリ」

「聞えてお気の毒ね。だって、わたしはこわいんですもの。わたしは――あなた、わたしをご存じなのね？」

「ご存じですよ」

「前におめにかかったことがあるかしら？」彼女ははっきり見きわめようとした。が、まだ誰だかわからなかった。フォイルの胸のふかみに勝ちほこった感情がわきあがってきた。血と、脳と、顔をおさえているかぎり、この女には彼が思い出せないのだった。

「会ったことはない」彼はいった。「おれはあんたのうわさを聞いた。あんたからききたいことがあるんだ。だからここにつれてきた。はなしをするためにね。もしおれのはなしがいやだったら、病院へ帰ってもいい」

「何かわたしに用があるって？　だって、わたしには何もないわ……何も。屈辱以外には何もないのよ――ああ！　どうして自殺しそこなったのかしら？　どうしてできなかったのかしら――」

「そういうことだったのか？」フォイルはしずかに相手をさえぎった。「きみは自殺しようとしたんだな、そうだろう？　だからガス爆発で建物がこわれた……おまけにそれから保護拘禁をうけたわけだ。自殺未遂か。その爆発で怪我をしなかったのは、どうしてなんだ?」

「ずいぶんたくさんの人が負傷したわ。死んだ人も大勢出たわ。だけどわたしはダメ。運が悪いんだわ。きっと生まれてから一度もツイてないのよ」

「どうして自殺しようと思った」

「疲れきったの。わたしはダメなのよ。何もかも失ってしまったわ……わたしは軍の危険人物のリストに載せられているのよ。疑われ、監視され、報告されるのよ。職もないわ。家族もない——どうして自殺する気になったかって? だって自殺する以外にどうしようもないじゃないの?」

「おれのところではたらいてくれ」

「はたらく……まあ、なんですって?」

「おれのためにはたらいてもらいたいんだよ、ミス・ウエンズバリ」

彼女はヒステリックな笑いをあげた。「あなたのために? **サーカスのキャンプについて歩く女の仲間入りをしろっていうの?** あなたのためにはたらくんですって? フォーマイル?」

「きみはセックスのことが頭にあるんだね」彼は、やさしくいった。「おれは淫売婦を探しているわけじゃない。たいていは、女のほうからおれのまわりにあつまってくる」

「ごめんなさい。**わたしは自分をほろぼした残忍さに憑かれているのよ。**わたしは——せいぜい、理解するようにつとめてみますわ」ロビンは自分をおさえた。「話をはっきりさせましょうね。あなたはわたしに仕事をくれるために、わたしを病院から出した。わたしのことを聞いている。つまり、あなたは何か特別なものをわたしにもとめているわけね。わたしの専門はテレパシーよ」

「それに、魅力もある」

「え？」

「きみの魅力を買いたいんだよ、ミス・ウエンズバリ」

「何をおっしゃるの」

「いいかい」フォイルはおだやかにいった。「あんたには簡単なはずだが。おれは道化師なんだ。いかにも俗悪で、低劣で、ワイセツさ。そいつを、やめる必要があってね。だからきみにおれの社交秘書になってもらいたい」

「わたしがそんなことを信じると思って？　あなたなら社交秘書なんか百人でも……千人でもやとえるはずよ。ご自分のお金で。わたしひとりだけがあなたのためにはたらける人間だなんて信じると思っているの？　それに、わたしを手に入れるためにわざわざ保護拘禁から誘拐しなければならなかったのもそのためだとおっしゃるの？」

フォイルはうなずいた。「そのとおりだよ。何千人もいても、テレパシーができるのは一人だけだ」

「だったらどうだっていうの？」

「きみは腹話術師になる。おれはきみのあやつる人形になる。おれは上流階級のことを知らないんだよ。きみは知っているね。上流社会は上流社会の言葉があるし、冗談もあるし、作法がある。もし上流社会にうけ入れられようと思えば、上流の言葉を話さなければいけないんだろう。おれはだめだがきみにはできる。口うつしにきみがおれのかわりにしゃべってくれ……」

「だってあなただっておぼえられるはずよ」

「いや、時間がかかりすぎる。それに魅力はおぼえようとしても身につかない。おれはきみの魅力を買いたいんだよ、ミス・ウエンズバリ。給料だが、月に千さしあげよう」

彼女の眼が大きくなった。「ずいぶん寛大ですのね、フォーマイル」

「自殺未遂の罪をきれいにしてあげよう」

「なんといってお礼を申しあげてよいかわかりませんわ」

「それから軍の危険人物のリストからきみを除外するように運動しよう。おれの仕事が終わるころまでには潔白の身にしてあげよう。きみは過去を清算してあたらしくはじめるんだ。もう一度生きることをはじめるんだよ」

ロビンの唇がふるえて、彼女は泣きはじめた。フォイルは彼女を制した。「ところで」彼はきいた。「きみはやってくれるかい？」

彼女はうなずいた。「ほんとうにうれしくて……こんなに親切にしていただくなんてどうしてよいかわかりませんわ」

遠くで爆発がおこり、そのにぶい震動でフォイルは身を硬ばらせた。

「あ!」彼は恐怖にかられて叫んだ。「また青ジョウントだ。おれは——」

「いいえ」とロビンがいった。「青ジョウントというのはどういうものか存じませんが、あれは試験所ですわ。彼らは——」彼女はフォイルの顔を見あげて、悲鳴をあげた。爆発による不意の衝動となまなましい連想がはたらいたため、抑制が弛緩したのだった。血の赤みの刺青の傷痕が皮膚の下にあらわれた。彼女はまだこわごわと彼を見つめていた。悲鳴をあげながら恐怖に駆られて彼を凝視していた。

彼はすぐ自分の顔を手でかくし、それからわざとその手をとって彼女をおどかすまねをした。

「見えたね、ほら?」不気味な笑いをうかべてつぶやいた、「ちょっとだけ気がゆるんだのさ、グフル・マルテルにもどって青ジョウントの音を聞いているような錯覚にとらわれたんだよ。わかったね。おれはフォイルさ。きみをほろぼした残忍なやつだよ。いずれ知らせるつもりだったが、もっとあとのほうがよかった。フォイルがもどってきたんだ。おとなしくおれの話を聞いてくれ」

彼女は狂ったように頭をふり、彼の腕から逃げようともがいた。彼はおちつき払って彼女の顎に一発食らわせた。ロビンはぐったりした。フォイルは彼女を起し、自分の上着にくるんで両手で抱きしめて意識をとりもどすのを待った。彼女のまぶたがまばたくのを見てまた話しかけた。

「動くな、さもないともう一度のばしてやるぞ。こんどのやつは痛いからな」

「残忍な……野獣」

「もっと違うやりかたもできたところなんだ」彼はいった。「きみを脅迫してもよかったところだ。きみの母親と妹たちがカリストにいることや、きみが敵性外国人と関係があるとして登録されていることを知っているよ。その事実《イプソ・ファクト》によってブラック・リストにあげられた。そうだろう？　その事実《イプソ・ファクト》によって。ラテン語だよ。おれはただ匿名で中央課報局に連絡をとればいいし、そうなるときみはただの容疑者じゃすまなくなる。課報局は十二時間以内にきみのからだのなかから情報を引き出すんだぞ」

　彼女がぞくぞくふるえるのが感じられた。

「しかしおれはそんなまねはしない。おれはきみを仲間にしたいからね、ほんとうのことを話そう。きみのお母さんは内惑星連合にいる。内惑星連合にいるんだよ」彼はくりかえした。「地球《テラ》にいるのかもしれないな」

「無事で？」彼女は低い声できいた。

「さあどうかな」

「わたしを離して」

「冷たくなっているね」

「離してください」

彼女をすわらせた。

「あなたは一度わたしを破滅に追いやったのよ」彼女は息をとぎらせながらいった。「またわたしを破滅させるつもりなの」

「そうじゃないよ。なあ、聞いてくれないか？」

彼女はうなずいた。

「おれは、宇宙で漂流してたことがある。半年のあいだ、死んで腐りかかっていた。そこへおれを救えば救えたはずの船があらわれた。ところが、その船は見て見ぬふりをした。おれを見殺しにしたんだ。《ヴォーガ》という宇宙船だ。《ヴォーガ・T・一三三九》だ。きみは何か知っていることはないか？」

「ないわ」

「ジズ・マックイーン――おれの友達だったが、今はもう亡くなったおれの女だ――この女はおれが置きざりにされた理由をしらべてみろといったことがある。つまり誰がその命令をくだしたかという答がわかるわけだ。だからおれは《ヴォーガ》に関する情報を金であつめはじめたんだ。どんな情報でも金を出す」

「それがわたしの母となんの関係がありますの？」

「まあ聞けよ。情報を金で買うのはむずかしかった。《ヴォーガ》の記録はボーンズ・アンド・ウイッグの書類棚からどこかへ移されたんだ。おれはやっとのことで三人の乗組員の名前をつきとめた……士官四人と乗員十二人の常時乗組員のなかの三人だ。みんな何も知らないか、知っていても何もいおうとしないんだ。そしておれはこれを見つけた」フォイルは銀色の首飾りのロケットをポケットから出してロビンにわたした。「《ヴォーガ》の誰かが、こいつを質に入れたんだよ。おれが見つけたのはこれだけだった」

ロビンはあっと叫んでふるえる指先でロケットを開けた。そのなかに彼女とべつな女二人の写真がはめこまれている。ロケットを開けたとき、立体写真が微笑を見せてささやきかけた。「ママ、ロビンからよろしく……ママ、ポリーからよろしく……ママ、ウエンディからよろしく……」

「これはわたしの母のものよ」彼女は泣いた。「これは……母は……おねがいです、母はどこにいますの？　何かあったんですの？」

「さあ知らないんだがね」とフォイルはおちついて答えた。「だけど見当はつく。きみのお母さんは強制収容所から脱出したと思う……いずれにしても」

「それから妹たちも。母は妹たちから離れるはずがありませんもの」

「おそらく妹さんたちもいっしょだろうね。おれは《ヴォーガ》がカリストから避難民をはこんでいたのだと思う。きみの家族は内惑星に行くために金や宝石で払ったんだ。それで《ヴォーガ》の乗組員の誰かがこのロケットを質に入れたというわけだ」

「それで、みんなはどこにいますの?」

「わからないんだ。おそらく、火星か金星でおろされたんだろう。あるいは月の強制労働収容所に売られた公算も大きい。だからきみに連絡がとれなかったんだよ。その人たちの所在はわからないが、《ヴォーガ》をしらべればわかる」

「ほんとうでしょうね? わたしを、だますんじゃないでしょうね」

「そのロケットは嘘なのか? おれはほんとうのことをいっているんだ……おれの知っているかぎりのことを。おれはあいつらがおれを見殺しにしようとした理由と、誰がそれを命令したかをつきとめたいんだ。その命令をくだした者が、きみのお母さんや妹さんたちの所在を知っているだろう。きみはそいつから聞き出せるよ……おれがそいつを殺す前に。そいつには時間はたっぷりあるはずだ。殺すのにゆっくり時間をかけてやるつもりだから」

ロビンはおそろしそうに彼を見あげた。彼をおそったはげしい感情がまたしても彼の顔に緋色の痕をうきださせた。殺意を秘めて接近する虎の子のように見えた。

「おれはえらい財産を獲得したんだ……どうやって手に入れたか、そいつはどうでもいい。おれは三カ月かかって仕事を終える。充分に数学を勉強したので、蓋然性が計算できるんだ。三カ月以内だったら、セレスのフォーマイルがガリー・フォイルだということはわかるはずがない。九十日だ。元旦から万愚節《エイプリル・フール》までだ。おれの仲間にならないか？」

「あなたと？」彼女は嫌悪のいろを見せて叫んだ。「あなたの仲間に？」

「この四マイルサーカスは単なる擬装《カムフラージュ》にすぎないんだ。道化役者を疑うやつがいるものか。しかし、この目的達成のために研究した。学んだ。準備をしてきた。今のおれに必要なのはきみだけなんだ」

「どうして？」

「おれは自分の調査する場所がわからないんだ……上流社会なのか貧民窟なのか。両方の準備をしなければならない。貧民窟ならおれひとりであつかえる。貧民語は忘れていないからな。しかし上流社会となると、きみが必要なんだ。いっしょにきてくれるか？」

「ひどいことをしないでください」ロビンはフォイルがにぎりしめていた手を、身をよじって離した。

「すまない。《ヴォーガ》のことを考えると、つい冷静でなくなるんだ。おれが《ヴォーガ》ときみの家族をさがすのを手つだってくれるか？」

「わたし、あなたがきらいよ」ロビンが不意にいいだした。「軽蔑しているわ。あなたは腐っている。自分の手にふれたものはなんでも破滅させるのよ。わたしはいつかきっとあなたに返報《しかえし》するつもりよ」

「しかし、元旦から万愚節までは協力しよう」
「ええ、協力しますわ」

9

大晦日《おおみそか》に、セレスのジョフリー・フォーマイルは上流社会のパーティに姿を見せた。十二時三十分前にまずキャンベラの政府主催舞踏会に出席した。この会は毎年きまっておこなわれる公式の行事で、絢爛豪華な服装でごったがえすさわぎだった。なぜなら、このパーティでは、各財閥の人びとは一族の創立された時代、または商標が特許をうけた年代に流行していた夜会服を着るのが正式の習慣になっていたからだった。

したがって、モールス財閥（電信電話）は十九世紀のフロック・コートを着用していたし、夫人たちはヴィクトリア朝時代のフープ・スカートだった。スコーダ財閥（銃砲、火薬）はさらにさかのぼって十八世紀後期の摂政《せっしょう》タイツとクリノリンだった。ピーネムンデ財閥（ロケット、原子炉）は一九二〇年代当時のタキシード、その夫人たちは古風なガウンのデコルテ姿でおそれげもなく脚や、腕や、首をあらわに見せていた。

セレスのフォーマイルはひどくモダーンでひどく黒い夜会服を着てあらわれた。セレス財閥の商標である純白の朝日だけが肩にうきだしていた。ロビン・ウエンズバリがまばゆいばかりの純白のガウンを着て同伴していた。彼女の細い腰はクジラの骨でしめられていた。ガウンのきぬずれの音が、すらりとしてまっすぐな背と、優美な歩きかたをあざやかに印象づけた。

黒と白の対照がひどく人眼をひいたので、貴族名鑑や特許名鑑でその朝日の商標をしらべさせるために召使が使いに出された。セレス、パロス、ベスタの鉱物資源開発のために二二五〇年に設立されたセレス鉱業の登録商標であるというニュースを持ってその召使がもどってきた。結局、その資源はあらわれずセレス財閥は衰微の道をたどったが消滅はしなかった。あきらかにその財閥がまた復興してきたのだ。

「フォーマイル？　道化師だって？」

「ああ。四《フォー》マイルサーカスだよ。寄るとさわると彼のうわさばかりなんだ」

「あれがその当人ですの」

「そうじゃないでしょう。まともな人間みたいですからね」

上流の人たちは、ものめずらしげに、しかし油断なくフォーマイルのとり沙汰をした。

「さあ、本拠に乗りこんだぞ」フォイルはロビンに向かって低くつぶやいた。**「おちつきなさい。あの連中はさりげなく接近したがっているだけよ。おもしろければなんでも受け入れるの。固くならないで」**

「あなたはあのサーカスにいるおそろしい人ですの、フォーマイル？」

「**そのとおりよ。ここで微笑するの**」

「まあ、あなたはほんとうに誇らしげですこと。ご自分の悪趣味がご自慢なの？」

「**近ごろではとにかくなんでも趣味をもつことが肝心ですね**」

「近ごろではとにかくなんでも趣味をもつことが肝心ですね。わたしは自分が運がいいと思っていますよ」

「運はいいらしいけど、ひどく下品ね」

「下品ですが退屈な人間ではございません」

「それにおそろしいけど愉快なかたね。どうしてあなたは踊らないの？」

「美しいかたのおそばにいると動きがとれませんので、マダム」

「まあ、あなた酔っているのね。わたしはシュラップネル夫人ですよ。いつになったら酔いがさめますの？」

「奥さまの魅力に感嘆しておりますので陶酔はさめますまい、シュラップネル夫人」

「まあ、お口がお上手ですこと。チャールズ！　チャールズ、こちらへきてフォーマイルを助けてあげてくださいな。わたし、このかたをいじめているところなのよ」

「**あの男がRCAヴィクターのヴィクターよ**」

「フォーマイル君でしたな？　はじめまして。きみ、随員にはいくら金をやっているんだね？」

「**ほんとうのことをいっておやりなさい**」

「四万ですよ、ヴィクター」

「ほう！　週に？」

「一日ですよ」

「一日に！　いったいきみはなんのためにそんな金を使うんだね？」

「**真実をいうのよ**」

「悪名を高くするためですよ、ヴィクター」

「はあ！　本気なのかい？」

「ほら、このひとはいけないひとだっていったでしょう、チャールズ」

「おそろしく気前がいいね。クラウス！　ちょっときたまえ。この厚かましい青年が一日に四万もつかっているそうだよ……悪名を高くするためにね」

「**スコダのスコダ**」

「やあ、こんばんは、フォーマイル。わたしはきみの家門の名前の復活に大いに関心を持っているよ。きみはおそらくセレス財閥の創立委員の傍系の子孫だろうね？」

「**ほんとうのことをいいなさい**」

「ちがうんですよ、スコダ。名前を買ったのです。会社ごと買収しましてね。わたしは、なりあがりです」

「いいわ。いつも大胆にふるまうこと《トゥジュール・ド・ローダス》」

「なるほどね、フォーマイル！　きみは率直だ」

「だから厚かましいっていったろう。なかなか気分のいい若者だ。このあたりにも新興成金がぞろぞろいるが、誰もそれを認めようとはしないんだよ。エリザベス、セレスのフォーマイルを紹介しよう」

「フォーマイル！　わたし、あなたに紹介していただきたくてたまらなかったのよ」

「エリザベス・シトロエン夫人よ」

「あなたが携帯大学《ポータブル・カレッジ》を持って旅行なさるってほんとう？」

「ここはあっさり切りぬけるの」

「携帯高校《ポータブル・ハイスクール》ですよ、シトロエン夫人」

「だけど、いったいどうしてなの、フォーマイル？」

「ああ、マダム、近ごろでは金を使うのもたいへんむずかしゅうございましてね。いちばんバカげた口実を見つけなければなりません。誰かあたらしいぜいたく品でも発明すれば解決がつくんですが」

「携帯発明家《ポータブル・インヴェンター》をつれて旅行なさればいいのに、フォーマイル」

「一人おりますよ。そうだったね、ロビン？　しかし、この男は、無限運動に憑かれて、あたら時間を浪費しておりましてね。わたしに必要なのは住みこみの放蕩家ですよ。みなさんがたの一門のどなたか、若いご子息をわたしのところに預けてくださるかたはおいでになりませんか？」

「なんてすばらしい申し出だ！　やっかいものを手放すことができるなら、大金を払ってもいいという一門はいっぱいおりますぞ」

「無限運動の浪費家はあなたにとっては不充分ですの、フォーマイル？」

「ええ。たしかにおどろくべき額の浪費ですがね。ぜいたくの要点は、道化のように行動しながらそれをたのしむことですな。無限運動のどこによろこびがあります？　熱力学エントロピイのなかにぜいたくがありますか？　くだらないことになら何百万の金も惜しみませんが、一¢rだって熱力学なんかに出せるものですか。これがわたしのスローガンですよ」

　みんなが笑った。フォーマイルのまわりにあつまってくる人数がふえてきた。みなたのしんでいた。彼はあたらしい玩具《おもちゃ》だった。やがて、正十二時、大時計が新年の時刻を告げたとき、人びとはあたらしい年と同時に深夜の世界一周ジョウントの準備をした。

「いっしょにジャワへ行きましょう、フォーマイル、レジス・シェフィールドがすばらしい法律パーティを開くことになっていますのよ」

「香港がいいよ、フォーマイル」

「東京がいいよ、フォーマイル。香港は雨が降っているんでね。東京に行こう、あんたのサーカスをつれていくんだ」

「せっかくだが、だめなんですよ。わたしは上海《シャンハイ》に行くんでね。ソヴィエトの教会です。二時間後にみなさんにまたおめにかかります。いいかね、ロビン？」

「ジョウントしてはいけないのよ。不作法になるの。歩いて出るの。ゆっくり。ちょっと疲れたような態度をするのが粋なのよ。知事に会釈をして……検事総長に……夫人たちに……さ、それでいいわ。召使に心づけをやるのを忘れないで。その人はちがうわ、バカねえ！　副知事なのよ。いいわ。うまくやったわ。あなたは認められたのよ。これからどうするの？」

「これから、キャンベラへきた目的にとりかかるんだ」

「舞踏会にきたんでしょう」

「舞踏会もそうだが、目的の男をつきとめにきたんだよ」

「誰なの？」

「ベン・フォレスト。《ヴォーガ》の乗組員だった。おれを見殺しにするよう命令したやつをつきとめる手がかりを三つつかんだ。三人の男だ。ポッギという名前のローマの料理人、オレルという名前の上海《シャンハイ》のヤブ医者だ。それともう一人、この男、フォレスト。両面作戦だからな……社交界と捜索だよ。わかったか？」

「わかったわ」

「フォレストが口を割る時間を二時間と見よう。きみはオーシイ缶詰工場の地点を知っているかい？　この会社だけでできている町だが？」

「わたし、あなたの《ヴォーガ》復讐の応援をするつもりはないわ。わたしは家族をさがしているんですもの」

「これは両面作戦なんだ……あらゆる点でね」あまりに堂々と野蛮なことをいうので、彼女はたじろいですぐにジョウントした。フォイルがジャーヴィス・ビーチの四マイルサーカスの彼専用のテントについたとき、彼女はすでに旅行着に着換えようとしていた。フォイルは彼女を見た。彼は安全を考慮して無理に彼女を自分のテントに住まわせたのだが、彼女のからだにふれたことは決してなかった。ロビンは彼の視線をとらえると、着換えるのをやめて待った。

彼は頭をふった。「そんなことは、もうすっかり終わったんだ」

「まあおもしろいこと。強姦するのはあきらめたの？」

「服を着ろよ」彼は自分をおさえながらいった。「キャンプを上海《シャンハイ》に移転するまで、あと二時間あるってみんなにいってくれ」

フォイルとロビンがオーシイ缶詰工場会社市《シティ》の正面の事務所に到着したのは十二時半だった。身分証明バッジの給付を申しこむと、市長自身が挨拶に出てきた。

「新年おめでとう」彼は歌った。「おめでとう！　おめでとう！　ようこそおいでくださいました。あなたをお乗せするのは光栄です。わたしが操縦いたしましょう」彼は二人を青いヘリコプターに乗せて離陸した。「今夜は訪問客が大勢いますよ。当市は友好的な都会でしてな。世界一友好的な会社市《シティ》ですよ」ヘリコプターは巨大な建物の周囲を旋回した。「あれは当市の氷の宮殿です……左手にあるのが水泳浴場……大きな円蓋《ドーム》がスキーのジャンプ台です。雪が一年じゅう降りますのでね……あのガラスの屋根の下は熱帯植物園です。ヤシの木、オウム、蘭、果実がございます。あれがわたしたちの市場で……あれが劇場……放送局もあります。立体五次元放送です。フットボールの競技場を見てください。当市の青年二人が今年度の全米チームに選抜されました」

「もっと話してください」フォイルが、むにゃむにゃといった。

「承知しました。わたしたちにはなんでもございます。なんでも！　わざわざたのしみをもとめて世界じゅうをジョウントしてまわる必要はございません。オーシィ缶詰工場がそのまま世界ですからね。わたしたちの市は宇宙です。世界一幸福な小宇宙ですよ」

「不在者問題があるわけだね」

市長は調子のいい話をやめようとはしなかった。「街路をごらんください。自転車が見えるでしょう？　オートバイも？　自動車も？　わたしたちは地球上のどこの都会よりも人口一人についてずっとぜいたくな輸送機関を持っております。あの住宅街をごらんください。別荘ですよ。市民は富裕で幸福です。われわれはみなさんを裕福にしておりまして」

「しかし、そのままではいないでしょう？」

「どういうことです？　むろん、われわれとしては――」

「ほんとうのところをいってください。わたしたちは投資するつもりできたんじゃないんだから。市民をここに引きとめておけるのですか？」

「半年以上はとめておけませんですな」市長は咽喉を鳴らした。「まったく頭が痛いことです。われわれは彼らにあらゆるものをあたえますが、彼らは放浪欲を抱いてジョウントしましてね。不在主義のおかげで生産が十二パーセントも減少しました。われわれは順調な雇用ができないんですよ」

「誰だってできませんよ」

「立法措置を講じるつもりですよ。フォレストとおっしゃいましたね？　ここですよ」

二人を一エーカーばかりの庭園にあるスイス式小屋の前に降ろして、市長は何かひとりごとをいいながら離陸した。フォイルとロビンはその家の入口に寄って、受付が応対に出るのを待った。ところが、ドアがぱっと赤くなり、頭蓋骨と十字に組んだ骨がその上にあらわれた。缶に録音された声がいった。

「**注意。この家はスウェーデンの致死防備会社の罠を設備してあります。R・七七‐二三。**

法的通報完了」フォイルはつぶやいた。

「大晦日《おおみそか》なのに？　友好的が聞いてあきれる。裏へまわってみよう」

二人が小屋をまわると、あの頭蓋骨と十字の骨が間歇的にひかり、缶に詰められた注意の声が追いかけてきた。一方にあかるい照明のついた地下室の窓の上部が見え、低い声が聞えた。「主はわが牧者なり、われ……」

「地下室クリスチャンだ！」フォイルは叫んだ。彼とロビンは窓からのぞいてみた。さまざまな信仰をもつ礼拝者が三十人ばかり、みな入りまじったひどく不法な儀式で新年を祝っていた。二十四世紀はまだ宗教を廃してはいなかった。しかし宗派というものはなくなっていた。

「道理でこの家は罠なんだ」フォイルがいった。「あんな瀆《けが》れた行為をしている。ほら、カソリックの司祭もユダヤ教の司教もいる。あの連中のうしろにあるのが十字架だ」

「あなたはいつもそうやってののしってばかりね」ロビンがきいた。「あなたは、そのイエスとかイエス・キリストってなんなのかご存じなの？」

「たんなる罵倒のことばさ。〝いてぇ！〟とか〝ちくしょう！〟とかといっしょだよ」

「ちがいます。信仰にかかわることばよ。あなたは知らないでしょうけど、こうしたことばの背後には、二千年以上にわたる想いがこめられているのよ」

「今はそんな阿呆な話をしている場合じゃない」フォイルはいらいらしていった。「またのときにしよう。さあ行くぞ」

家のうしろは固いガラスの壁、光る窓、誰もいない居間になっていた。

「伏せろ」フォイルは命令した。「おれがはいっていくからな」

ロビンは大理石の庭に伏せた。フォイルはからだの装置を動かして、電撃のような加速力で、ガラスの壁に穴を開けた。低い音のスペクトルで、にぶい震動音がはるかにひびいてきた。銃声だった。弾丸が彼をめがけて飛んできた。フォイルはフロアに伏せて耳をすまし、低音《バス》から超音になるまでさぐっていて、その罠の制御装置の震動音を捕捉した。しずかに頭をまわして、位置をつきとめ、弾丸の道を縫ってその装置を破壊した。次いで減速した。

「さ、早くはいれ」

ロビンはふるえながら居間で彼といっしょになった。殉教者の音をひびかせている地下室のキリスト教徒は、この家のなかのどこかにいるのだった。

「ここで待っていろ」フォイルがぶつりといった。彼は加速した。家じゅうを朦朧状態にさせ、地下室のキリスト教徒を恐怖に凍りついた状態にさせながら、そのなかを縫って歩いた。ロビンのところにもどって減速した。

「あのなかにはフォレストはいなかった」彼は報告した。「二階にいるのかもしれない。

あの連中が正面に出ていくあいだに裏に出よう。行くぞ！」

二人は裏の階段を駆けあがった。踊り場で位置をたしかめるために足をとめた。

「はやくしないといけない」フォイルはつぶやいた。「銃声と、あの儀式のさわぎで、みんなはわいわいさわぎながらジョウントしてまわっているだろう——」言葉をきった。階段の上のドアから低い泣き声が聞えてきたのだ。フォイルは匂いをかいだ。

「フォレストらしいぞ！」彼は叫んだ。「なんというざまだ。地下室では宗教、二階では麻薬ときた」

「なんの話をしているの、あなた？」

「あとで説明するよ。ここだ。麻薬で凶暴になっていなければいいんだが」

フォイルはジーゼル・トラクターのようにドアをぶちぬいて入った。大きな、殺風景な室内に入った。重いロープが天井からぶらさがっていた。裸の男が一人ロープにからみついて宙吊りになっていた。くねくねもがいて、ロープを上下にすべり、泣くような声を出し、かびくさい臭いを発散していた。

「ヘビ男だ」フォイルはいった。「なんてこった。そばへ寄るな。さわると骨をへし折られるぞ」

下の声が叫びはじめた。「フォレスト！　どうして発砲したんだ？　新年おめでとう、フォレスト！　お祝いはどこでやっているんだ？」

「ほら、あいつらがやってくる」フォイルがひくくいった。「彼をここからジョウントさせて外に出さないといけない。海岸でおちあおう、行け！」

ポケットからナイフを出してロープを切り、もがいている男を肩にかけてジョウントした。ロビンは一足先に誰もいない海岸にきていた。フォイルは、ニシキヘビのように首や肩にくねくねまきついて、おそろしい力でしめつける男といっしょに到着した。赤い傷痕が不意にフォイルの顔にあらわれた。

「シンバッドだ」彼は声をふりしぼっていった。「海の老人だ。早くしてくれ！　右のポケットだ。三つ目の下。下のふたつだ。注射のアンプルがある。どこでもいいから注射してやれ——」声がきれた。

ロビンはポケットを開け、ガラス玉の包みを見つけて出した。玉のそれぞれには端に蜂の針のようなものがついていた。彼女はそのアンプルの針を、ヘビ男の首に突き刺した。彼はたおれた。フォイルは肩からヘビ男をふりきって砂地から起きあがった。

「ああ助かった」彼は咽喉をなでながらつぶやいた。深呼吸をした。「抑制だ」彼は冷静な態度をとりもどしながらいった。あの緋色の刺青は顔から消えていった。

「あのおそろしいものはいったいなんですの？」ロビンはきいた。

「精神病者にやる精神病治療用の麻薬だ。違法だがね。痙攣のせいでいくらかおちつくし、原始人にもどるんだ。特別の種類の動物と合一するんだよ……ゴリラ、熊、牡牛、狼……

麻薬を使って自分が崇拝する動物にかわるんだ。フォレストがヘビとは奇妙だな、たしかにヘビには見えたがね」

「どうしてこんなことまでよくご存じなの？」

「今まで勉強してきたっていったろう……《ヴォーガ》報復の準備をしているんだって。これも勉強したうちのひとつなんだ。きみがこわがらなければ、ほかにもおれの勉強したことを見せてやろう。こいつの痙攣を除去する方法だ」

フォイルは戦闘服の、べつなポケットを開けて、フォレストの意識を回復させる仕事にとりかかった。ロビンはしばらく見ていたが、不意におそろしい悲鳴をあげて、海辺に歩いていった。彼女は茫然とそこに立ちつくして、波や星を眺めた。やがて泣き声や、痙攣が終わって、フォイルは彼女に向かって声をかけた。

「もうきてもいいよ」

ロビンがもどってみると、麻薬から覚醒した男は、けだるく正気にかえった眼でフォイルを見ていた。

「きみはフォレストだな？」

「あんたは誰だ？」

「きみはベン・フォレストで、すぐれた宇宙船乗りだ。以前、プレスタインの《ヴォーガ》に乗っていた」

　フォレストは恐怖の叫びをあげた。

「きみは二四三六年九月十六日に《ヴォーガ》に乗っていた」

　その男はすすり泣いて頭をふった。

「九月十六日にきみは難破船を見殺しにした。小惑星帯のちかくで。姉妹船《ノーマッド》の難破を。《ノーマッド》は遭難信号を発した。だが《ヴォーガ》は通過していった。《ノーマッド》を漂流させ、死なせようとして、《ヴォーガ》が見殺しにした理由はなんだ？」

　フォレストはヒステリックに絶叫しはじめた。

「見殺しにしろと命令したのは誰だ？」

「ああ！　知るものか！　よせ！」

「記録いっさいがボーンズ・アンド・ウイッグの書類から失くなっている。おれよりさきに手に入れたやつがいる。誰なんだ？　《ヴォーガ》に乗っていたのは誰だ？　きさまといっしょに乗っていたのは誰だ？　おれは士官と乗組員の名前が知りたい。船長は誰だ？」

「知らん」フォレストは悲鳴をあげた。「知らんのだ！」

　フォイルはヒステリー状態におちいった男の顔の前に紙幣の束をつきつけた。「教えればこの金をやろう。五万だぞ。一生何もせずに生きていける。おれを殺すように命令したのは誰だ。フォレスト？　誰なんだ？」

男はフォイルの手にした紙幣の束を払いのけて立ちあがると、いきなり海岸へ走った。フォイルは渚《なぎさ》で彼にタックルした。フォレストは頭からどっとたおれ、顔を水のなかにつっこんだ。フォイルはぐいぐいおさえつけた。

「《ヴォーガ》の指揮をとっていたのは誰だ。フォレスト？　誰が命令した？」

「溺死するわよ！」ロビンが叫んだ。

「すこし苦しめてやるんだ。水のほうが真空より楽だ。おれは半年も苦しんだからな。誰が命令したんだ。フォレスト？」

男はごぼごぼ泡を吹いて窒息した。フォイルは頭をつかんで水からもちあげてやった。

「きさまはなにさまだ？　忠義づらをするのか？　こわいのか？　きさまのようなやつには五千もやれば充分なんだぞ。それを五万やろうというんだ。教えてくれれば五万だ、くそ野郎、さもなければ、ゆっくり苦しませて死なせてやる」刺青がフォイルの顔にあらわれた。フォレストの頭をまた水中につっこんで、もがく彼をおさえつけた。ロビンは彼をとめようとした。

「殺すつもりなの！」

フォイルは、すさまじい顔をロビンに向けた。「手をどけろ、売女《ばいた》！　同乗していたのは誰だ、フォレスト？　誰が命令を出したんだ。なぜだ？」

フォレストは頭をねじって水面からあげた。「《ヴォーガ》に乗っていたのは十二人なんだ」彼は悲鳴をあげた。「助けてくれ！ 乗っていたのはおれとケンプ――」彼は発作的な痙攣を起し、ぐったりしてしまった。フォイルは彼のからだを波間から引きずり出した。

「いえ。きさまと誰だ？ ケンプ？ ほかに誰だ？ 話せ」

返事はなかった。フォイルは男のからだを調べた。

「死んでる」彼はうなった。

「まあ！ なんてことを」

「せっかくの手がかりがくたばっちまった。やっと口を割ったのに。なんてヘマだ」息をふかく吸いこみ、鉄を吐き出すように息を吐いた。刺青は顔から消えた。彼は時計を東経百二十度に調節した。「上海《シャンハイ》はほとんど真夜中になっているぞ。さあ行こう。《ヴォーガ》の船医だったセルゲイ・オレルからうまくききだせるかもしれない。そんなおそろしそうな顔をするな。まだほんの手はじめなんだぞ。行こう。ジョウント！」

ロビンは息をのんだ。彼女が信じられないというような表情でちらりと眼を向けるのを彼は見た。フォイルはふりかえった。炎のような人影が浜辺にぼうっと出現した。燃えるような服を着た巨大な男で、顔にはおそろしい刺青をしていた。彼自身の姿だった。

「ちくしょう！」フォイルは叫んだ。彼は自分の燃えあがる虚像に向かって一歩進み出た。

するとそれが不意に消えてなくなった。

彼は蒼ざめてふるえているロビンに向きなおった。「あれを見たか？」

「見たわ」

「なんだった？」

「あなたよ」

「おいおい！　おれだって？　そんなはずがあるものか。そんなこと――」

「あなただったわ」

「しかし――」彼は口ごもった。力が失《う》せ、憤《いきどお》ろしい執念が消えてしまった。「幻想だったのか？　幻覚か？」

「わからないわ。でもわたしにも見えたわ」

「なんてこった！　自分を見るなんて……面と向かってだぜ……服が燃えていた。きみも見たのか？　いったいなんだったんだ？」

「ガリー・フォイルだったわ」ロビンはいった。「地獄の劫火に焼かれていたわ」

「もういい」フォイルは憤怒に駆られて爆発した。「あれは地獄に堕ちたおれなんだ。しかしおれはどこまでもやりぬくぞ。おれが劫火に燃えるのなら、《ヴォーガ》もいっしょに燃やしてやる」彼は両手をたたいた。力と目的がよみがえってきた。「あくまでやりぬくぞ！　つぎは上海《シャンハイ》だ。ジョウントしろ！」

10

上海《シャンハイ》の仮装舞踏会で、セレスのフォーマイルはアルブレヒト・デューラーの〈死と乙女〉の〝死〟に扮し、裸身に透明のヴェールをまとった眼もあやな金髪の女といっしょに姿を見せて人びとをあっといわせた。ピーネムンデ財閥の人びとの着る一九二〇年代のガウンを大胆すぎるときめつけていたほど旧弊なヴィクトリア朝ぶりの人たちは、ロビン・ウエンズバリが二人に付き添っていたにもかかわらずおどろきのいろをかくさなかった。しかし、フォーマイルがその女性がすばらしいアンドロイドであることをあきらかにしたとき、さっそく彼の立場を救うような意見が出た。上流の人びとはこういったペテンをおもしろがっていた。人間なら人眼にさらすことなどゆるされない女性の裸身も、アンドロイドとなれば単に性《セックス》のないおもちゃにすぎないというのである。

真夜中になるとフォーマイルはそのアンドロイドを舞踏会に出席した紳士たちに競売することにした。

「お金は慈善事業に寄付するの、フォーマイル？」

「とんでもない。わたしのスローガンはご存じでしょう。熱力学には一¢rもやらない、というわけですからね。さあ、この豪華で愛くるしいアンドロイドを百のクレジットではいかがですか？　百ですよ、みなさん？　非のうちどころのない美人で、どんなことでもいたします。二百ですか？　ありがとうございます。三百五十？　ありがとうございます。さて、五百ではいかがでしょう？　八百ですか？　これはこれは。四《フォー》マイルサーカスの天才発明家のこのすばらしい製品にもっと高値をつけるかたは、ございませんか？　この女性は歩きますよ。話をします。なんでもいたしますよ。最高の高値をつけて落したかたの命令にしたがうように調節されております。九百ですか？　もっと高値は？　みなさん、これ以上は出ませんか？　おしまいですな？　はい、落札しました。エール卿に九百クレジットで」

割れるような喝采とおどろきの声がどよめいた。「あのアンドロイドの値は九万もしたに決っているよ。よくそんな巨額なものが買えるものだね」みんながそんなことを話しあった。

「お金をアンドロイドにわたしていただけますか、エール卿？　彼女はみごとに返答いたしますよ。それではみなさん、またいずれローマで再会するときまで……真夜中にボルゲーゼ宮殿でおめにかかりましょう、新年おめでとう」

エール卿自身やほかの青年たちがおどろいたことに、このアンドロイドは、事実、生きた人間で、非常な美貌でなんでもいうことをきいた。フォーマイルが、二重にペテンをかけてふざけたことはもっぱらたのしい話題になった。

しかし、そのころ、フォイルとロビン・ウエンズバリは――〈**頭脳能力拡大専門　ドクター・セルゲイ・オレル**〉という看板のある建物に入っていった。その看板には、「**あなたのジョウントを倍にします。失敗したら費用は倍にしておかえしします**」と書いてあった。

待合室には、オレル博士が、温湿布をし、吸口（皮膚の表面に押しつけて、陰圧にして血液や膿を吸い出す器具）をかけ、バルサム（半流動物質で標本の封入などに使う）をぬり、頭を電解して容積を倍にするという方法をしめした、おそろしい脳の絵図が飾ってあった。この先生はまた解熱《げねつ》下剤で記憶力を倍にするし、強壮剤で道徳心を増大するし、苦闘する魂のすべてをオレルの癒着剤で調節するというのだった。

待合室には誰もいなかった。フォイルは、思いきってドアを開けてみた。彼とロビンが眼にしたものは長い病室であった。フォイルはむかむかして不平をいった。

「阿片窟だ。病人めあてにこういう場所を経営していることは有名なのかな」

この病室は重病人たち、奇妙な精神障害者のためのものであった。彼らは非合法的に惹起された擬麻疹、擬感冒、擬マラリア病でベッドに横たわっていたが、たいして苦しんではいなかった。糊のついた白衣の看護婦たちの熱心な看護をうけて、思うぞんぶん病気と看護を楽しんでいるのだった。

「あいつらを見ろ」フォイルはさげすむようにいった。「いやらしい。宗教中毒者よりけがらわしい者があるとすれば、それはこういう病人だ」

「やあ、よくおいでくださいましたね」うしろで声がした。

フォイルはドアを閉めてふりかえった。セルゲイ・オレル博士が会釈した。この善良そうな医師はきびきびした態度で、古色蒼然たる白い帽子、上着、それに医師の部族をしめす外科用マスクをしていた。じつは、医師でもなんでもないインチキな人物だった。背が低く、あさぐろい肌、オリーブ色の眼、名前を聞いただけでロシア系だとわかった。ジョウント時代に入ってから一世紀以上も経過し、世界の大多数の人びとが混交したので、民族とか人種のタイプは消滅しつつあった。

「大晦日《おおみそか》に仕事をなさっているとは思いませんでした」フォイルがいった。

「われわれロシア人の正月はあと二週間しないとこないんですよ」オレル博士が答えた。「こちらへどうぞ」彼はドアをさして、ぽんと音をたてて消えた。そのドアは長い階段に通じていた。フォイルとロビンが階段をあがりはじめたとき、オレル博士は階段の上に姿を見せた。「こちらへどうぞ。あ……ちょっとお待ちください」彼は姿を消してふたたび二人の背後にあらわれた。「ドアを閉め忘れましたね」彼はドアを閉めてジョウントした。

「こちらへどうぞ」

「ハッタリをやってやがる」フォイルはつぶやいた。「ジョウントを倍にする、ときたぞ。

それにしてもなかなかあざやかだな。おれももっと迅速にならないといけない」

診察室に入った。ガラス張りの部屋だった。壁にはものものしい旧式の医療器具、早発性認知症患者に衝撃療法をあたえる電気椅子、精神病患者の型をきめるKG分析機、古ぼけた顕微鏡や電子顕微鏡などがずらりと並んでいた。

このヘボ医者は机に向かって腰をおろして二人がくるのを待った。ドアにジョウントして閉めてから机にジョウントしてもどり、会釈をして椅子をすすめ、ロビンのうしろにジョウントして椅子をおさえてやったと思うと、窓へジョウントしてシェードを調節し、照明スイッチにジョウントして照明を調節し、また机にもどった。

彼は微笑した。「一年前のわたしはまるでジョウントできませんでした。そのとき、わたしはある秘訣を発見しましてね。衛生洗浄剤で——」

フォイルは歯の神経の最先端に連続してあるスイッチに舌をあてた。彼は加速した。ゆっくり立ちあがると、机に向かっているスロー・モーションの人物に寄って、オレルの額の左右を殴りつけた。脳の前部に震盪《しんとう》を起させ、ジョウント中枢を萎縮させた。彼はヤブ医者を立たせて電気椅子にしばりつけた。これだけのことに約五秒かかった。ロビン・ウエンズバリにとっては、何が何やらわからない朦朧としたあいだのできごとだった。

フォイルは減速した。医師は眼を開けて、頭がぐらぐらしたが自分の状態に気がつき、怒りと混乱をおぼえて驚愕していた。

「あんたは《ヴォーガ》の船医セルゲイ・オレルだ」フォイルは、しずかにいった。「二四三六年九月十六日に《ヴォーガ》に乗り組んでいた」

怒りと混乱が恐怖にかわった。

「九月十六日にあんたは難破船のそばを通過した。小惑星帯の近くでだ。《ノーマッド》の難破体だ。《ノーマッド》は救助をもとめて信号を発したが、《ヴォーガ》は通過した。漂流したまま死ぬように見殺しにしたのだ。なぜだ？」

オレルは眼をぎょろつかせたが答えなかった。

「誰がおれを見殺しにするように命令した？　おれを死なせようとしたのは誰だった？」

オレルは早口でわけのわからぬことをしゃべりはじめた。

「《ヴォーガ》に乗っていたのは誰だ？　誰がきさまといっしょに乗っていた？　指揮をとっていたのは誰だ？　返事をしろ。返事を聞きたいんだ」フォイルはしずかな残酷さでたたみかけた。「金をやる。さもなければ引き裂いてでもいわせるぞ。おれが見殺しにされた理由はなんだ？　誰がおれを殺せといった？」

オレルは悲鳴をあげた。「わたしはそんな話はでき——待ってくれよ、いうから——」

彼はがくりとくずれた。

フォイルはからだをしらべた。

「死んじまった」彼はつぶやいた。「ちょうどいいかけたのに。フォレストとそっくりおなじだ」

「殺したのね」

「ちがう、おれはちっとも手をふれなかった。自殺したんだ」フォイルは憮然としていった。

「あなたは狂人なのよ」

「ちがう、たのしんでいるのさ。二人ともおれが殺したんじゃない。自分で自分を殺すようにしむけたんだ」

「なんてバカげた話でしょう」

「こいつらは自白阻止剤を飲まされていたんだ。あんたも自白阻止剤のことは知っているだろう。諜報局がスパイ要員のために使っている。かりにいま、自分の側にとって不利な情報が話されたとしよう。それは自動的な呼吸と心臓の鼓動を支配する共鳴神経系統と連結する。主体がその情報を暴露しようとするやいなや阻止剤が降りてきて心臓と肺が停止し、本人が死亡して秘密はたもたれるのさ。スパイは拷問を避けるために自殺の心配をする必要はない。自動的に死ぬんだよ」

「この人たちもそうなったの？」

「そのとおりだ」

「だけどどうして？」

「おれが知るものか。《ヴォーガ》はこれほどの注意をしてまで、たいへんな仕事をやっていたにちがいない。しかし、おれたちも困ったことになったな。最後の手がかりはローマのポッギだ。アンジェロ・ポッギ、《ヴォーガ》の調理副主任だ。どうやって彼から秘密を聞き出すか、もし――」彼は口を閉じた。

あの虚像が眼の前にあらわれた。沈黙した不吉な顔が血の赤みにかがやき、服が燃えあがっていた。

フォイルはぎょっとしてからだがしびれた。おもわず息を吸って声をふるわせた。

「きさまは誰だ？　きさまは何を――」

その像《すがた》が消えた。

フォイルは乾いた唇に舌を走らせながら、ロビンに向きなおった。「あれを見たか？」

彼女の表情が答えていた。「あれは現実のものなのか？」

彼女は、虚像が出現したセルゲイ・オレルの机を指さした。机の上の書類が発火してはげしく燃えている。フォイルは、依然驚愕と狼狽を感じながら、よろよろとうしろに退った。片手で顔をぬぐった。べっとり汗でぬれていた。

ロビンは机にかけ寄り、火をたたき消そうとした。手あたり次第に書類や手紙の束をとって必死にたたきつけた。フォイルはみじろぎもしなかった。

「消せないわ」彼女はぜいぜい肩で息をした。「ここから出ないといけないわ」

フォイルはうなずき、元気をふるい起し思いつめたように立ちあがった。「ローマだ」彼はつぶやいた。「ローマへジョウントする。行ってみれば、この説明がつくはずだ。どうあっても見つけてやるぞ！　それまではあきらめるものか。ローマだ。行け。ジョウント！」

中世このかたスペイン階段はローマの頽廃の中心だった。スペイン広場はピアッツァ・ディ・スパーニャからヴィラ・ボルゲーゼの庭園までひろく長い一画をなして、ありとあらゆる悪がむらがりあつまっている。かつてもそうだったし、これからもそれはつづくだろう。その区画には娼家がならび、娼婦、同性愛の男、同性愛の女、変質者たちがむらがっている。横柄かつ厚顔な態度で、ときおり通りかかる善良な人をあざけっていた。

この一画は二十世紀末の原子戦争で破壊された。やがて再建されたのだが、二十一世紀の世界復興戦争の際にふたたび破壊された。さらにまた再建されたのだが、こんどは耐爆発水晶で蔽われ、階段は、段のついたガレリアになった。このガレリアの円蓋はキーツが住んだと伝えられる家の死の部屋の眺めをさえぎっていた。もはやせまい窓からキーツの部屋をのぞきこむ観光客はいなかったし、詩人の末期《まつご》の眼に映った最後の光景を見ようともしなかった。現在の観光客が見るものはスペイン階段のうすぐらい円蓋で、その下には頽廃にゆがんだ人間の姿があった。

階段のガレリアは夜になると照明がきらめき、今年の大晦日《おおみそか》は非常な雑踏だった。千年のあいだローマ全市は新年を爆音——爆竹、ロケット、発破、銃撃、壜、靴、古銅などの音でむかえる習慣だった。ローマ人は真夜中に最上階の窓から投げるがらくたを何カ月もかかってためこむのが習慣だった。フォイルとロビン・ウエンズバリが、ヴィラ・ボルゲーゼからおりてきたとき、花火の音とガレリアの屋上でがらくたを鳴らす音が耳を聾せんばかりだった。

彼らはまた仮装していた。フォイルはあざやかな真紅と黒のタイツに、チェーザレ・ボルジアのダブレットを着用していた。ロビンは銀をちりばめたルクレチア・ボルジア（一四八〇〜一五一九。権謀術数をほしいままにした兄の政治家チェーザレのために何度も政略結婚を強いられた。ルネッサンス期のもっとも謎めいた存在）のガウンを着ていた。二人は、グロテスクな天鵞絨《ビロード》のマスクをしていた。この二人のルネッサンスふうの衣裳と、あたりの人びとのモダーンな服装との対照に嘲笑や野次がとんだ。この街によく見られる前脳喪失者、つまり脳の四分の一を前脳切開手術で焼かれた不運な常習犯罪者までが、ひどい放心状態からさめて二人をじっと見つめた。二人がガレリアを降りるとき、群衆が二人のまわりでさわぎたてた。

「ポッギ」フォイルはしずかに呼んだ。「アンジェロ・ポッギはいるか？」

娼家の女将がワイセツな言葉でどなりたてた。

「ポッギ？　アンジェロ・ポッギはどこにいる？」フォイルは平然としていた。「夜はこの街にいると聞いたんだが。アンジェロ・ポッギは？」

淫売婦がみだらな悪口をいった。

「アンジェロ・ポッギはどこだ？　彼に会わせてくれた人に十のクレジットをやろう」たちまちフォイルはいろいろな手にかこまれた。不潔な手や、香水の匂いがする手もあった。そろいもそろって貪欲な手ばかりだった。彼は頭をふった。「まず会わせなきゃだめだ」

ローマ人の怒声が周囲に起った。

「ポッギだと？　アンジェロ・ポッギだと？」

ピーター・ヤン・ヨーヴィル大尉はスペイン階段を六週間も洗ったすえに、やっと自分のもとめていた話を聞きこんだ。この六週間、すでに死亡してからかなり経っているアンジェロ・ポッギという人物の身もとをうんざりするほど洗ってきたのだが、ついに情報がえられたのだ。誰かが、このプレスタインの《ヴォーガ》乗組員について注意ぶかく調査をしていること、その情報提供者には巨額の謝礼をあたえるという話だった。それが課報局からヤン・ヨーヴィル大尉に通報された時、大尉もさっそく調査にのりだしたのだ。

「まったく、苦労させられるぜ」ヤン・ヨーヴィルはいったものだった。「しかし、ガリー・フォイル、AS-128/127:006は、《ヴォーガ》を爆破しようなんてとてつもないことをやろうとしたんだ。とにかく二十ポンドからのパイアとなれば骨を折る価値はあるさ」

今、彼はよろめきながら、階段をあがってルネッサンス期の衣裳と仮面《マスク》をつけている男に寄っていった。彼は腺注射のせいで四十ポンドも体重がふえていた。顔いろが減食療法のせいで黒くなっていた。顔つきは、およそ東洋的なところがなく、古代アメリカ・インディアンの鷹のような顔によく似ていたが、いくぶん男性的な抑制のせいか容易に信用できない型になっている。

泥棒じみた顔つきで、でっぷり肥った料理人に変装したこの諜報局員は、階段をよちょちあがっていった。彼はうすよごれた封筒のつつみをフォイルにさしだした。

「エロ写真いかがですか、シニョーラ？　地下のキリスト教徒がひざまずいて祈りをささげ、讃美歌を歌って十字架に接吻しているところですがね？　じつにいやらしいもんです。ワイセツですよ、シニョーラ。おつれのかたを楽しませるにはもってこいでさ……ご婦人がたの刺戟になりますぜ」

「いらないよ」フォイルはエロ写真を払いのけた。「おれはアンジェロ・ポッギをさがしているんだ」

ヤン・ヨーヴィルは秘密の合図をした。階段に張りこんでいる部下はポン引きや淫売婦のまねをやめずに、その会見の模様の撮影と録音を始めた。内惑星連合の諜報局の暗号が、フォイルとロビンのまわりであわただしく交信された。顔をちょっとしかめたり、鼻を鳴らしたり、身ぶりをしたり、それまでの態度を変えたり、位置をうごかしたりする。それは眼瞼《がんけん》、眉、指先、きわめてかすかなからだの動きをもちいる古代中国の暗号連絡だった。

「シニョーラ？」ヤン・ヨーヴィルがぜいぜいした声を出した。

「アンジェロ・ポッギだよ？」

「はい、シニョーラ。わっしがアンジェロ・ポッギで」

「《ヴォーガ》の調理副主任の？」フォレストやオレルが見せたとおなじ恐怖のおどろきを予想しながらフォイルはさっと手をのばしてヤン・ヨーヴィルの肘をつかんだ。「そうなのか？」

「そうですだよ、シニョーラ」ヤン・ヨーヴィルはおちついて答えた。「何かご用ですかね？」

「どうやらこんどはうまくいくぞ」フォイルはロビンに低い声でいった。「この男はこわがっていない。阻止剤のきかない方法を知っているらしい。おい、おれはあんたからききたいことがあるんだよ、ポッギ」

「どんなネタの情報《はなし》です、シニョーラ。いくら出します？」

「あんたの知っているネタ全部をききたいんだ。なんでもいいんだぜ。金はそっちでこれこれときめてくれ」

「だがね、シニョーラ！　わっしはこう見えても、年を食っているし、経験もある人間ですぜ。まとめて買われるのはいやだね。はなしはひとつについてこれこれ、もうひとつでこれこれってふうに金を払ってもらいましょう。そちらから、はなしをきりだしてくださいな、そしたらわっしが値をつけますぜ。何がききたいんです？」

「二四三六年九月十六日に《ヴォーガ》に乗っていたな？」

「そのネタの値は十¢rだね」

フォイルは、おぞましげな微笑をみせて金を払った。

「乗っておりましたで、シニョーラ」

「あんたが、小惑星帯の付近で通過した船のことがききたいんだ。《ノーマッド》の難破体だ。九月十六日にそのそばを通った。《ノーマッド》は救難信号を発したが《ヴォーガ》は通過していった。誰が命令した？」

「ああ、シニョーラ！」

「誰が命令したんだ？　理由はなんだ？」

「なんでききなさるだな、シニョーラ？」

「そんなことはどうでもいい。値をつけて話せ」

「返事をするまえに、なんでそんなことをききなさるかうかがいましょうや、シニョーラ」ヤン・ヨーヴィルは、やにっこい笑いをみせた。「そうしたらこっちの値は割引きますぜ。《ヴォーガ》や《ノーマッド》や、あんなおそろしい見殺しに興味をもつのはどういうわけですね！　どうやら旦那は、あのとき見殺しにされた乗組員だったですな？」

「この男はイタリア人じゃないわ！　アクセントは完全だけどいいまわしが全部ちがっているのよ。イタリア人はこんな言いかたしないわ」

フォイルは警戒するように固くなった。ごく些細なことも見逃さず何かを嗅ぎだそうと鋭くなっていたヤン・ヨーヴィルの眼は、相手の態度の変化を認めた。たちまち彼は自分が何かまずいことをいったことに気がついた。彼は部下に緊急の合図を発した。

スペイン階段に白熱的なさわぎが起った。一瞬にしてフォイルとロビンは、わめきながらあばれる暴徒に包囲されてしまった。課報局の部下はジョウントの裏をかくように計画されたこのOP‐I演習を修了した者だった。一瞬をあらそうタイミングで襲いかかられると、どんな人間でもバランスがくずれ、ジョウントする余裕がなくなる。その時間の差のなかで、課報局は相手がジョウントで逃げることを絶対に妨害できると自負していた。

四分の三秒でフォイルはさんざんにたたかれ、膝をつかされ、額をめった打ちされ、たおされて、のびてしまった。仮面を顔から剝ぎとられ、服をあちこち引き裂かれた。フォイルは、荒れくるう現場写真にまるで無抵抗で、撮影されるままになっていた。

そのとき課報局の歴史はじまって以来、はじめて彼らのスケジュールが妨害された。

いきなり一人の男があらわれてフォイルのからだの上をまたいだ……顔におそろしい刺青がきざみつけられ煙と火炎を発した服を着た巨大な男であった。その幽霊はまことにおどろくべきものだったので、彼らはいっせいに立ちすくんで眼を凝らした。そのおそろしい光景に、階段にひしめく群衆から悲鳴が起った。

「燃える男だ！　見ろ！　燃える男だ！」

「しかし、こいつはフォイルだ」ヤン・ヨーヴィルが低くいった。

まず十五秒ほど、その幽霊はしずかに燃えながら見えない眼をかっと開いて立っていた。やがて消えた。地上にたおれていた男も消えた。フォイルは電撃超加速をはじめて、課報局員を打ちのめし、写真機、録音機、いっさいの検証器具を見つけて破壊した。その朦朧とした光がルネッサンスのガウンを着た女をとらえて消えた。

スペイン階段はよみがえった。悪夢からもがきながらぬけだそうとでもするように苦しんでいた。狼狽した課報局員たちはヤン・ヨーヴィルのまわりにあつまった。

「いったいあれはなんだったんです、ヨー？」

「あれが目的の男だと思う。ガリー・フォイルだ。刺青の顔を見たろう」

「燃えてる服も見ましたよ」

「火刑をうけている魔女のようだったな」

「しかし、あの燃える男がフォイルだとしたら、われわれは誰のために時間を浪費していたんだろう？」

「さあ、われわれ中央課報局に伏せてある別系統の課報機関が統合幕僚旅団にはあるのかな？」

「統合幕僚旅団にそんな機関があるのですか、ヨー？」

「あいつの加速法を見なかったのか？　彼はわれわれの記録したいっさいを破壊したんだぞ」

「わたしはまだ自分の眼が信じられませんよ」

「いや、見なかったものなら信じられるさ。まあいいや、あれは統合旅団の特殊部隊《コマンドー》の極秘テクニックなんだ。あのテクニックで兵を散開させたり、集合させたり、位置につかせたりするんだ。おれは火星兵団の司令部に問い合せて、旅団がこっちと並行して調査しているかどうかをたしかめなければいけない」

「陸軍が宇宙軍に秘密事項を伝達してくれますか？」

「諜報局には連絡するさ」ヤン・ヨーヴィルは怒ったようにいった。「この問題は非常に重大だから、法的な手つづきなどは必要ない。それからもうひとつ。この作戦ではあの女に手をかける必要はなかった。あれは未熟だったし、不必要だった」ヤン・ヨーヴィルは、自分のまわりで意味深長に視線をかわす者がいることに気がつかず、ちょっと言葉をきった。「あの女の正体をつきとめないといかんな」彼は夢みるようにつけくわえた。

「もしあの女をショッぴいてきたら、さぞおもしろいでしょうな、ヨー」おだやかな声が、ひどくつつしみのないことをいった。「いい寄ってみたら旅団の特捜部の女だったなんてね」

ヤン・ヨーヴィルは顔を赤くした。「なるほど」彼はだしぬけにいった。「おれをあまく見ているらしいな」

「前にもよくありましたからね、ヨー。あんたのロマンスはいつもみんなおなじふうにはじまるんですよ。あの女に手をかける必要はないとくる……さて、それから——ドリー・クェイカー、ジーン・ウエブスター、グイン・ロゲット、マリオン——」

「いちいち名前をあげるのはおよしあそばせ！」もう一人がふざけた声でさえぎった。「ロメオはジュリエットにいちいち名前をいうかい？」

「きさまたち、みんな明日は便所掃除をさせてやる」ヤン・ヨーヴィルがいった。「こんなすけべったらしい反抗は黙っておかんぞ。まあいいさ。明日の便所掃除はゆるしてやる。だが、この事件が終わりしだいさせてやるぞ」鷹のような顔が暗くなった。「まったく、なんというさわぎだ。フォイルが燃える烙印のように立っていたのが忘れられるものか？しかし、あいつはどこに行ったんだ？　彼は何をやるつもりなんだ？　これはいったいどういう意味なんだろう？」

11

セントラル・パークのプレスタインのプレスタインの自邸は新年をむかえてあかるくかがやいていた。ジグザグな線がついて先のとがったきれいな古代の電球が黄いろい光を投げかけている。ジョウントよけの迷路はとりのぞかれて、大きなドアは新年のために開け放されていた。家の内部は外の群衆の眼にさらされないように、ドアのすぐ内側に宝石をちりばめた幕を下げてあった。

有名な、あるいは有名に近い財閥や名門の人たちが、自動車、馬車、駕籠《かご》、その他あらゆる形態の贅《ぜい》をつくした乗物に乗って到着するたびに、見物人はひそひそ声をたてたりどよめいたりした。鉄いろがかった灰色の表情で、かなり容貌のととのったプレスタインのプレスタイン自身は、バシリスクのような微笑をうかべてドアの前に立ち、公開した邸宅に上流社会の人びとをむかえいれていた。名士が邸内へ入って姿を消すか消さないうちに、さらに有名な名士がさらに豪華な乗物で乗りつけるのだった。

コラス一家がバンド・ワゴンに乗って到着した。エッソ一家（六人の子息と三人の令嬢）はガラスをはりつめた壮麗なグレイハウンド・バスに乗ってやってきた。しかしグレイハウンドがそのすぐあとにエジソン電気自動車で到着し、入口で大勢の笑いさざめく声やひやかしの声が向けられた。だが、ウエスティングハウスのエジソンがエッソ燃料を使用する車から降りてきたとき、階段の上のさざめきは喚声にかわった。

こうしたおびただしい客がプレスタインの邸に入りかけたとき、遠方のさわがしい音がみんなの注意をひいた。地鳴り、空気震動のはげしいひびき、激烈な金属音だった。その音響は急速に接近してきた。外側にいた見物人はひろく道をあけた。大きなトラックが地ひびきをたててやってきた。六人の男たちがトラックのうしろに角材をおとしていた。彼らの後に二十人の一隊がやってきて角材をきちんとならべていた。

プレスタインと来客はおどろいて眼を見張った。巨大な機械がうなりをあげて大きな音をたてながら接近し、その枕木の上をすべってきた。そのあとで溶接した鋼鉄の線路が敷設された。作業員たちは空気パンチで線路を枕木に打ちつけた。線路はプレスタインの家のドアのところで大きな弧を描き、そこからぐるっとまわってもどっていった。轟音をたてた機械と作業員たちは暗闇のなかに消えた。

「いやはや！」プレスタインがこういったのが、はっきり聞えた。客はこれを見ようとして、外にぞくぞく出てきた。

遠くのほうでするどい汽笛の音がひびいた。長い赤旗をもって白馬にまたがった男が線路の上をやってくる。彼のうしろから展望車を一台つけた機関車が蒸気を吐いてはしってきた。汽車はプレスタインのドアの前で停車した。車掌が車からさっと飛び降り、つづいてプルマンの給仕が降りてきた（プルマン・カーは豪華な客車）。給仕は昇降台の用意をした。夜会服を着た女性と紳士が降りたった。

「じきに終わるからな」その紳士は車掌にいった。「一時間したらむかえにきてくれ」

「これはこれは！」プレスタインがまた声を出した。

汽車はしゅっしゅっと音をたてて動き出した。二人は階段をあがった。

「こんばんは、プレスタイン」紳士はいった。「あの馬がお宅の庭を荒らしてしまって申しわけございません。ですが、ニューヨークの昔気質《かたぎ》の連中は、今でも列車の前に赤旗をつけるように要求するものですからね」

「フォーマイルじゃないか！」客たちは叫んだ。

「セレスのフォーマイルだ！」見物人たちがどっと歓声をあげた。

プレスタインのパーティはもはや成功疑いなしだった。

天鵞絨《ビロード》とフラシ天《プラッシュ》を敷きつめたひろい応接間で、プレスタインはものめずらしそうにフォーマイルを眺めた。フォーマイルはおちついて鉄灰色の眼にするどく見つめられるのに耐えた。それでいて彼はキャンベラからニューヨークまでついてきた熱心な崇拝者たちに、うなずいたり微笑をかわしたりして挨拶した。ロビン・ウエンズバリはその連中と話をしていた。

「**血と内臓と頭脳を抑制するのだ**」彼は思った。「**おれが《ヴォーガ》を爆砕しようなどというバカげたまねをしたあと、この男は自分のオフィスにつれてこられたおれをおぼえているだろうか？**　あなたの顔に見憶えがあるのですがね、プレスタイン」フォーマイルはいった。「前におめにかかったことがあったでしょうか？」

「わたしは、フォーマイルという人にはおめにかかったことはない」プレスタインはあいまいな返事をした。フォーマイルは人の心を読む訓練ができていたが、プレスタインのきつい端整な顔はさぐりようがなかった。おたがいに顔をつきあわせて立っているこの二人は、一人は気心をゆるさず、やむを得ず相手になり、もう一人はうちとけず頑固で、今にもどろどろに溶けそうな白熱した一対の真鍮の像のように見えた。

「きみは新興成金であることを自慢しているそうだね、フォーマイル？」

「はあ。初代のプレスタインの先蹤《せんしょう》にならっているしだいです」

「そうかね？」

「彼は第三次世界大戦中に血清の闇取り引きで財産を作ったことを自慢していましたが、まさかおわすれではありますまい」

「あれは第二次大戦だよ、フォーマイル。しかし、うちの一族の偽善者たちときたら絶対に彼を認めないんでね。当時名前がペインだったんだよ」

「それは存じませんでしたな」

「で、きみがフォーマイルという名前にかわる前の不幸な名前はなんだった？」

「プレスタインでしたよ」

「ほう？」バシリスクのような微笑は、その皮肉が急所をついたことをしめしていた。

「きみはうちの一族とは親戚だとおっしゃるのかね？」

「いずれ、そう主張するつもりですよ」

「何等親になる？」

「そうですね……ただ血がつながっているだけですが」

「これはおもしろい。きみの血にはある種の魅力があるようだね、フォーマイル」

「どうもこれがわたしの家門の弱点でしょうな、プレスタイン」

「きみはことさら皮肉めいた態度をとってよろこんでいるね」プレスタインは皮肉を隠さずにズバリといった。「だが、きみのいうことには真実がある。われわれにはいつも血と金をもとめる致命的な弱点があるんだよ。誰しも共通の悪徳だね。それは認めよう」

「わたしもおなじ悪をもっていますよ」

「血と金をもとめる情熱か？」

「そうです。もっとも情熱的にもとめますからね」

「無慈悲に、容赦なく、偽善者ぶらずに、か？」

「無慈悲に、容赦なく、偽善者ぶらずに、ですよ」

「フォーマイル。きみはわたしの心にかなった青年だ。きみがうちの一族との血族関係を主張しなくても、きみを養子にせざるを得ないところだ」

「あいにくですね、プレスタイン。わたしはもうあなたと同族ですから」

プレスタインはフォイルの腕をとった。「わたしの娘のオリヴィアに紹介しないといけないな。いいかね？」

二人は応接間をとおりぬけた。フォイルはこの意外な事態のためにロビンをそばに呼んで応援してもらうべきかどうか迷ったが、内心得意でないこともなかった。

「この男にはわからなかったのだ。けっしてわかるはずがない」そう考えたとき疑念がきざした。「しかし、気づいているかどうかぜったいにわからないぞ。精悍な、鋼《はがね》のような人物だ。自分を抑制することにかけては、おれよりずっと役者が上だからな」

知人たちがフォーマイルを歓呼して迎えた。

「上海《シャンハイ》ではすごいペテンを披露したね」

「ローマの謝肉祭はすばらしかったそうじゃないか？　スペイン階段にあらわれた燃える男のうわさを聞いたかい」

「ロンドンできみをさがしたんだぜ」

「なんてすばらしい入場のしかただ」ハリー・シャーウィン‐ウィリアムズが呼びかけた。

「われわれ一同、仰天させられたよ。あれじゃ、まるでぼくらが浮浪者みたいにみえちゃうよ」

「どうかご自分を見失わないように、ハリー」プレスタインが冷たくいった。「ご存じのように、わが家では〝浮浪者〟などというきたない言葉はご法度《はっと》ですよ」

「申しわけない、プレスタイン。ところで、サーカスは今どこにいるんだい、フォーマイル」

「さあ、存じません」フォイルはこたえた。「ちょっと失礼します」

フォーマイルが、また何か思いもよらないことをやると見て、人びとは笑いさざめきながらあつまってきた。彼は白金製の時計を出してケースを開けた。文字盤に従者の顔があらわれた。

「ああ……おまえの名前はなんだったか、まあいいや……今、われわれはどこにいるんだ？」

返事は小さな鈴のような声だった。「あなたはニューヨークを永住の場所ときめるように命令なさいました、フォーマイル」

「ああ？　そうかな？　それでどうした？」

「わたくしどもはセント・パトリック寺院を買収いたしました、フォーマイル」

「それはどこにあるんだ？」

「旧セント・パトリック寺院でございます、フォーマイル。五番街と、もとの五十丁目の角にございます。わたくしどもは内部にテントを張りました」

「ありがとう」フォーマイルは、白金の懐中時計を閉じた。「わたしの住所は、ニューヨークの旧セント・パトリック寺院です。時代おくれになった宗教にも取柄《とりえ》はありますな……少くともサーカスを充分に収容できる大きい教会を建てましたからね」

オリヴィア・プレスタインは上座の席についていた。この美しい白子《アルビノ》のプレスタインの令嬢はご機嫌をとっている崇拝者にとりかこまれていた。彼女は不思議な、おどろくべき盲目だった。普通の可視スペクトルよりはるかに下の七千五百オングストロームから一ミリの波長の赤外線しか見ることができなかった。彼女は熱波、磁場、電波を見ることができる。彼女は赤い放射能を背景に反射する有機光線の不思議な光のなかで崇拝者たちを見るのだった。

彼女は珊瑚いろの眼と珊瑚いろの唇をして、威厳があり、神秘的で、近づきがたい雪のように純白な処女、氷の王女だった。

フォイルは一度彼女に眼をやったが眼を伏せてしまった。電磁波や赤外線しか彼女は見ることができない。その盲目の眼で凝視されて思わず混乱してしまったからだった。脈搏が早くなった。自分自身とオリヴィア・プレスタインについての空想のひらめきが心のなかにむらがり起ってきた。

「バカなことをかんがえるな！」彼は必死に思考を追った。**「自分をおさえるんだ。夢想するのをやめろ。このままだと、おそろしいことになるかもしれないぞ……」**

彼はオリヴィアに紹介されると、乾いた、白銀のような声で挨拶された。冷たい、しなやかな手がさしのべられた。しかしその手は、彼の手のなかで電撃のショックのために爆発するのではないかと思えた。それはほとんどおたがいの決定的な理解……ほとんど感情的衝撃の結合といったもののはじまりだった。

「これは正気の沙汰ではない。彼女は象徴だ。夢の王女だ……近づくことはゆるされない……抑制するんだ！」

必死になって自分と闘っていたので、丁寧に、しかし無関心な態度でひきさがるように合図されたこともほとんど気がつかないほどだった。彼にはそれが信じられなかった。彼は田舎者のように口を開けたまま立ちつくしていた。

「あら？　まだ、ここにおいでででしたの、フォーマイル？」

「引きさがるよう命じられたことが信じられませんでしたので。レイディ・オリヴィア」

「あなたはあたくしの友人の邪魔になっていらっしゃるんじゃないかしら？」

「わたしは、さがるように命じられたことがあまりないんでね。（**いけない。いけない。すっかりわるいことになったぞ！**）少くとも友人にくわえていただきたいと思う人からそんなことをいわれた経験はございませんので」

「退屈な話はよしてくださいね、フォーマイル。どうぞ、降りてください」

「あなたの感情を害するようなことをしたのでしょうか？」

「あたくしの感情を？　あなたはますます滑稽になってきたわ」

「レイディ・オリヴィア……（**おれはまともなことを何もいえないのか？　ロビンはどこにいるんだ！**）はじめからやりなおしてもよろしいですか？」

「ぶしつけなことをするつもりなら、フォーマイル、あなたはみごとにぶしつけでいらっしゃるわ」

「もう一度お手をどうぞ。ありがとう。わたしはセレスのフォーマイルです」

「わかりましたわ」彼女は笑った。「あなたが道化だということはよくわかりましたわ。さあ降りてください。ほかにどなたかあなたでもたのしませてあげられる人がいらっしゃるでしょう」

「こんどはどうしました？」

「あたくしを怒らせようとなさっていらっしゃるの？」

「いいえ。（**そうなんだ。おれは怒らせようとしている。なんとかしてきみの感情を動かしてやりたい……その氷を破って**）最初の握手は……力が入りすぎました。こんどはなんでもなかった。どうなさったんです？」

「フォーマイル」オリヴィアはうんざりしたようにいった。「あたくしはあなたがおもしろいかたで独創的で、機智があって、魅力的だということを認めますから、あたくしの前からお引きとりくださいませね」

彼は高い段になった席をふらふら離れた。**「牝犬め。何をいいやがる。ちくしょう。いやちがう。あの女はおれがまさに夢見たとおりの夢なのだ。あの氷のような表面をたたきつけて奪いとってやるんだ。包囲して……侵入して……力ずくでいうことを聞かせ……彼女をひざまずかせてやる……」**

彼はソール・ダーゲンハムの前に立っていた。感覚が麻痺し、血と内臓を緊張させたまま立っていたのだ。

「ああ、フォーマイル」とプレスタインがいった。「こちらはソール・ダーゲンハムだ。彼は三十分しかいられないのだが、ちょっときみにおめにかかりたいというんでね」

「彼は気がついたのか？　たしかめるためにダーゲンハムを呼んだのか？　攻撃だ。（いつも大胆にふるまうこと《トゥジュール・ド・ローダス》）お顔をどうなさったのですか、ダーゲンハム？」フォーマイルはことさら関心もないが、といった様子できいてみた。

死人の顔が微笑した。「わたしは有名なのだと思っておりましたが。放射能の障害をうけましてね。わたしは放射能を帯びています」死んだような眼がフォイルを射すくめた。

「あなたがサーカスをおやりになる動機はなんなのです」

「悪名を高めようとする情熱ですよ」

「わたしは自分をカムフラージュすることにかけてはなかなか熟練していますよ。あなたの悪業《あくごう》というのはどういうことです？」

「ディリンジャーはカポネに自分のしたことを話しましたか？」（ディリンジャーは一九二〇年代の銀行ギャング。カポネは禁酒法時代の夜の大統領だった）フォイルは、おちつきはじめ、勝利感をおさえながらほほえみかえした。「（**おれはこいつら二人を相手に平気で構えているじゃないか**）あなたはずっと幸福そうに見えますな、ダーゲンハム」とたんに彼は失言したことに気がついた。

ダーゲンハムはたちまち食いついてきた。「いつより幸福ですって？　前にどこでおめにかかりました？」

「前よりも幸福だと申しあげたのではない、わたしよりも幸福そうに見えると申しあげたのです」フォイルはプレスタインのほうにふりかえった。「わたしはレイディ・オリヴィアを心から恋してしまいました」

「ソール、もう三十分はたったわよ」

フォイルの両側に立っていたダーゲンハムとプレスタインがふりかえった。エメラルドの夜会服をみごとに着こなした背の高い女性が近づいてきた。赤い髪が燃えるようにかがやいていた。ジスベラ・マックイーンだった。二人の視線が合った。ショックが顔にはげしくあらわれるよりさきに、フォイルはさっと身をひるがえすと、最初に目に入ったドアに六歩で歩み寄り、ドアを開けて外に飛び出した。

ドアが背後でつよく閉った。狭い行きどまりの廊下に出たのだった。カチリという音がして、ちょっと間があってから録音された声が丁寧な口調で話しはじめた。

「**あなたはこの邸宅の私室部分に侵入しています。どうぞお引きとりください**」

フォイルは息をのみ、内心の恐怖と闘った。

「**あなたはこの邸宅の私室部分に侵入しています。どうぞお引きとりください**」

「おれは思ってもみなかった……彼女はあそこで殺されたとばかり思っていた……彼女はおれに気がついたのだ……」

「**あなたはこの邸宅の私室部分に侵入しています。どうぞお引きとりください**」

「もうおしまいだ。彼女はけっしておれを赦さないだろう。もうダーゲンハムとプレスタインに話しているにちがいない」

応接間に通じるドアが開いて、一瞬、フォイルはあの燃えさかる虚像を見たような気がした。それから彼はジスベラのかがやくような髪を見ていたのだと気がついた。彼女はみじろぎもせずに立ちつくしたまま、怒りをこめて勝ち誇ったように彼に微笑を向けていた。彼はからだをまっすぐにした。

「おれは泣きごとを並べるつもりはないぞ」

あわてたようすもなく、フォイルは廊下から歩み出て、ジスベラの腕をとり、彼女を応接間につれもどした。ダーゲンハムやプレスタインには眼もくれなかった。やがて彼らは暴力と武器を帯びてあらわれるはずだった。彼はジスベラにほほえみかけた。彼女は依然勝ち誇ったようすで微笑をかえした。

「逃げ出してくださってありがとう、ガリー。こんなに満足した気もちになれるとは想像もしなかったわ」

「逃げ出した？　ジズ！」

「なあに？」

「今夜のきみが、どんなに美しく見えるかとても口ではいえない。二人ともグフル・マルテルからずいぶん遠くへ離れてきたものね、そうだろう？」フォイルは舞踏室のほうを身ぶりでしめした。「ダンスは？」

彼女は彼の冷静な態度におどろいて眼を見張った。彼女は彼に抱きすくめられたまま舞踏室へついていった。

「ところで、ジズ。きみはどうやってグフル・マルテルに入れられないですんだの？」

「ダーゲンハムが手配してくれたのよ。あなたは今はダンスをなさるようになったのね、ガリー？」

「ダンスもできるし、四カ国語をどうにか話せるし、科学と哲学を研究したし、まずい詩を書くし、バカげた実験で自分をふっとばしたり、バカのやるようなフェンシングをやったり、道化みたいな拳闘をやるんだよ……要するに、今の小生は、かの悪名高きセレスのフォーマイルでございい、というわけさ」

「もうガリー・フォイルではないのね」

「いや、きみに対してだけはガリー・フォイルさ。それに、きみが誰かに話せば、その人間にとってもガリー・フォイルというわけだよ」

「ついさっきダーゲンハムにだけ話してあげたわ。あなたの秘密をもらしてはいけなかったかしら？」

「おれだってギョッとしたくらいだから、きみが自分をおさえられなくても当然だろう」

「ええ、どうしようもなかったわ。ハッとしたときにはあなたの名前が口から出てしまったの。わたしを沈黙させるといってもあなたがわたしに何をしてくれたっていうの？」

「バカなことをいうものじゃないよ、ジズ。この事件できみには約千七百九十八万₵rの財産が手に入ることになる」

「どういう意味？」

「おれは《ヴォーガ》計画を達成したあとは、いっさいをきみに贈与するといったはずだが」

「《ヴォーガ》を破滅させたの？」彼女は驚愕してたずねた。

「いや、そうじゃない。きみがおれを破滅させたのさ。しかし、約束はまもるつもりだよ」

彼女は笑った。

「ご親切なガリー・フォイル。ほんとにやさしいところを見せてちょうだい。尻尾をまいて。せいぜいわたしをうれしがらせてちょうだい」

「ネズミみたいに逃げまわれ、っていうのかい？　やりかたを知らないんでね、ジズ。おれはもっぱら追いかけるほうがうまいんだ」

「でもわたしは虎を殺したわ。もうひとつだけわたしを満足させてちょうだいね、ガリー。あなたは《ヴォーガ》に報復する準備を着々とすすめていた。あともう一歩のところまできたとき、わたしがあなたを破滅させてしまった。そうなのね？」

「そういいたいところだがおあいにくさまだね、ジズ。おれだって八方ふさがりじゃない。ここで今晩、あたらしい手がかりを見つけようとしていたところなんだ」

「かわいそうなガリー。あなたをこの場から救い出せるかもしれないわ。つまり……そうね……わたしが間違ったことにするか……さもなければ、あれは冗談だったことにするのよ……あなたはほんとうはガリー・フォイルなんかじゃない、って。ソールをごまかす方法があるもの。わたしならできるわ、ガリー……もしあなたがまだわたしを愛していてくださるのなら」

彼女に視線を移して頭をふった。「ジズ、二人のあいだに愛はなかった。きみだって、それはわかっているはずだ。おれは、獲物を追いつめる以外にどうにもならない狩人なんだ」

「追いつめていったって、バカを見るくらいがオチなのよ！」

「あれはどういう意味なんだ、ジズ？……ダーゲンハムがきみをグフル・マルテルにいれないように手配したっていうのは……ソール・ダーゲンハムをごまかす方法を知っているといったのは？　きみはあいつを相手に何をしているんだ？」

「彼のために働いているのよ。彼のクーリアの一人なの」

「きみを脅迫しているのか？　脅迫しているのかい、もしきみが……？」

「いいえ。おたがいに会った瞬間から惹かれるものを感じたのよ。彼がわたしをつかまえることからはじまったんだけど、わたしが彼をつかまえることで終わったのよ」

「どういう意味なんだ？」

「想像がつかないの？」

彼女をじっと見た。彼女の眼はとらえどころがなかったが、彼は理解した。

「ジズ！　あいつと？」

「そうよ」

「しかしどうして？　あいつは――」

「いろいろな警戒が必要ね。つまり……でも、そのことは話したくないわ、ガリー」

「わるいことをいったね。あいつはもどってくるだろうな」

「ダーゲンハムさ、軍隊をつれてくるだろう」

「もどる?」

「ええ、むろん、そうよ」ジスベラはまた笑ったが、ふと声を低め、あらあらしい調子でいった。「あなたは自分がどんなに危険な綱わたりをやっているか知らないのよ、ガリー。もしあなたがわたしに哀れっぽく頼んだり買収しようとしたり、甘い言葉をかけようとしたら……わたしはきっとあなたを破滅させていたはずよ……ここにいる人たちにあなたの正体をあばいてやったはずよ……この邸のなかで大声でどなってやるところよ……」

「何をいっているんだ?」

「ソールはもどってはこないわ。彼は知らないんだから。あなたは自分で破滅すればいいわ」

「信じられないな」

「あなたをつかまえるのに、彼がこんなにぐずぐずすると思ってるの? あのソール・ダーゲンハムが?」

「しかし、どうして彼に教えなかった! おれがああしてきみから逃げたあとで……」

「彼を、あなたといっしょに破滅させたくないからよ。わたしは《ヴォーガ》の話をしているんじゃないの。べつのことを話しているの。パイアのこと。みんながあなたを追いかけているのはそのせいよ。それを追い求めているのよ。二十ポンドのパイアを」

「なんだい、そのパイアというのは」

「金庫を開けたとき、内部に小さな箱があったでしょう？　不活性鉛の箱が？」

「入っていたよ」

「その箱に何が入っていたの？」

「圧縮ヨードの結晶のような弾丸が二十個入っていた」

「その弾丸をどうしたの？」

「ふたつを分析させてみた。しかし、誰にもその正体がわからないんだ。おれも暇をみて自分の実験室で三つ目の弾丸を分析しようと思っているんだが」

「まあ、あなたが？　でも、どうして？」

「おれも利口になっているよ、ジズ」フォイルはやさしくいった。「プレスタインとダーゲンハムがさがしているのがあれだということがわかるのに、たいして暇はかからなかった」

「その残りの弾丸はどこにあるの？」

「安全な場所だよ」

「安全じゃないのよ。どんなことをしたって安全じゃないのよ。わたしはパイアがどういうものか知らないわ。でも、それこそ地獄に堕ちる道だということを知っているの。だからわたしはソールをそんなものにまきこませたくないのよ」

「きみはそれほどまでに彼を愛しているの？」

「心から尊敬しているわ。いま女性がおかれている状況に深い憂慮の念をしめしてくれた、はじめての男のひとなの」

「ジズ、パイアってなんだい？　知ってるはずだ」

「あくまでも想像だけどね。いろいろ耳にはさんだヒントをつなぎ合せてみたわ。見当はついているの。だからあなたにお話しすることはできるけれど、でもいいたくないわ、ガリー」額にうかんだ憤怒がぎらぎらかがやいた。「こんどはわたしがあなたから逃げ出すのよ。あなたを暗黒のなかに、希望もなくぶらさげたままにして置きざりにしてあげるわ。どんな気もちがするか思い知るがいい！　せいぜいたのしんでね！」

彼女は彼からはなれ、舞踏室をよこぎって走り出した。その瞬間、最初の爆弾が落下した。

その爆弾は流星群のように降ってきた。さほど多くはなかったが、しかし言語に絶した凄絶きわまるものであった。それは深夜から暁をむかえようとする地球の部分、地球の朝の半球に降りそそいできた。太陽に対する地球の公転の前方で爆発した。この爆弾群は六億四千万キロの距離を飛来してきたのである。

そのおそるべき速度は、外衛星同盟からの新年の贈物を百万分の一秒の空間でとらえ、妨害した地球防衛軍コンピュータの迅速な処置に比すべきものだった。強烈な光を放つおびただしい新星が空にかかり、そして消えた。それは目標の八百キロ手前で阻止され、爆破された爆弾だった。

しかし、防衛側の速度と攻撃側の速度の差はきわめて小さかったので、かなり多数の爆弾が阻止できなかった。それは電離層、薄明の限界、大気圏、成層圏に達し、そして地上に降ってきた。眼に見えない弾道が巨大な衝撃となって終わった。

ニューヨークを破壊した最初の原子爆弾攻撃は、信じられないような激震でプレスタインの邸宅を揺るがした。フロアと壁が震動して、客は調度や装飾といっしょにかたまって投げ出された。爆弾がぞくぞくニューヨーク周辺に降りそそぐにつれて、なんども激しい震動が襲った。

爆発音は鼓膜をつんざき、感覚を麻痺させ、震撼させた。音響と衝撃と地平線上の不気味な光は言語を絶した巨大なものだったので、人間から理性が脱落し、生きたまま皮を剝がれた動物が悲鳴をあげ、おびえきって、走りまわるのとすこしもちがわなかった。五秒とたたないうちに、プレスタインの新年祝賀会は優雅な姿から無政府状態にかわった。

フォイルはフロアから立ちあがった。彼は舞踏室のフロアでもがいている人びとに眼を走らせた。ジスベラが自由になろうともがいているのを見て、彼女のほうへ一歩寄ろうとした。が、足をとめた。彼はぐらぐらしながら、まるで自分の頭ではないような頭をまわした。大音響はやまなかった。ロビン・ウエンズバリが応接間でふらふらしながらもがいているのを見た。彼女に駆け寄ろうとしてまた足をとめた。自分が行かなければならない場所が、このとき頭にひらめいた。

彼は加速した。雷と稲妻が不意にやみ、スペクトルがぐるぐるまわって明滅した。震撼する激震がゆっくりしたうねりにかわった。フォイルはこの大邸宅をぼうっと動きまわり、必死にさがしまわって、やっと、彼女が庭に立っているのを見つけた。彼の加速した感覚にとっては大理石の彫像のように……恍惚とした彫像の姿で、大理石のベンチの上に爪先で立っている彼女を見たのだ。

彼は減速した。たちまち衝撃がふたたびスペクトルをあげた。彼はまたしてもあの致命的な、いや、それ以上の衝撃でたたきのめされた。

「レイディ・オリヴィア」彼は叫んだ。

「どなた？」

「道化師です」

「フォーマイル？」

「そうです」

「あたくしをさがしにきてくださったの？　感動しましたわ、ほんとうに感動しましたわ」

「ここにこんなふうに立っているなんて正気の沙汰じゃない。おねがいですからわたしといっしょに――」

「いや、いや、いや。これは美しいわ……すばらしいわ！」

「いっしょにどこか安全な場所にジョウントしましょう」

「あら、あなたはご自分が甲冑を着た騎士のつもりでいるの？　救難の騎士、あなたには似合わないわ。あなたはお逃げなさい」

「ここに残ります」

「美しい恋人として？」

「恋人として」

「あいかわらず退屈なかたね、フォーマイル。さあ、啓示をおうけなさい。これはアルマゲドン（世界の終末における善と悪の決戦場）なのよ……花ひらく怪物よ。あなたに見えるものをおっしゃってごらんなさい」

「たいして見えるものもありません」フォーマイルはあたりを見まわし、眼を細めながら答えた。「地平線いっぱいに光が見えます。雲の早い流れ。その上には……一種の明滅する光がありますよ。クリスマスの明滅する飾りのように」

「まあ、あなたにはそんなに少ししか見えないのね。あたくしに見えるものを考えてごらんなさい！　蒼穹に円蓋《ドーム》が、虹の円蓋《ドーム》があるのよ。色は濃い黄褐色から燦爛《さんらん》と燃えさかる炎の色まであるの。あの円蓋《ドーム》はなんなのかしら？」

「レーダー網でしょう」フォイルが低く言った。

「それから火がおそろしく広大な規模で燃え上り、動揺し、交錯し、乱舞し、荒れくるっているわ。あれはなんなのかしら？」

「妨害電波でしょう。あなたは全電子防衛システムを見ているのですね」

「それから爆弾が降ってくるのも見えるわ……あなたが赤という色の迅速な流れ。でも、あなたの赤じゃないわ、あたくしの赤よ。なぜあれが見えるのかしら？」

「あれは空気摩擦で熱せられているのですよ。しかし不活性鉛の外装部はわれわれに色を見せないんですね」

「あなたは道化としてより、ガリレオとしてのほうがはるかに立派ね。ああ！　東のほうに爆弾が落ちてくるわ。ごらんなさい！　落ちてくる、落ちてくる。落ちてくる……ああ！」

東の地平線上の光の炎は、それが彼女の想像ではなかったことを証明した。

「北にも爆弾が落ちてくるわ。とっても近いわ。近いわ。ほら！」

北部から衝撃が押し寄せてきた。

「あの爆発よ、フォーマイル……あれは単なる光の雲じゃないわ。交錯する色の織物、蜘蛛の巣、綴織《つづれおり》なのよ。すばらしくきれい。こよなく美しい屍衣みたい」

「どれですか、レイディ・オリヴィア？」

「あなたはこわいの？」

「はい」

「じゃあ、お逃げなさい」

「いやです」

「まあ、あなたはわからずやね」

「自分でもなんなのかわからなくなった。わたしはおそろしい、しかし逃げたくないんだ」

「それならやせがまんなのね。騎士の勇気を見せるために」かわいた声がおかしそうにひびいた。「かんがえてごらんなさい、フォーマイル。ジョウントで退避するのにどのくらい時間がかかるの？　数秒で……メキシコ、カナダ、アラスカに無事につけるわ。なんの危険もなく。今ごろは何百億人もひとがいるにちがいないわ。あたくしたちはおそらくこの市に残った最後の人間よ」

「みんながそれほど遠くまで、そんなに早く退避できるわけではありません」

「それなら、身分のあるひとたちのなかではあたくしたちが最後まで残っているわけよ。なぜあたくしにかまわず行ってしまわないの？　お逃げなさい。あたくしはまもなく殺されるわ。あなたがうしろを見せて逃げたなんて誰にもわからないわ」

「牝犬！」

「あら、怒ったのね。なんというひどいお言葉でしょう。それが弱さをしめす第一の証拠ね。あなたはなぜもっと頭を使ってあたくしを誘拐していかないの？　それが第二の証拠よ」

「ちくしょう！」

彼は憤怒にかられて、拳をにぎりしめながら彼女に近寄った。彼女は冷やかな、しずかな手で彼の頰にふれた。しかし、このときふたたび電撃が起った。

「いえ、もう遅すぎるわ」彼女はしずかにいった。「赤い流れが群れをなして落ちてくるわ……落ちる、落ちる、落ちる……まっすぐあたくしたちに向かって。もう逃れる道はないわ。早く、今のうちに！　逃げなさい！　ジョウントしなさい！　あたくしをつれていって。早く！　早く！」

彼は彼女をベンチからひきずりおろした。

「ちくしょう！　行くもんか」

彼女を抱きしめ、やわらかな珊瑚の唇をさぐりあて接吻した。彼女の唇をくるおしく吸い、最後の暗黒がやってくるのを待った。

震動はやってこなかった。

「だまされた！」彼は叫んだ。彼女は笑った。彼はまた彼女に接吻し、やがて彼女からからだをひき離した。彼女はふかく息を吸いこんでまた笑い声をあげた。彼女の珊瑚の瞳がきらきらかがやいた。

「終わったわ」彼女はいった。

「まだはじまってもいない」

「それはどういう意味なの？」

「われわれ同士の戦争が」

「人間の戦争になさい」彼女ははげしくいった。「あたくしの姿にあざむかれなかったのはあなたが最初よ。ああ！　お伽話《とぎばなし》の王女さまにつかえる忠実で退屈な騎士や、その人たちのあまやかな情熱。でも、あたくしの内部はそんなものじゃないのよ……あたくしはそんなものじゃないわ。あたくしたちのあいだでは戦争は残虐なものになるの。あたくしを勝ちとろうなんてしないで……あたくしを破壊して！」

不意に彼女はふたたびレイディ・オリヴィア、あの優雅をきわめた雪の処女にもどった。

「爆撃はもう終わったんじゃないかしら、フォーマイル。ショウは終わったわ。だけどなんてすばらしい新年への序曲だったことでしょう。おやすみなさい」

「おやすみなさい？」彼は信じられないようにその言葉をくりかえした。

「おやすみなさい」彼女はくりかえした。「ねえ、フォーマイル、あなたはいつ引きさがるようにいわれたかわからないほど野蛮な田舎者なの？　さあ、あなたはもうお帰りになってもいいのよ、さようなら」

彼は躊躇して、言葉をさがしたが、結局身をひるがえして邸内からよろめき出た。興奮と混乱でからだがふるえていた。周囲の混乱と破壊にもほとんど気がつかないほど、ぼうっとしながら歩いた。地平線はまっ赤な炎であかるかった。攻撃波はきわめて激烈に大気を動揺させたので、風はまだ奇妙な爆風になってすさまじい音をあげていた。爆発の震動は全市を震撼させたので、煉瓦、壁、ガラス、金属は吹きとばされ、粉砕されていた。しかも、こうしたおそるべき事実にもかかわらず、ニューヨークは一発の直撃もうけてはいなかった。

街路に人の姿は見えなかった。全市から人影が絶えていた。ニューヨークをはじめ全都市の全人口は安全を求めて各自の能力のおよぶ範囲……八キロ、八十キロ、八百キロ……で絶望的な努力をしてジョウントしていた。なかには、爆心地めがけてジョウントした者もあった。

何千という人びとがジョウント爆発で死んだ。公共ジョウント台はこれほど大量の人間が出発する混雑を計算に入れて設計されてはいなかったからだった。

フォイルは白の装甲服を身につけた災害救難隊が街頭にあらわれたのに気がついた。緊急信号が彼に向かって発せられ、略式のまま救助活動に徴用される旨を連絡していた。ジョウントの問題は、住民を都市から退去させることではなくて、いかに彼らを復帰させ、いかに秩序を回復するかだった。フォイルは火事や略奪者と闘うために、これからの一週間をつぶすつもりはなかった。彼は加速して救難隊を避けた。

五番街で彼は減速した。エネルギーの涸渇がひどく、彼は加速状態をもうこれ以上つづけることができなくなっていた。あまりにも長い時間加速していたので、回復するためには数日間の休息が必要になりそうだ。

略奪者とジョウント襲団は、いちはやく街頭で、単身、あるいは群れをなして、隠密に、しかし野蛮に仕事にかかっていた。山犬たちは、生きてはいるが無力な動物にすぎない人びとをおそっていた。彼らはフォーマイルに押し寄せてきた。今夜はあらゆるものが彼らの餌だった。

「おれは気分が出ないよ」彼は彼らにいった。「誰かほかの者を相手にしろよ」

彼はポケットの金をあらいざらい出して、投げた。彼らはそれをひったくったが、しかし満足しなかった。彼らは余興を見たがっていた。そして彼のほうはもはや無力な紳士だった。五、六人の男がフォイルをとりかこみ、痛いめにあわせようとして近寄ってきた。

「ご親切な旦那」彼らは微笑した。「わしらはこれからパーティをやらかそうとしているんだがね」

フォイルは彼らのパーティの客の一人のバラバラにされた死体を見た。彼は吐息をもらし、オリヴィア・プレスタインの幻影を心から追い払った。

「いいとも、ハイエナ諸君」彼はいった。「パーティをやろうじゃないか」

彼らは彼に悲鳴ダンスをさせる決意をかためさせたのだった。フォイルは口のなかにあるスイッチを作動させ、二十秒の破滅的な時間、かつて発明されたなかでもっとも危険な殺人機械……特殊部隊《コマンドー》の殺戮者となった。それは意識的思考や意志と関係なくおこなわれた。彼の肉体は筋肉と反射に記録されていた動作にしたがっただけだった。彼は地面にたたきつけられた六人の死体を残してその場を離れた。

旧セント・パトリック寺院はまだ建っていた。無傷で、微動もせずに。遠方の火事がその屋根の棟の銅に映《は》えていた。

内部に人影はなかった。四《フォー》マイルサーカスのテントは堂内全部を占領し、照明やサーカスの設備がつくられていた。しかしサーカスの人員は姿を消していた。

召使、料理人、従僕、運動家、哲学者、随行員、キャンプについてきた者たちやごろつきもどこかへ逃げていた。

「しかしあいつらは略奪するためにもどってくるだろう」フォイルはつぶやいた。

彼は自分のテントの内部《なか》にはいった。最初に彼が見たものは白い人影だった。絨毯の上にうずくまり、小声で何かつぶやいていた。ロビン・ウエンズバリだった。着物は引き裂かれ、心も引き裂かれていたのだ。

「ロビン！」

彼女は言葉もなく唇を動かしつづけていた。彼女を引き起し、揺すぶり、彼女の頰に平手打ちをくわせた。彼女の顔に赤みがさし、なにごとかつぶやいた。彼は注射器を出して彼女に大量のニアシンを注射した。現実から乖離《かいり》した情緒に対するこの薬の覚醒作用はおどろくべきものだった。彼女の光沢のある皮膚が灰色にかわった。美しい顔がゆがんだ。彼女はフォイルを認めた。自分が忘れようとしていたことを思い出したので、悲鳴をあげてうずくまった。彼女は泣きはじめた。

「そのほうがいい」彼はいった。「きみは逃避の名人じゃないか？　最初は自殺しようとした。こんどはこれだ。このつぎはどうする？」

「あっちへ行って」

「たぶん宗教だろうな。聖書をまさぐって信念のために殉教するのさ。きみは現実にまともに直面することができないのか？」

「あなたはぜったい逃げ出さないの？」

「ぜったいにね。逃避なんておろかもののすることさ。ノイローゼだよ」

「ノイローゼ。いきあたりばったりの人間の得意の言葉よ。あなたほんとに頭がいいわ、そうでしょ？　みごとで。バランスがとれていて。一生逃げまわっていたくせに」

「おれが？　とんでもない。おれはずっと追いまわしてばかりいたのさ」

「あなたは逃げまわってたのよ。攻撃性逃避ということを聞いたことはないの？　現実から逃避するために、それを攻撃し、それを否認し、それを破壊する……ご存じないの？

あなたのやってきたことはそれなのよ」

「攻撃性逃避だって？」フォイルはむかむかしてきた。「おれが何かから逃避しているっていうのか」

「そうよ」

「何から？」

「現実から。それを攻撃しているのよ……それも自分の型《パターン》にむりにはめこもうとして。あなたはあるがままの人生をうけ入れることができずに、それを拒否しています。それを攻撃しているのよ……それも自分の型《パターン》を邪魔するすべてのものを攻撃し、破壊するのよ」彼女は涙に濡れた顔をあげた。「わたしはこれ以上耐えられません。わたしをこのまま行かせてください」

「行くって？ どこへ？」

「わたしには自分の生きかたがありますわ」

「きみの家族はどうする？」

「自分なりのやりかたでさがしますわ」

「どうして？ いったいどうしたんだ？」

「もうたくさんなんです……あなたや戦争や……だってあなたは戦争とおなじくらいわるいわ。もっとわるいのよ。わたしが今夜経験したことは、わたしがあなたといっしょにいるかぎりいつでも起きることだわ。わたしはふたつにひとつは耐えられます。でも両方はとてもがまんできません」

「だめだ」彼はいった。「おれはきみが必要なんだ」

「自分の自由を買うつもりで用意しているものがあるの」

「それはなんだ?」

「《ヴォーガ》の手がかりは全部ダメだったのでしょう?」

「それで?」

「わたしはあたらしい手がかりを見つけました」

「どこで?」

「どこだっていいじゃありませんか。もしその情報をあなたに教えたら、わたしを自由にさせてくださいますか?」

「きみからとりあげることもできるぞ」

「やってごらんなさい。とりあげてごらんなさいな」彼女の眼がぎらぎらかがやいた。

「もしあなたにこの話の内容がわかっていれば、ここで面倒なことなんか起さないはずよ」

「おれはきみに教えさせることもできるんだよ」

「できるの? 今夜のような爆撃があったあとに? やってごらんなさい」

フォイルは彼女の挑戦的態度にたじろいだ。「きみがハッタリをいっているんじゃないってどうしてわかる?」

「ヒントをひとつあげますわ。オーストラリアの男をおぼえておいででしょう?」

「フォレストか?」

「ええ。彼はあなたに乗員の名前をいおうとしましたね。彼が口にした名前をおぼえていらっしゃる?」

「ケンプ」

「いい終えない前に死んでしまったのよ。その名前はケンプシイです」

「それがきみの手がかりなのか?」

「ええ。ケンプシイ。名前と住所よ。わたしを自由にさせてくれると約束すれば、教えてあげますわ」

「話に乗ろう」彼はいった。「きみは自由だ。教えてくれ」

彼女は上海《シャンハイ》で着ていた旅行着を手にとった。そのポケットから彼女は一部が焼失している紙片をとりだした。

「これをセルゲイ・オレルの机から見つけました。火事を……あの燃える男が起した火事を消そうとしたときに……」

彼女はその紙を彼に渡した。それは依頼状の断片だった。

内容は次のようなものだった——

……このバクテリア地帯から脱出するためならなんでもするよ。ただジョウントできないという理由だけのために、なぜ一人の人間が犬のようにあつかわれなければならないんだ？　どうかおれを助けてくれ、セルゲイ。われわれが口に出さないあの船のかつての同僚だった人間を助けてください。百ørぐらいならきみに出してもらえるはずだ。おれがきみのためにつくしたことをおぼえているかい？　百ørか、せめて五十ørでもいいから送ってくれ。おれを絶望させないでくれ。

月世界
マレ・ヌビウム
バクテリア有限会社
第三寮
ロッジ・ケンプシイ

「こいつだ！」フォイルはさけんだ。「こいつこそ手がかりだ。こんどこそ失敗しないぞ。どうすればいいかわかるだろう。こいつがいっさいをときあかすだろう……いっさいを」
彼はロビンを見てにやりと笑った。「おれたちは明晩、月に向けて出発する。座席を予約しておきなさい。いや、敵の攻撃のためにめんどうなことが起るだろう。宇宙艇を買ったほうがいい。どっちにしても安い運賃ではないだろう」

「おれたちですって」ロビンがいった。「あなたが、でしょう」

「おれたち、だよ」フォイルが答えた。「おれたちは月へ行くのさ。二人とも」

「わたしはあなたとわかれるのよ」

「きみをはなすもんか。おれといっしょにくるんだ」

「だけどあなたは約束したじゃありませんか——」

「大人になるんだよ、お嬢さん。こいつを手にいれるためならどんなことだって約束しなけりゃならなかった。おれにはますますきみが必要になっている。《ヴォーガ》のためにじゃない。《ヴォーガ》はおれがやる。もっと重要なことのために必要なんだ」

彼女の疑いに閉ざされた顔を見て、後悔したように微笑した。

「どうにもしかたがないよ。きみがこの手紙を二時間前におれにわたしてくれてたら、おれも約束をまもったかもしれない。だが今となってはもう遅すぎる。おれには恋愛の秘書が必要なんだ。おれはオリヴィア・プレスタインに恋しているんだよ」

彼女は憤怒に駆られて立ちあがった。

「あなたが彼女に恋しているんですって？　オリヴィア・プレスタインに？　あの白い死骸に恋をするなんて！」彼女のテレパシーのはげしい憤怒は彼をびっくりさせた。**「ああ、**

あなたはもうわたしを失ったのよ、永久に。こんどはわたしがあなたを破滅させてやるわ！」

彼女は消えた。

12

ピーター・ヤン・ヨーヴィル大尉は、十秒にひとつの割でロンドンの中央諜報局本部にあつまってくる報告に眼をとおした。情報は、電話、無線、有線、ジョウントであつまってきた。被爆地の地図が急速にできあがっていった。

西経六十度から百二十度にいたる南北アメリカ、集中攻撃さる……北アメリカ、ラブラドルよりアラスカにいたる……南アメリカ、リオよりエクアドルにいたる……防禦網を十パーセントの超長距離誘導弾が通過したものと認められる……住民の死亡数、概算一千万、ないし一千二百万……

「これが、ジョウント時代でなかったら」ヤン・ヨーヴィルはいった。「損害は五倍にのぼったはずだ。いずれにせよ、これは壊滅に近い。この程度の爆撃がもう一度おこなわれたら、地球は全滅するだろうな」

彼のオフィスにジョウントであらわれたり消えたり、机の上に報告をおいたり、壁全部をおおっているガラスの黒板に集計や方程式を書いたりしている補佐官たちに向かって、彼はこういった。形式的な儀礼のないのがここの規則だったので、ヤン・ヨーヴィルは補佐官の一人がドアをノックし、威儀をただして入ってきたとき、おどろいてなにごとが起ったかと疑ったのだった。

「これはいったいなんの真似だ？」彼はきいた。

「妙齢の女性がご面会であります、ヨーさん」

「喜劇をやってる場合じゃないぞ」ヤン・ヨーヴィルは憤激した語気でいった。彼は、透明な黒板の上に被害状況を集計したホワイトヘッド方程式を指さした。「あれを読んだら、ここから外に出て泣きたまえ」

「非常に特別な女性ですよ、ヨーさん。スペイン階段からあなたのヴィーナスがおいでになったのです」

「誰だって？　なんのヴィーナスだって？」

「あなたのアフリカのヴィーナスですよ」

「え？　あの女が？」ヤン・ヨーヴィルはちょっと躊躇した。「とおせ」

「個人的にご面会なさるんでしょうね、もちろん」

「もちろんもへったくれもない。大戦争がつづいているんだぞ。あつまってくる報告はそのままにしておけ。おれに連絡しなければならないときは、秘密通話に切り換えるように全員に知らせておけ」

ロビン・ウエンズバリは、引き裂けたままの純白の夜会服を着てオフィスに入ってきた。彼女は途中でどこの中継地も寄らず、ニューヨークからロンドンにまっすぐにジョウントしたのだった。顔は緊張していたが美しかった。ヤン・ヨーヴィルは彼女に対して加速法で検査をした。ロビンはこの検査が終わったとき眼を大きく見開いた。「まあ、あなたはあのときの料理人じゃないの！　アンジェロ・ポッギだわ！」

ヤン・ヨーヴィルは情報将校としてこの危機を乗り切る用意をしていた。「料理人ではございません、マダム。これがいつもでしたら魅力的な服装に着換えるところなのですが、あいにく暇がございませんでしたので。さあ、どうぞおかけください。ええと、お名前は……？」

「ウエンズバリ。ロビン・ウエンズバリと申します」

「これはどうも、ヤン・ヨーヴィル大尉です。ようこそおいでくださいました。ミス・ウエンズバリ。おかげで長い困難な捜査の手間がはぶけますよ」

「でもどうして……わたしにはなんのことかわかりませんわ。あなたはスペイン階段で何をなさっていらしたの？　なぜあなたは追跡を——？」

ヤン・ヨーヴィルは彼女の唇が動かなかったことに気がついた。「おや？　あなたはテレパシーがおできになるんですか、ミス・ウエンズバリ？　どういうやりかたなのです？　わたしはテレパシーのシステムは全部存じているつもりでしたが」

「**わたし、完全なテレパスではありませんの。一方的なテレパスなんです。おくることはできますけれど、うけることができないんです**」

「というか、つまり、あなたは世間的には役に立たないというわけですね、なるほど」ヤン・ヨーヴィルは同情的な眼を向けた。「テレパシーの不利益な点はすっかりもたされていながら、利益になるところはみなとりあげてしまうのは……ずいぶん卑劣なやりかたですな。同情します。心から」

「**まあ！　何も聞かないうちに理解してくれたのは、このひとが最初だわ**」

「注意なさったほうがいいでしょう、ミス・ウエンズバリ。わたしにはあなたのかんがえることがわかってしまいますからね。ところで、スペイン階段のことですが？」

彼は、彼女の興奮したテレパシーに熱心に聞き入った。

「**どうして彼は追いかけているのかしら？　わたしを？　敵性の——。このひとたちはわたしを詰問するのかしら？　からだを切ったり——情報を——わたしは——**」

ヤン・ヨーヴィルは彼女の手をとって、なぐさめるようにやさしく握りしめた。「まあ、おちつきなさい。あなたは、なんでもないのにおびえておられる。どうやらあなたは敵国の国籍があるようですな。どうですか？」

彼女はうなずいた。

「それは不幸なことだが、さしあたってそのことにはふれないことにしましょう。諜報局が人びとから情報を切りとったり絞りとったりするということ……こんなのは、全部宣伝ですよ」

「宣伝？」

「われわれはそういった気がきかないまねはしませんよ、ミス・ウエンズバリ。中世時代の蛮風を見ならわなくとも情報をひきだす方法はわきまえていますからね。しかし、世間の人を骨ぬきにしてしまうという、いわば伝説めいたものをあらかじめひろめているのです」

「ほんとうかしら？　嘘をついているのよ。罠だわ」

「ほんとうのことですよ、ミス・ウエンズバリ。わたしはいろいろな術策を弄《ろう》しますが、今はそんな必要はありません。あなたが自発的に情報の提供においでになってくださったことがはっきりしていますから」

「このひとはひどく如才《じょさい》がないわ……あまりにも回転が速すぎる……このひとは――」

「あなたのお言葉は、最近何かひどいめにあわれたようなふうに聞えますよ、ミス・ウエンズバリ……ひどくいためつけられたような」

「ええ、ええ。何もかも自分のせいといっていいくらいですわ。わたしはバカな女、どう

しようもないバカですの」

「そんなことはありませんよ、ミス・ウエンズバリ。どうしてあなたが、ご自分に絶望するようになったのか存じませんが、自信を回復させてあげたいと思いますね。お話のようすでは……あなたはだまされたのですな、どうです？　ご自分のせいだといってもいいとおっしゃるのですね？　しかし誰かのせいでもあるわけでしょう。誰なのです？」

「彼を裏ぎることになりますわ」

「それではわたしには何もおっしゃらないことですな」

「だけど母と妹たちをさがさなければなりませんもの……わたしはもう彼を信用できません……自分の手でさがさなければならないんです」ロビンは大きく息を吸った。「わたしはガリヴァー・フォイルという男のことをあなたにお話し申しあげたいのです」

ヤン・ヨーヴィルは、あまやかな気分だったが、すぐに仕事のことにもどった。

「彼が鉄道でやってきたというのはほんとうですの？」オリヴィア・プレスタインがきいた。「機関車と展望車できたんですって？　すばらしく大胆だわ」

「ああ、なかなかみごとな青年だよ」プレスタインがこたえた。鋼鉄のように剛直な姿で彼は娘と二人きりで応接間に立っていた。恐怖にかられてジョウントしていった召使や部下の者が帰ってくるのを待っているのだが、眉ひとつ動かさなかった。冷静なようすでオリヴィアと話をしていたが、彼女にはこの重大な危険をけっして感じさせまいとしていた。

「お父さま、あたくし疲れましたわ」

「気疲れのする晩だったね。しかしまだ部屋にさがらないでおくれ」

「なぜですの？」

プレスタインはいっしょにいるほうが安全なのだよといおうとしてさしひかえた。「わたしはさびしいんだよ、オリヴィア。もう少し話をしていよう」

「あたくし、さっき、いたずらをしましたのよ、お父さま。庭から爆撃の模様を見ましたわ」

「おまえが！　ひとりで？」

「いいえ、フォーマイルと」

プレスタインが閉めておいた正面玄関のドアをふるわせて、はげしくたたきつける音がしはじめた。

「なんでしょう？」

「略奪者だ」プレスタインはしずかにいった。「おどろかなくてもいいんだよ、オリヴィア、入れないんだから」彼は武器がずらりとならべてある机に寄っていった。「危険はない」彼女の注意をそらせようとした。「フォーマイルの話をしてたようだが……」

「ええ、そうよ。あたくしたちはいっしょに見ていましたの……爆撃のようすを説明しあいながら」

「付添いなしで？　分別が足りなかったね、オリヴィア」

「わかってるの、わかってるわ。いけないことをしましたわ。あのひと、とても大きくて、自分というものを疑ってみたこともないような気がしたので、わざとそっけなくあしらったの。あのひと怒ってたわ、お父さま。だからあたくしをさがしに庭まで出てきたの」

「それでおまえは彼といっしょに庭にいたのか？　おどろいたよ、おまえ」

「あたくしもですわ。興奮のあまり半分気もちがどうかしていましたのね。あのひとはどんなふうなの、お父さま？　おっしゃって。お父さまにはどんなふうに見えるの？」

「彼はとても大きいよ。背が高く、ひどく色が黒くて、どことなく不可解なところがある。ボルジアに似ている。確信と粗野のあいだを揺れ動いているように見える」

「ああ、そうすると粗暴なひとなのね。あたくしにもそれはわかったわ。危険にさらされると燃えあがるのよ。たいていのひとはチカチカ光るだけなのに……あのひとは発光するボルトみたいな感じ。すばらしく魅惑的だわ」

「ねえ、おまえ」プレスタインがやさしく反駁した。「未婚の女性はつつしみぶかいものだから、そんなことは話さないものだよ。おまえがセレスのフォーマイルのような成りあがりにロマンティックな感情を抱くようなことがあったら、わたしはあまりうれしくないんだよ」

プレスタイン家の召使たち、料理人、厩務員、小姓、御者、侍僕、そしてメイドたちが応接間にぞくぞくもどってきた。九死に一生を得て、みんなが恐怖でふるえ、おびえきっていた。

「おまえたちは各自の部署から逃げ出した。これはおぼえておくぞ」プレスタインは冷酷にいった。「わたしの安全と名誉はまたおまえたちの手にゆだねられることになる。それをまもるがよい。レイディ・オリヴィアとわたしは居間へもどる」

氷のように純粋な王女を断固として保護するかのように、彼は令嬢の手をとって階段をあがっていった。

「血と金か」プレスタインはつぶやいた。

「何かおっしゃったの、お父さま?」

「わたしは家門の悪徳のことを考えていたのだよ、オリヴィア。わたしはおまえがそれをうけつがなかったことを天帝に感謝していたのだ」

「どういう悪徳ですの?」

「おまえは知らなくてもいいことだ。フォーマイルにもそれがある」

「まあ、彼はわるいひとなの? それもあたくしにはわかっていましたわ。ボルジアのようだ、とおっしゃったでしょう。黒い瞳と隈どりのあるあのおそろしいボルジア。それがあの模様になっているにちがいないわ」

「模様だって、おまえ？」

「ええ、彼の顔に不思議な模様が見えるの……普通の神経や筋肉の電気とはちがうの。何かその上にあるの。最初からそれに魅惑されたわ」

「どういう模様だ？」

「幻想的なもの……ものすごい悪の化身。とても説明できないわ。何か書くものをちょうだい。書いて見せてあげますわ」

二人は六百年前のチッペンデール（十八世紀の家具調度の装飾様式）の飾り棚の前で足をとめた。プレスタインは銀を張った水晶の板をとるとオリヴィアにわたした。彼女は指先でそれにふれた。黒点があらわれた。彼女が指を動かすと点は線になった。彼女はすばやい指の動きでぞっとするような悪魔の仮面の渦巻きと紋章を描いた。

ソール・ダーゲンハムは暗くなった寝室から出た。一瞬後には、一方の壁の照明がついて光がいっぱいにあふれた。ジスベラの寝室はまるで巨大な鏡に映ったようにみえた。だが奇妙な点がひとつあった。ジスベラはベッドにひとり横になっている。だがソール・ダーゲンハムも、その鏡に映ったベッドの端に腰かけているのだ。鏡にみえたのは、じっさいはおなじようなふたつの部屋を分けている一枚の鉛でできたガラスだった。ダーゲンハムは自分の部屋の照明をつけたのだった。

「時間ぎめの恋愛か」ダーゲンハムの声がスピーカーを通じて聞えた。「うんざりするね」

「いいえ、ソール、そんなことはなくてよ」

「げっそりするんだ」

「そんなことはないわ」

「しかし不幸だ」

「いいえ、あなたは欲ばりすぎるのよ。このままで満足なさいな」

「これまでこんなに満足したことはなかった。きみはすばらしいね」

「あなたはぜいたくなかたね。さあ、おやすみなさい、あなた。明日はスキーに行くんでしょう」

「いや、計画は変更だ。仕事をしなければならない」

「まあ、ソール……約束したじゃないの。もう仕事はしないし、なやむこともないし、走りまわったりしない、って。約束を破るつもり？」

「おれはこの戦争をつづけさせるわけにはいかない」

「戦争なんかどうでもいいわ。あなたはタイコ砂漠で充分犠牲をはらったのよ。あなたにそれ以上の犠牲を要求することは誰にもできないわ」

「もうひとつ片づけなければならない仕事があるんだ」

「わたしがもう仕事はやめさせてあげるわ」

「いや。きみは手を出さないほうがいいよ、ジスベラ」

「信用しないのね」

「きみを危険なめにあわせたくない」

「わたしたちに危害をくわえることのできるものなんかないわ」

「フォイルならできる」

「な、なんですって？」

「フォーマイルはフォイルだよ。きみも知ってるはずだ。きみが知ってることがおれにはわかっている」

「だってわたしは一度も――」

「うん、きみはおれに話さなかった。きみはすばらしいよ。おなじように、おれにも忠実であってほしいね、ジスベラ」

「それなら、どうしてあなたにわかったの？」

「フォイルが口をすべらした」

「どんなふうに？」

「名前さ」

「セレスのフォーマイル？　セレスの会社を買ったのよ」

「しかしジョフリー・フォーマイルじゃないか」

「自分で名前を作ったのよ」

「あいつもそう思っている。じつは記憶に残っていた名前なのさ。ジョフリー・フォーマイルというのは、メキシコ・シティの総合病院で誇大妄想患者のテストに使う名前だよ。彼の口を割らせようとしたとき、フォイルを誇大妄想法にかけた。あの名前は彼の記憶に深く残っていたにちがいない。彼は、その名前を思いついたときオリジナルな名前だと思った。だがおれにはピンときた」

「かわいそうなガリー」

ダーゲンハムは微笑した。「そうさ。外部に対してどれほど自分をふせいだところで、いつも内側の何かの影響をうけているものだからね。裏切りに対してはふせぎようがない。しかも、われわれは誰しも自分を裏切っている」

「これからどうするつもり、ソール？」

「どうする？　もちろん彼を片づけるのさ」

「パイア二十ポンドのために？」

「ちがう。敗色の濃い戦争を勝利にみちびくために」

「なんですって？」ジスベラは部屋を隔てているガラスの壁に顔を寄せた。「ソール、あなたが？　愛国者なの？」

彼は、まるで何かの罪を犯したようにうなずいた。「おかしいだろう。グロテスクな話だ。しかし、おれはそうなんだ。おれをすっかり変えたのはきみなんだ。おれはまたもとの正気な人間にかえったよ」

彼も壁に顔を押しつけた。厚さ八センチの鉛でできたガラスを隔てて、二人はキスした。

マレ・ヌビウムは嫌気性のバクテリア、土壌有機物、腐敗菌、稀有な黴、そのほか空気のない土壌を必要とするあらゆる種類の形態の微生物の成長に理想的な適性をもっていた。バクテリア会社は従業員棟、オフィス、工場を中央にあつめ、その周囲にひろがっている通廊で結ばれた巨大なモザイク状の栽培場だった。ひとつひとつの栽培場は大きなガラスのタンクになっていた。直径三十メートル、高さ三十センチで、二分子の厚みだった。

太陽光線が月の表面をはいまわり、マレ・ヌビウムに達する一日前にタンクは培養基でみたされた。空気のない月に突然の、眼のくらむような日の出がくるとき、タンクに播種《はしゅ》がおこなわれる。次の十四日間、太陽がずっとあらわれているあいだに、それは、おおわれ、調整され、栄養をあたえられた……労働者たちは宇宙服を着て通廊を行ったりきたりした。日没がマレ・ヌビウムにやってくるころ、タンクのなかみは収穫され、それから日の出ない二週間の凍った夜間に、凍結し、貯蔵される。

ジョウンティングはこの退屈な、一歩一歩進めてゆく養殖には必要がなかった。そこでバクテリア会社は、ジョウントの能力のない不幸な人びとをやとって、奴隷的な賃金で酷使した。これは労働の最低条件であり、太陽系の搾取と収奪の形態だった。バクテリア会社の従業員宿舎は、二週間の休息期間中は地獄さながらだった。フォイルは第三寮に入ったときそれを見てとった。

ぞっとするような光景にぶつかったのだ。巨大な部屋のなかには二百人の人間がいた。売春婦や、酷薄な眼をしたポン引きや、賭博を職業とするヤクザや、麻薬商人や、高利貸たちだった。咽喉《のど》をさす煙草のけむり、アルコールや人間のいやな臭いがたちこめていた。家具、寝具、衣類、意識をうしなった人間、空っぽの壜、腐った食物がフロアに散乱していた。

フォイルが姿をあらわすとうなり声がわきあがったが、彼はこの場を切りぬける方法を心得ていた。最初に彼に眼を向けた毛むくじゃらの顔の男に話しかけた。

「ケンプシイか?」彼はおだやかに話しかけた。そっけない返事がかえってきた。しかし彼はにやりと笑ってその男に百Ｃｒの紙幣をやった。「ケンプシイか?」べつの男にきいた。侮辱が返事だった。彼はまた紙幣をやった。バラックの中央までくると、手がかりになる男にぶつかった。あきらかにこのバラックの顔役らしく怪物のような男で、裸のまま、二人の淫売婦を愛撫しながら、子分からウイスキーをとりあげて飲んでいた。

「ケンプシイか?」フォイルは貧民語できいた。「おれはロジャー・ケンプシイを探しているんだが」

「まず金を出せ」その男は大きな掌をのばしてフォイルの金をとろうとした。「よこせ」

群衆の中から愉快そうな笑い声が起った。フォイルは微笑しながら、彼の眼をめがけて唾を吐きかけた。不穏な静寂が発生した。裸の男は淫売婦を投げ出すとフォイルをなぐりたおそうとしてつめ寄った。五秒後に、彼はフロアの上にたたきつけられ、首すじをフォイルの足でおさえつけられた。

「おれはまだケンプシイをさがしているんだ」フォイルはおだやかにいった。「苦労してさがしているのだ。教えたほうがいいな。さもなきゃおまえさんがくたばっちまうぜ、それだけさ」

「洗面所だ！」男がうめいた。「離せ。洗面所にいる」

「よし、金をやろう」フォイルはいった。彼は男の前に残りの金を投げすてて、いそいで洗面所に行った。

ケンプシイはシャワーの隅っこにうずくまっていた。顔を壁に押しつけ、にぶい声でうなっている。ここに何時間も閉じこもっているらしい。

「ケンプシイか？」

うなり声が答えた。

「どうしたんだ？」

「着物だ」ケンプシイは泣きじゃくった。「着物だ。着物だらけだ。着物。汚物。吐き気のしそうな汚物。着物。着物だらけだ」

「しっかりしろよ、おい、眼をさませ」

「着物。着物。汚物。吐き気がしそうな汚物……」

「ケンプシイ、答えろ、いいか。オレルがおれをよこしたんだ」

ケンプシイは泣きじゃくるのをやめ、濡れた顔をフォイルに向けた。「誰だって？　誰だって？」

「セルゲイ・オレルがおれをよこした。おれがきみの自由を手に入れてやった。きみは自由だ。ここから出るんだ」

「いつ？」

「今だよ」

「おお、神さま！　おめぐみを！　万歳！」

ケンプシイは疲れきっていながら有頂天になってはしゃぎはじめた。打撲傷のある、ふくれた顔が笑顔のような表情になった。

フォイルは彼を洗面所からつれだした。しかし宿舎に入ると彼は悲鳴をあげて、また泣き出した。

フォイルが彼を大部屋につれていくと、真っ裸の淫売婦が汚れた着物を腕いっぱいかかえこんで、彼の眼の前でふってみせた。ケンプシイは口から泡をふきだして、わけのわからないことをしゃべりはじめた。

「こいつ、どうしたんだ？」フォイルは貧民語で顔役の男にきいた。

さっきの顔役の男は、友好的ではないにしても、このときは尊敬を含んだ中立の立場にかわっていた。

「とりつかれると思ってるだ」彼が答えた。「いつもこんなふうでさ。古い着物を見せると、ひきつけを起しやがる。へんな野郎でしてね！」

「どうしてだ？」

「どうして？　狂ってるでさ、それだけのこんだ」

メイン・オフィスの気密室でフォイルとケンプシイは宇宙服に着換えた。それからロケット発着場につれていった。そこには多くの反重力光線が夜空に向かってピットから青白く放射されていた。二人はひとつのピットに入り、フォイルの宇宙艇に乗りこみ、発着台からはなれた。フォイルは棚から壜と注射のアンプルをとった。酒をついでケンプシイにわたした。彼は自分の掌にアンプルを載せて、微笑した。

ケンプシイはまだ有頂天になってはしゃぎながら、ウイスキーを飲んだ。「おれは自由なんだ」彼はつぶやいた。「万歳！　おれがどんなめにあってきたか、あんたにはわからんだろう」彼はまた酒を飲んだ。「まだ信じられんくらいだ。夢だ、夢だ。あんたはどうして飲みなさらんのかね？　おれは――」ケンプシイは息をのんでグラスをおとし、恐怖にとらえられてフォイルを見つめた。「あんたの顔が！」絶叫した。「あああ、あんたの顔が！　どうしたんだ！」

「きさまのせいだぞ、この馬鹿野郎」フォイルが叫んだ。さっと立ちあがると、虎のような顔がらんらんと燃えた。アンプルをナイフのようにつきつけた。ケンプシイの首にぐさっと突き刺さり、それがふるえたまま突っ立った。ケンプシイは崩れるようにたおれかかった。

フォイルは加速し、たおれかかるからだにかすみのごとく接近して、たおれきらない途中でかつぎあげると右舷の特別船室に運んだ。この宇宙艇には特別船室がふたつあった。右舷の船室は調度が整理されて、手術室になっていた。フォイルはケンプシイのからだを手術台にしばりつけ、外科手術の器具のケースを開き、あの朝、催眠訓練でまなんだ微妙な手術をはじめた……プラス五の加速によってのみ可能な手術だった。

皮膚と筋膜を切断し、肋骨を鋸でひいて心臓を露出させ、これを切断し静脈と動脈を手術台のそばの複雑な輸血ポンプにむすびつけた。ポンプを始動させた。二十秒の時間がすぎた。ケンプシイの顔に酸素マスクをあてがって、酸素ポンプのスイッチを入れて呼吸させた。

フォイルは減速して、ケンプシイの体温をしらべ、静脈に衝撃予防剤を注射して、彼を見まもった。血液はポンプからごぼごぼ音を立ててケンプシィのからだに流れた。五分後にフォイルは酸素マスクをとった。呼吸反応は安定していた。ケンプシィは心臓なしで生きていた。フォイルは手術台のそばに腰をおろして見まもっていた。あの模様がまだ彼の顔から消えてはいなかった。

ケンプシイは意識をうしなったままだ。

フォイルは凝視しつづけた。

ケンプシイは眼をさまし、悲鳴をあげた。

フォイルはさっと立ちあがると、いっそうつよく彼を緊縛して、心臓のない男の上にかがみこんだ。

「おい、ケンプシイ」彼はいった。

ケンプシイは悲鳴をあげた。

「自分を見ろよ、ケンプシイ。きさまは死んでいるんだぞ」

ケンプシイは失神した。フォイルは酸素マスクをあてがってやった。

「死なせてくれ、後生だから！」

「どうした？　くるしいのか？　おれは半年も死んでいたんだ。それでもおれは泣きごとひとつこぼさなかったぜ」

「死なせてくれ」

「もうすぐ死なせてやるさ。阻止剤はきかないぜ。しかし、おれのいうとおりにしたら、すぐに死なせてやる。きさまは二四三六年九月十六日に《ヴォーガ》に乗っていたろう？」

「おねがいだ、死なせてくれ」

「《ヴォーガ》に乗っていたろう？」

「ああ」

「おまえは難破船に出会ったな。《ノーマッド》という難破船だ。救いをもとめてきたが、きさまは通過した。そうだろう？」

「ああ」

「なぜだ？」

「イエスさま！　おお、イエスさま、お助けください！」

「なぜだ？」

「ああ、助けてくれ！」

「おれは《ノーマッド》に乗っていたんだ、ケンプシイ。おれを見殺しにした理由はどうしてだ？」

「おめぐみぶかいイエスさま、お助けください！　イエスさま、わたしをお召しください！」

「質問に答えればおれが死なせてやるぜ、ケンプシイ。なぜ見殺しにした？」

「あんたを助けるわけにはいかなかった」

「なぜだ！」

「避難民を乗せてたんだ」

「ほう？　やっぱり思ったとおりか。カリストから避難民を乗せてはこんでいたんだな？」

「ああ」

「何人だ？」

「六百人」

「えらく大勢だな。しかし、もう一人ぐらいなんとか乗せることはできたはずだ。なぜおれを救いあげなかった？」

「避難民を外へ放り出していたんだ」

「なんだって！」フォイルは叫んだ。

「船外に……みんな……六百人……裸にして——着物、金、宝石、荷物をとりあげて……ひとかたまりにしてエア・ロックから放り出した。ああ！　船じゅう着物だらけだった……悲鳴と——ああ、神さま！　こいつをわすれることさえできたら！　真っ裸の女たちが……青い……ひろい空間で破裂して、すっかり内臓が散らばったまま……おれたちのうしろできりもみしている……船じゅう着物だらけだ……六百人だ……放り出したんだ！」

「この野郎！　そいつが商売だったんだな！　きさまたちはみんなの金をとりあげて、はじめから地球に送りとどける気はなかったんだな？」

「そういう仕事だった」

「だからおれを救わなかったんだな？」

「救ったところで、いずれ放り出したことだろうよ」

「誰が命令した？」

「船長だ」

「名前は？」

「ジョイス。リンゼイ・ジョイス」

「住所は？」

「火星、スコプツィ植民地」

「なんだと！」フォイルは雷にうたれたようだった。「そいつはスコプツィの信者なのか？　一年かかってそいつを追いまわしたあげくに、そいつに手もふれることができないのか……そいつをくるしめ、そいつをおれとおなじめにあわせてやることができないのか？」彼はテーブルの上でくるしみもだえている男から顔をそむけた。彼も自分の失敗を悟ってくるしみにもだえた。

「スコプツィか！　考えもしなかった……もうひとつの手術

台をそいつのために準備したのに……おれはどうすればいいんだ？　いったいどうすればいいんだ？」憤怒のうなりをあげた。あの模様がどすぐろく顔にあらわれた。

ケンプシイの絶望的なうめきでわれにかえった。テーブルに戻って、バラバラになったからだの上にかがみこんだ。

「最後だからすなおに答えるがいい。スコプツィのリンゼイ・ジョイスが、避難民を放り出す命令をくだしたのだな？」

「ああ」

「それからおれを見殺しにしたこともだな？」

「ああ、ああ、ああ。もうたくさんだ。死なせてくれ」

「生きるんだ、このブタ野郎……けがらわしい心臓のない犬め、心臓なしで生きやがれ。生きてくるしめ。おれはきさまを永久に生かしておいてやる――」

不気味な燐光がフォイルの眼を射た。眼をあげた。

あの燃えあがる虚像が手術室の大きな四角い窓からのぞきこんでいた。思わず窓に近寄ると燃える人間の姿が消えた。

フォイルは手術室を出て操縦室に走った。展望窓に二百七十度の視界が開けている。あの燃える男はどこにも見えなかった。

「現実ではなかった」彼はつぶやいた。「現実のはずはない、あれは啓示だ。幸運の兆《きざし》だ……守護天使なのだ。あれはスペイン階段でおれを助けてくれた。あれはおれに、さらにすすんでリンゼイ・ジョイスを見つけ出せ、といっているんだ」

彼は操縦席で安全ベルトをしめ、ジェットを始動させ、全速にした。

「火星、スコプツィ植民地のリンゼイ・ジョイスか」耐衝撃椅子にぎりぎり押しつけられながらかんがえた。「スコプツィ……感覚もなく、よろこびもなく、苦悩もない。禁欲的な逃避に到達している人間だ。どうやってこいつを罰してやろうか？　責めさいなむか？　特別船室にたたきこんで、おれが《ノーマッド》のなかで感じたとおなじことを感じさせてやるか？　ちくしょうめ！　スコプツィは死んでるも同然なんだぞ。死んでいるんだ。死体をなぐりつけてくるしませる方法を知らないといけないな。あと一歩のところまできていながらドアが眼の前で閉ったような気もちだ。復讐は失敗だ。夢だ……けっして現実になることはない」

一時間後に、彼は加速と憤怒から解放された。彼は座席のベルトをはずし、ケンプシイのことを思い出した。彼は手術室にもどった。出発のすさまじい加速は輸血ポンプを閉鎖してケンプシイを殺してしまったのだった。不意にフォイルは、今まで感じたことのない気もちがもどってくるのをどうすることもできなかった。彼はそれと必死に戦った。

「どうしたんだ、おまえは？」彼はひくくささやいた。「空間に放り出された六百人のことをかんがえるんだ……おまえ自身のことも……おまえは右の頬をたたかれたら左の頬をさしだす青白い地下室のキリスト教徒になろうというのか？　オリヴィア、あなたはわたしをどうしようとなさるのですか？　わたしに臆病な心ではなく力をあたえてください……」

しかし、死体を放り出すとき、思わず眼をそむけていた。

13

セレスのフォーマイルに雇用されている者、もしくはいかなる立場であれ、彼に協力していると認められる者をことごとく審理せよ。ヤン《Y》・ヨーヴィル《Y》：中央諜報局

本社社員はセレスのフォーマイルの動静を厳重に監視し、ただちに各地のミスタ・プレストに報告せよ。プレスタイン

クーリア全員は現在の任務を放棄し、フォイル事件に関するあたらしい任務につくべし。ダーゲンハム

フォーマイルの全財産封鎖のため、戦時危機を名目として強制的に銀行口座の凍結が発令される。Y・Y：中央諜報局

宇宙船《ヴォーガ》に関して調査をおこなう者は、訊問のためプレスタイン城に連行せよ。プレスタイン

内惑星連合の全宇宙港および離着陸場は、フォーマイルの到着を警戒せよ。着陸した場合、ただちに検疫、および、関税検査を執行せよ。Y・Y：中央諜報局

旧セント・パトリック寺院を捜索し監視せよ。ダーゲンハム

ボーンズ・アンド・ウイッグの書類によって、可能ならばフォイルのつぎの行動を予測するために《ヴォーガ》の全乗員の姓名を調査せよ。プレスタイン

戦争犯罪委員会は、民衆の敵ナンバー・ワンとしてフォイルを指名することに決定。Y・Y：中央諜報局

目下、内惑星連合において厳探中の、セレスのフォーマイル、別名、ガリヴァー・フォイル、または、ガリー・フォイル逮捕に有効な情報を提供する者に対し、百万¢rの賞金をあたえる。優先！

植民がおこなわれて二世紀経っていたが、火星上での、空気争いは依然としてきわめて深刻だったので、V・L法、すなわち植物私刑法《ヴェジィティティヴ・リンチ・ロウ》はまだ有効だった。火星の二酸化炭素の大気を酸素の大気にかえるために、いかなる植物の生命をも傷つけたり破壊したりすることは殺害行為と見なされる。草の葉いちまいでさえ神聖だった。〈芝生に入るべからず〉というネオンをたてる必要はなかった。芝生に入りこむ男はただちに射殺された。花をつむ女性は容赦なく殺された。この二世紀、不意におそってくる死におびえたこの世紀は、緑なして成長する植物に対する尊敬の念を起し、それがほとんど宗教にまで高められていた。

　フォイルは、火星のサン・ミシェルに通ずる舗装道路を疾走しながらこのことを思い出した。彼はシルティス修道院空港から、この舗装道路の麓にあるサン・ミシェルのジョウント台まで直接ジョウントしたのだった。この道路は四百メートルの緑野のなかをとおって、火星のサン・ミシェルに達していた。残りの道程は徒歩で行かなければならない。

　フランスの海岸にあるもとのモン・サン・ミシェルのように、火星のサン・ミシェルは荘厳なゴシック寺院で、稜線の上に立つ尖塔と胸壁をもち、高く天を望んでいた。地球のモン・サン・ミシェルは大洋の潮流でとりかこまれている。火星のサン・ミシェルは、緑の草の帯でかこまれていた。両方とも要塞だった。地球のモン・サン・ミシェルは組織された宗教が廃棄される以前の信仰の要塞だったたし、火星のサン・ミシェルはテレパシーの要塞だった。そのなかには火星でただ一人の完全なテレパス、シグルド・マグスマンが住んでいた。

「さて、ここにあるのがシグルド・マグスマンをまもっている防砦だぞ」フォイルはヒステリーとも祈りともつかない声でいった。「第一に太陽系。第二に戒厳令。第三にダーゲンハム－プレスタインの一味。第四に要塞それ自体。第五に制服の衛兵、監視員、召使、シグルド・マグスマンの崇拝者たち。おそるべき巨額の価格でおそるべき力を売りさばくシグルド・マグスマン……」

フォイルはとてつもない笑いをあげた。「しかし、第六におれが知ってることはシグルド・マグスマンのアキレスの踵《かかと》だ……おれはシグルド三世に百万₡rを支払ってある……いや四世だったかな？」

彼は偽造した身分証明書で火星のサン・ミシェルの外部迷路をとおりぬけた。しかし時間が緊迫していたし、もはや敵が身近に迫っているので加速して姿をくらまし、火星のサン・ミシェルの農園のなかの壁をめぐらした庭園で、見すぼらしい小屋がひとつあるのを見つけた。くすんだ窓と草ぶきの屋根で、厩舎と間違えそうなものであった。フォイルはそのなかに入りこんだ。

小屋は保育所だった。あかるい感じの保母三人が揺り椅子にじっとすわって凍えた手で編物をしていた。フォイルの朦朧とした姿が背後からおそいかかって、しずかに女たちを注射器で刺した。それから彼は減速した。年老いた、ひどく老年の子どもに眼をむけた。しなびて皺がよったその少年はフロアにすわって電車で遊んでいた。

「こんにちは、シグルド」フォイルがいった。

子どもは泣きはじめた。

「泣き虫だな！　何をこわがっているんだい？　ぼうやをいじめたりしないよ」

「おじさんはわるい顔をしたわるいひとだい」

「ぼうやの友だちだよ、シグルド」

「ちがう、そんなひとじゃない。何かぼくにわるいことをしようとするんだ」

「ぼうやの友だちだよ。おじさんはきみになりすまそうとするいやな大人たちのことはみんな知ってるんだ。だけど誰にもいわないよ。おじさんの心を読んでごらん」

「おじさんは彼をくるしめようとしてる。おじさんはぼくから彼に話させようとしているんだ」

「誰と？」

「船長。スクル——スコッ——」子どもは言葉につかえ、大声で泣いた。**「あっちへ行ってよ。おじさんはわるいひとだ。頭のなかにわるいことを入れて、あの燃えあがる人間と——」**

「こっちへおいで、シグルド」

「いやだ、ねえや！　乳母のーねーえーや！」

「黙ってろよ、このできそこないめ！」

フォイルは、この七十歳の子どもをつかまえてぐいぐいこづいた。「シグルド、これはおまえにも生まれてはじめての経験だろう。生まれてはじめてぶたれたろう。わかったな？」

老いぼれた子どもは彼をにらみつけて泣きわめいた。

「やかましい！　おれたちはこれからスコプツィ植民地へ行くんだ。もしおまえが、おとなしくしていわれたとおりにすりゃ、おれは無事におまえをもどしてやるし、棒キャンディでもなんでも好きなものをくれてやるよ。もしおとなしくしなけりゃ、おまえから生きる力をたたきだしてやる」

「いや、おじさんにはできない……できるものか。ぼくはシグルド・マグスマンだ。テレパスのシグルドだぞ。おじさんにはできるものか」

「ぼうや、おれはガリー・フォイルさ。太陽系の敵ナンバー・ワンだぜ。おれは一年もかかって追ってきたものがあと一歩で目鼻がつくんだ！……おれはあの野郎——とハナシをつけるためにおまえを必要としているから、こうしてヤバいまねをしているんだ。おれはガリー・フォイルだ。おれにできないことなんかないんだぞ」

テレパスは、ありったけの声をはりあげて恐怖を放送しはじめたので、警報は火星のサン・ミシェル全地域にひびきわたった。フォイルは、この老年の子どもをしっかり抱きしめ、加速して彼を要塞の外につれだした。それからジョウントした。

緊急警報。シグルド・マグスマンはガリヴァー・フォイル、別名セレスのフォーマイル、太陽系の敵ナンバー・ワンと認められる男によって誘拐された。目的地はほぼきまっている。統合旅団は警戒せよ。中央諜報局に連絡せよ。緊急警報！

セックスがいっさいの悪の根源であると信じていた、十八世紀ロシアのキリスト教の一派スコプツィの信者たちは、男根や乳房や陰核などを除去する残虐な自己去勢をおこなっていた。感動がいっさいの悪の根源だと信じている現代のスコプツィ信者は、さらに野蛮な習慣をおこなっていた。スコプツィ植民地に入り、特権のために財産をなげうつとき、あらたに入信した者は感覚神経を切除する手術をよろこんでうけ、見ることも、聞くことも、音を出すことも、話すことも、匂いを嗅ぐことも、味わうことも、触れることもなしに生きてゆくことになるのだった。

修道院に入るとき、新入者は優雅な象牙づくりの小さな部屋を見せられる。その内部で余生を黙想しておくるのだということがやさしく納得させられる。だが実際には、感覚のなくなった生物は地下墓地に押しこめられ、そのなかで荒く削ったままの石板の上にすわり、食物をあてがわれ、一日に一度運動するだけだった。二十四時間のうち二十三時間はただひとり暗闇のなかに放置され、世話もされず、保護もされず、愛されもせずにすわっているのだった。

「生ける屍《しかばね》だ」フォイルはつぶやいた。彼は減速して、シグルド・マグスマンを下におろし、網膜の光にスイッチを入れて、内部の暗黒をのぞきこもうとした。地下墓地のなかは永遠の夜だった。シグルド・マグスマンは恐怖と苦痛をテレパシーで大声に叫びたてたので、フォイルはまたこの子どもをふりまわさなければならなかった。

「だまれったら！」彼は低くいった。「おまえは、この死人たちを呼びさますことはできないんだぞ。さあ、リンゼイ・ジョイスをさがしてくれ」

「彼らは病気だ……みんな病気だ……頭のなかに蛆虫がいる……蛆と病気と――」

「おい、なんだっていうんだ。いい加減にしろ。もっとわるいものを見せてやるぞ」

二人は地下墓地の錯綜した迷路のなかに降りていった。石板はフロアから天井まで壁に棚になっていた。なめくじのように白く、屍骸のように無言で、仏陀のようにみじろぎもしないスコプツィ信者たちの生ける屍の死臭で、この洞窟はいっぱいだった。子どもは泣きじゃくって、大声をあげた。フォイルはしっかりつかまえて離さなかった。

「ジョンスン、ライト、キーリイ、グラッフ、ナストロ、アンダウッド……ああ、ここには何千人もいるんだな」フォイルは石板についている青銅の認識票を読みつづけた。「シグルド、リンゼイ・ジョイスをさがしてくれ。名前をひとつずつ追っていくわけにはいかない。リーガル、コーン、ブラディ、ヴィンセント――あ、なんだろう――？」

フォイルはあとずさりした。やせさらばえた青白い一人が額をたたいていた。身もだえし、くるしみ、顔がひきつっていた。棚の上の白いなめくじが身もだえして、くるしんでいるのだった。シグルド・マグスマンが絶えず発している苦悶と恐怖の放送が彼らに達し、彼らをくるしめていたのだ。

「だまれったら！」フォイルはどなった。「やめろ。リンゼイ・ジョイスをさがせ。そうすりゃここから出られる。さきをいそいで彼を見つけるんだ」

「この下だよ」シグルドは泣きじゃくった。**「この真下だよ。七つ、八つ、九つめの棚だ。ぼくは家に帰りたい。気もちがわるい。ぼくは――」**

フォイルは、シグルドといっしょにいそいで降りていった。認識票を読んでいくうちに、とうとう彼は、〈**リンゼイ・ジョイス　ブーゲンビル　金星**〉と書いてある場所にきた。

これこそフォイルの敵であり、フォイルの死と、カリストから避難しようとした六百人の死の首謀者であった。これこそ彼が復讐を計画し、何カ月も追いもとめてきた敵だった。これこそ彼が自分の宇宙船の特別船室でくるしみもだえさせてやろうと準備してきた敵であった。これこそ《ヴォーガ》だった。この人間は女だった。

フォイルは雷に打たれたように立ちつくした。女性がパーダ（女性を人眼にさらさないようにする幕）でかこわれていた時代には、女子が自分たちには閉ざされていた世界に入るために男装したという例が多く報告されている。しかし、彼は、女が商船の乗組員となり、しかも高級船員になりすましていたことなどは聞いたこともなかった。

「この女が？」彼は憤激して叫んだ。「これがリンゼイ・ジョイスなのか？《ヴォーガ》のリンゼイ・ジョイスなのか？　この女にきいてみろ」

「ぼくは《ヴォーガ》ってなんだか知らないもの」

「きいてみろ！」

「だってぼくは——この女のひとは……命令を出すんだよ」

「船長か？」

「ぼくはこの女のひとの心のなかがきらいだ。病気と闇だけだもの。くるしい。家に帰りたい」

「女にきいてみろよ。この女は《ヴォーガ》の船長だったのか？」

「そう。ねえ、おねがい、おねがい、おねがいだからもうこれ以上ぼくを彼女の内部に入らせないで。入り組んでいてくるしい。ぼくはこの女がきらいだ」

「この女にいってくれ。おれは二四三六年九月十六日に、この女が救おうとしなかった男だと。長い時間がかかったがとうとう話をつけにやってきたといえ。おかえしをしてやるというんだ」

「**ぼくにはわからない。わからないよ**」

「殺してやる、ゆっくり残酷に殺してやる、といえ。おれの宇宙船に特別船室が作ってある。おれが半年のあいだ腐れかかっていたあの《ノーマッド》でおれが閉じこめられていたのとおなじ部屋を用意してあるといってやれ。あのときのおれとおなじように腐りきって死んでいくんだといえよ。いってやれ！」フォイルはしなびた子どもを腹だちまぎれにふりまわした。「こいつに伝達するんだ。スコプツィにまぎれこんだって逃がすものか。おれが残酷に殺してやるといえ。おれのいうことがわかったらこの女にいうんだ！」

「**この女は……こ、このひとはそんな命令をしなかった**」

「なんだって！」

「**ぼく、この女のひとわからない**」

「この女は、おれを見殺しにする命令を出さなかったんだと？」

「**ぼくは彼女の内部に入るのがこわい**」

「入れ、馬鹿野郎、さもないとズタズタにしてやるぞ。この女はなんていってるんだ？」子どもが泣き叫び、女が身もだえして、フォイルは躍起になった。「入れ！　入れ！　この女から引き出せ。ちくしょうめ。シグルド！　シグルド、いいか。この女にきけよ。避難民を放り出す命令をあたえたかどうか？」

「いや、いや！」

「いやというのは、この女が命令を出さなかったのか、それともきさまが聞きたくないのか？」

「彼女は出さなかった」

「この女は《ノーマッド》を通過するように命令を出したのか？」

「この女は複雑で病気だ。ああ、おねがいだよ！　ね・え・や・た・す・け・て！　おうちへ帰りたい。帰りたいよう」

「この女は《ノーマッド》を通過する命令を出したか？」

「いや」

「出さなかったのか？」

「そうだよ。家へつれてって」

「誰が出したか彼女にきいてみろ」

「ねえやのとこへ行くんだ」

「誰が彼女に命令をだすことができたのかきくんだ。彼女は絶対的権力を持つ船長だった。そんな彼女に誰が命令できたんだ？　さあ、きくんだ！」

「ねえやにあいたいよぉ」

「きけといったら！」

「いや、いや、いや。ぼくはこわい。彼女は病気だ。暗くてまっくろだ。この女わるい。ぼくこの女わからない。ぼくねえやのところへ行きたい。うち行きたい」

子どもは泣き叫んで、身もだえした。フォイルは大声をあげた。こだまが鳴りひびいた。フォイルがはげしく子どもをつかまえたとき、まばゆい光で眼がくらんだ。地下墓地ぜんたいがあの燃えあがる男の姿で照らし出された。フォイルの虚像が眼の前に立っていた。ぞっとするような顔、燃えている着物、らんらんたる瞳が、かつてはリンゼイ・ジョイスで、今はおびえきっているスコプツィをひたと見すえていた。

燃えあがる男は虎のような口をカッと開いた。きしむような音が出た。まるで燃えさかる笑いのようだった。

「この女はくるしんでいる」彼はいった。

「おまえは何者だ？」フォイルはささやいた。

燃えあがる男がたじろいだ。「明るすぎる」彼はいった。「もっと光を弱くしろ」

フォイルは一歩前へすすんだ。燃える男は苦悶して耳をおさえた。「やかましすぎる」彼は叫んだ。「そんなに音をたてて動くな」

「おまえはおれの守り神か」

「おれの眼をくらませているぞ！」彼はまた笑った。「この女の言葉を聞け。悲鳴をあげている。哀願している。死にたくないのだ。くるしめられたくないのだ。この女の言葉を聞け」

フォイルは戦慄した。

「この女は誰が命令をくだしたかを語っている。おまえには聞えないのか？　おまえの眼で聞くのだ」燃えあがる男は身もだえしているスコプツィを爪ののびた指でしめした。

「この女はオリヴィアだといっている」

「なんだって！」

「この女はオリヴィアだといっている。オリヴィア・プレスタイン、オリヴィア・プレスタイン、オリヴィア・プレスタイン」

燃えさかる虚像は消えた。

地下墓地はまた暗黒にもどった。

さまざまな色彩の光と不協和音がフォイルの周囲をぐるぐるまわった。彼は驚愕で息がとまり、よろめいた。「青ジョウントだ」彼はつぶやいた。「オリヴィアだって。いや。ちがう。けっして。オリヴィア、おれは――」

彼は手がふれるのを感じた。「ジズか？」彼の声が割れていた。

シグルド・マグスマンが彼の手にぶらさがって泣きじゃくっていることに気がついた。

彼は少年を抱きあげた。

「**ぼくはくるしい**」シグルドはしくしく泣いた。

「おれもくるしいよ、ぼうや」

「**うちに帰りたい**」

「うちにつれていってやるよ」

少年を腕に抱いて、地下墓地をつまずきながら歩いた。

「生きた屍だ」彼は口のなかでいった。「それからおれもこの連中の仲間入りをしたんだ」

底から地上の修道院の廻廊に出る石段が見つかった。彼は死と荒涼とをあじわいながら階段をのぼった。頭上があかるくなっていた。一瞬、夜明けがもうやってきたのだとおもった。それから廻廊が人工光線でまばゆく照らされていることに気がついた。靴の音と指揮官たちの低い怒声が聞えた。階段の途中でフォイルは足をとめ、勇気をふるい起した。

「シグルド」彼はささやいた。「上にいるのは誰だ？　見つけ出せ」

「**へいたい**」子どもは答えた。

「兵隊？　どこの兵隊だ？」

「**特殊部隊**《コマンドー》**のへいたい**」シグルドの皺だらけの顔が、かがやいた。「**彼らはぼくのためにきたんだ。ぼくをうちのねえやのところにつれていって。ぼくはここにいるよう！　ぼくはここにいるよう！**」

テレパスの大きな叫びで、頭上から喚声が降ってきた。フォイルは廻廊に出る階段の残りを加速したり減速したりしてのぼった。緑の芝生でかこまれたロマネスク風のアーチのある広場に出た。芝生の中心には巨大なレバノン杉があった。石だたみの歩道には統合幕僚旅団の特殊部隊《コマンドー》が群がっていた。フォイルはいよいよおそるべき敵に見参したのだった。彼が地下墓地から朦朧としてあらわれるのを見ると、彼らもただちに加速して、いっせいに迫ってきた。

しかしフォイルは少年をかかえていた。射殺することは不可能だった。シグルドを腕に抱きしめ、彼は廻廊を縫って疾走した。彼を阻止しようとする者はいなかった。なぜならプラス五の加速では、ふたつのからだの正面衝突は両者にとって致命的だからだった。客観的には、この危険きわまる小ぜりあいは、五秒間、稲妻がジグザグにはしったようにしか見えなかった。

フォイルは廻廊を突破し、修道院の大広間をとおりぬけ、迷路を過ぎ、正面の門の外にある公共ジョウント台に到達した。そこで彼は足をとめ、減速し、八百メートル先のシルティス修道院空港にジョウントした。空港でも、電光でまばゆく照らし出され、特殊部隊《コマンドー》が群がっていた。反重力光線をそなえたピットは全部、部隊の宇宙船で占められていた。彼の宇宙艇には監視がついていた。

フォイルが空港に到着した五分の一秒後に、修道院からの追跡者たちがぞくぞくジョウントしてきた。彼は絶望的に周囲を見まわした。半個連隊の兵に密集的に包囲されていた。

彼らは全員が、加速できるよう改造され、殺人のための技能を身につけており、彼と同等の力をもつか、または、すぐれていた。勝つ見こみは絶無だった。

そのとき外衛星同盟が運命をかえた。地球に対して爆撃がおこなわれてからちょうど一週間後に、彼らは火星を攻撃したのだった。

ふたたび超長距離誘導弾が深夜から暁までの象限中に降りそそぎ、空をあかるくした。ふたたび空は対誘導弾と爆発で明滅した。地平線では光の大爆発が起り、地上では大衝撃が起った。しかし、こんどはぞっとするような変化があった。煌然《こうぜん》とかがやく新星が頭上で爆発し、ぎらぎらする光で惑星の夜陰を照らし出したからである。分裂した弾頭群の流れが火星の衛星のフォボスを攻撃し、一瞬にしてそれを蒸発させた。

宇宙艇を封鎖している旅団の兵士たちが、この凄絶な攻撃を認めるのが遅れたことは、フォイルに機会をあたえた。彼はふたたび加速し、彼らのなかをとおりぬけて宇宙艇に到達した。彼はメイン・ハッチの前で停止した。このまま命令にしたがって阻止行動をつづけるべきか、あらたな事態に対応すべきか迷って肝をつぶしている兵士たちを見た。フォイルはシグルド・マグスマンを空中に投げとばした。特殊部隊《コマンドー》の兵たちが少年をうけとめようと必死に駆けつけるあいだに、フォイルは彼らを出しぬいて宇宙艇の内部にとびこみ、ハッチを閉め、鍵をかけた。

加速したままで、彼は操縦室にとびこんだ。彼は発進レヴァーをはずした。彼は操縦席にベルトでからだを固定する余裕がなかった。加速されたままの無防備のからだに対する10Gのおよぼした効果は途方もなかった。

瞬間的に増大してくる巨大な圧力が彼をとらえ、椅子からふりおとした。彼は夢遊病者のように操縦室の背面に向かって少しずつ動いた。壁が彼の加速された感覚にあらわれ、彼に近づいてくる。彼は両腕をさしのべ、壁に向かって自分をささえるために掌を平たくした。彼をうしろに押しやるゆっくりした力が彼の両腕を離ればなれにさせ、彼を壁に押しつけた。最初はおだやかに、そしてしだいに強くなり、ついに顔が、顎が、胸が、からだぜんたいが金属の壁に吸いつけられてしまった。

巨大な圧力が苦痛になった。彼は、舌で口のなかのスイッチをはずそうとしたが、彼を壁に吸いつかせている推力のため、ゆがんだ口を動かすことは不可能だった。

水に浸蝕された岩がずりおちるような音を立てる爆発音のスペクトルがはるか下で起ったので、とり残された特殊部隊《コマンドー》が下から撃ってきたのだと思った。宇宙艇が外宇宙の紺碧のなかで分解すると、意識をうしなうまで、引き裂くような悲鳴をあげつづけた。

14

フォイルは暗黒のなかで眼をさました。彼は減速していたが、からだの疲労は彼が昏睡状態におちいっていたあいだ、加速状態にあったことを物語っていた。パワーパックが消耗されつくしたのか。あるいは……彼は片手をわずかに動かして背中の小さな部分にふれた。パワーパックはなくなっていた。とりのぞかれていたのだ。

彼はふるえる指先で探ってみた。彼はベッドのなかにいた。換気装置と冷房装置のうなりと自動制御装置のカチカチという音や低い騒音が聞えた。宇宙船に収容されている。彼はベッドにストラップで固定されていた。この宇宙船は自由落下の状態にあったのだ。

フォイルはベルトを解き、肘をマットレスに押しつけてふわっとうきあがった。暗黒のなかをただよいながら、照明のスイッチか呼鈴をさがそうとした。彼の両手がガラスに浮彫のほどこしてある水さしにふれた。指先でその字を読んだ。彼は感じた。商船。V、O、R、G、A。ヴォーガ。彼は悲鳴をあげた。

特別船室のドアが開いた。人影が、ドアを通って漂ってきた。その背後の贅沢な私用休憩室の照明がシルエットをうかびあがらせた。

「こんどはちゃんとあなたを収容したわ」声がいった。

「オリヴィア？」

「そうよ」

「すると、これは現実のことなんだね？」

「そうよ、ガリー」

フォイルは泣きはじめた。

「あなたはまだよわっているのよ」オリヴィア・プレスタインがやさしくいった。「さあ、横になりなさいな」

彼女は彼を休憩室につれていき、長椅子に腰かけさせるとベルトをしめた。長椅子はまだ彼女の体温でぬくもっていた。

「あなたは六日間もこんなふうだったのよ。あなたが生きかえるとはとても思えなかったわ。外科医があなたの背中にバッテリーがあるのを見つけるまでは、あなたのからだから何もかも出ていってしまうんですもの」

「どこにあるんだ？」彼は割れた声できいた。

「欲しいときはいつでもかえしてあげます。あせってはいけないのよ、あなた」

彼女を長いあいだ見ていた。純白の雪の処女、愛する氷の王女……純白の繻子《しゅす》の皮膚、盲目の珊瑚いろの瞳とこの上なく美しい珊瑚いろの口を見た。涙にぬれた眼瞼《がんけん》を、彼女は香水のきいたハンカチでふれた。

「きみを愛しているよ」彼はいった。

「しっ、わかっているわ、ガリー」

「きみはおれのすべてを知ってしまった。いつごろからだった？」

「《ノーマッド》を脱出した宇宙船乗りガリー・フォイルがあたくしの敵だということははじめから知っていたの。あなたがフォーマイルだということは、おめにかかるまで知らなかったわ。ああ、もしあたくしがもっと前に知ってさえいたら。どんなに多くのものが救われたでしょう」

「きみはおれを知っていて笑っていたんだ」

「いいえ」

「おれのそばに立って笑いこけていた」

「あなたのそばに立って、あなたを愛していたわ。いいえ、邪魔しないでちょうだい。あたくしは理性的になろうとしているの。やさしいことじゃないわ」大理石のような顔にさっと赤みがさした。「あたくしは今、あなたをからかっているんじゃないのよ。あたくしは……あたくしは父にあなたを密告しました。あたくしがしたことなの。自己防衛、そう思ったわ。はじめてあなたと会ったとき、あなたがひどく危険だということがわかりました。でも、その一時間後にはそれが誤りだとさとったわ。なぜならあたくしはあなたを愛していることに気がついたから。あたくしは今その代償をはらっているのよ。あなたはけっして人に知られる必要がなくなるわ」

「おれがきみのいうことを信じると思っているのか？」

「それじゃなぜあたくしがここにいるの？」彼女はかすかに身をふるわせた。「なぜあたくしがあなたを追ってきたの？　あの爆撃は凄惨なものだったわ。あたくしたちがあなたを救ったとき、あなたは瀕死の状態だったわ。あなたの宇宙艇は粉砕されたのよ……」

「おれたちは今どこにいるんだ？」

「それがどうしたっていうの？」

「おれは時間をかせごうとしているんだ」

「なんのための時間？」

「時間じゃなくて……おれは勇気をふるいおこそうとしているんだ」

「あたくしたちは地球の周囲をまわっているのよ」

「どうやっておれを追いかけた？」

「あなたがリンゼイ・ジョイスを追いつめることはわかっていました。あたくしは父の宇宙船のひとつを操縦してきたんです。それがたまたま《ヴォーガ》だったの」

「彼は知っているの？」

「知りませんわ。あたくしにはあたくしの生活があるから」

彼女から眼を離すことができなかった。しかも彼女を見ることが彼をくるしめた。彼は思慕の念に駆られながら憎悪した……現実がこのような形をとらなければよかったのに、という気もちにかられ、真実がまさにこのような形をとったことを憎んだ。彼は彼女のハンカチを、わなわなとふるえる手で愛撫している自分に気がついた。

「愛しているよ、オリヴィア」

「あなたを愛しますわ、ガリー、あたくしの敵のあなたを」

「あああ！」と彼は絶叫した。「なぜきみはあんなことをしたんだ？　避難民を乗せた《ヴォーガ》にきみは搭乗していた。避難民を放り出すように命じたのはきみだ。おれを見殺しにするように命令した。なぜだ！　なぜだ！」

「なんですって？」彼女はさっとうしろに退った。「あなたは謝罪してほしいの？」

「説明をききたいんだ」

「あたくしからは何も申しあげることはありません！」

「血と金。きみの父親がいったことだよ。彼は正しかった。ああ……売女！　牝犬！　ちくしょう！」

「血と金。そうよ。それに恥知らずと」

「おれは溺れかかっているんだよ、オリヴィア。おれに救助用のロープを投げてくれ」

「それなら溺れるがいいわ。あたくしを救ってくれる人は一人もいなかった。いいえ……そうじゃないわ。まるっきりちがう。ちょっと待ってね、あなた。待ってちょうだい」彼女は身なりをととのえて、ひどくやさしく話しはじめた。「あたくしは嘘をつくことだってできたのよ、ガリー。そしてあなたに信じさせることも。でもあたくしは正直になろうとしてるの。簡単な説明があるだけよ。あたくしにはあたくしだけの生活があるの、誰だって同じよね。あなただって」

「きみの私生活というのはなんだ？」

「あなたのとかわらないわ。世界じゅうのあらゆる人びとの生活とも。あたくしはだましたり、嘘をついたり、破壊したり……みんなとおなじことをしているのよ。あたくしは犯罪者よ……みんなとおなじように」

「なぜだ？　金のために？　きみには金は必要じゃない」

「そうよ」

「支配するため……権力のためか？」

「権力のためじゃないわ」

「じゃなぜだ？」

彼女はまるでこの真理こそ、いっさいにさきだつ真理であって、それが自分を磔刑《たっけい》にしているかのようにふかく息をした。「憎悪のためよ……みんなに報復するためよ、あなたがたみんなに」

「なんのためにだって？」

「盲目であることのために」彼女は押し殺した声でいった。「だまされていることのために、無力であることのために……あたくしは生まれたときに殺されるべきだったのよ。あなたは、盲目であるってことがどんなものかおわかりになって？　人生を、いったん人の手にわたったものとしてうけとるってことが？　依存すること、懇願すること、身障者であることが？　〝みんなを自分と同じところまで引きさげてやろう〟あたくしは、それを自分の秘密の生きかたにしたの。〝自分が盲目ならみんなをもっと盲目にしてやろう。自分が無力であるなら、みんなをさらに無力にしてやろう。報復するのよ……すべての人間に〟」

「オリヴィア、きみは狂ってる」

「それなら、あなたは？」

「おれは怪物に恋をしてるんだ」

「あたくしたちはおたがいに怪物同士よ」

「ちがう！」

「ちがう？　あなたが怪物じゃないですって？」彼女はかっとなった。「あたくしとおなじで、世間に報復するのでないとすれば、あなたのやってきたことはなんなの？　自分の悪運のカタをつけるのでないとしたら、あなたの復讐はなんだったというの？　あなたを狂気の怪物と呼ばない人がいると思う？　いいこと、あたくしたちは似たもの同士なのよ、ガリー。あたくしたちは愛しあわないわけにはいかないのよ」

彼は彼女の語った真実に喪心《そうしん》する思いだった。彼女がつむぎあげた経帷子《きょうかたびら》を試着してみると、それはまさに彼にぴったりで、彼の顔に浮かびあがる虎の仮面の刺青よりも、みごとにしっくりと身にまとわりついた。

「それはほんとうだ」彼はゆっくりいった。「おれはきみよりちっともましな人間じゃない。いや、もっとわるい。しかしおれは六百人もの人間を殺したことはない」

「あなたは六百万人も殺しているのよ」

「なんだって？」

「それ以上かもしれないわ。あなたは戦争を終結させるために人びとが必要としているものを手に入れて、それを離さないでいるのだから」

「パイアのことか？」

「そうよ」

「その平和をもたらすもの、みんながそのために戦っている二十ポンドの奇蹟というのはなんなんだ？」

「あたくしにはわからないわ。でも、みんながそれを必要としていることは、わかっているの。あたくしはどうでもかまわない。そうよ、今こそ正直にいうわ。あたくしはかまわない。何百万人でも殺されたらいいのよ。あたくしたちには関係のないことですもの。あたくしたちには影響がないわ。ガリー、あたくしたちは離れて立っているんですもの。そんなものから離れて、あたくしたち自身の世界をきずけばいいのですもの。あたくしたちはつよいのだから」

「おれたちは呪われた存在だ」

「あたくしたちは祝福された存在よ。あたくしたちはおたがいに相手を見いだしたのよ」いきなり彼女は笑い声をあげて、両腕をさしのべた。「言葉にする必要なんかないときに、あたくしときたら議論をしているわ。さあ、いらっしゃい。愛《いと》しい人……あなたがどこにいようと、あたくしのところに……」

彼は彼女にふれて、やがて彼女を抱きすくめた。彼女の口をさぐりあてむさぼりつくした。しかし彼は無理に彼女をひき離した。

「どうしたの、ガリー、ねえ？」

「おれはもう子どもじゃない」彼は疲れたようにいった。「単純なものは何ひとつないことを理解することを学んだ。単純な答などはない。はげしく誰かを愛しながら、きらうこともできる」

「あなたにできるの、ガリー？」

「しかも、きみはおれに自己嫌悪させている」

「そんなことはないわ、あなた」

「おれはこれまでずっと虎だった。おれは自分を訓練した……教育した……もっと長い爪と鋭い歯をもって……すばやい、狙ったが最後、かならず相手を屠《ほふ》るつよい虎に自分を仕立てあげるように……自分を高めてきた……」

「あなたはそうよ、あなたは。いちばん凶暴な虎が、あなたよ」

「いや、そうじゃない。おれは単純さをとおく超えてしまった。自分をかんがえる動物にしてしまったんだ。おれはきみの盲目の眼をとおして、自分が嫌悪する愛情、自分の恋を見る。そして自分自身を見るんだ。虎は消えてしまった」

「虎にはどこにも行ける場所はないわ。あなたは罠にかかったのよ、ガリー。ダーゲンハム、諜報局、あたくしの父、世界じゅうから」

「わかっている」

「でもあたくしといっしょなら安全なのよ。あたくしたちがいっしょに組んでいたら安全だわ。あなたがあたくしのそばにいようとは誰ひとり夢にも思わないもの。あたくしたちはいっしょに計画していっしょに戦い、いっしょに破壊することができるわ」

「いや、いっしょじゃない」

「どういうことなの？」彼女はまたかっとなった。「あなたはまだあたくしを追いつめようとしているの？　それが気にいらないことなの？　まだ復讐したいの？　それなら、復讐していいわ。あたくしはここにいるわ。おやりなさい……さあ、あたくしを破壊してちょうだい」

「いや、破壊することはもうおれには用がない」

「ああ、あたくし、わかったわ」彼女はたちまち、またやさしくなった。「その顔のことなのね、かわいそうなひと。虎の顔を恥じているんでしょう。だけどあたくしはそれを愛しているのよ。あなたはあたくしのためにそんなにまで灼熱して燃えているのだわ。あなたは盲目の眼をつらぬくほど燃えているのよ」

「ああ、おれたちはなんというういやらしいできそこないだろう」

「だからどうしたっていうの？」彼女が問いつめた。彼から身を引き離した。彼女の珊瑚いろの眼がぎらぎらかがやいた。「あたくしといっしょにあの空襲を見まもっていた男はどこにいるの？　あの恥を知らぬ残酷な男はどこに――」

「消えてしまったよ、オリヴィア。きみは彼をうしなったんだ。おたがいに相手をうしなったのさ」

「ガリー！」

「あの男はうしなわれたんだよ」

「だけどどうして？　あたくしが何をしたっていうの？」

「きみにはわからないんだよ、オリヴィア」

「あなたはどこにいるの？」彼女は手をさしのべ、彼にふれてしがみついた。「聞いてちょうだい、あなた。あなたはつかれているのよ。消耗しきっているの。それだけなのよ。何もうしなわれてはいないわ」言葉が堰《せき》を切ったようにほとばしりでた。「あなたは正しいわ。もちろんあなたのいうとおりよ。あたくしたちはわるかったわ。二人とも。いやらしいわ。だけどそれはみんなすぎたことなの。何もうしなわれてはいないわ。あたくしたちは孤独で不幸だったから悪いことをしたのよ。だけどあたくしたちはおたがいに相手を見つけた。あたくしたちはおたがいを救うことができるわ。あたくしを愛して、あなた。いつも。いつまでも。あたくしはあなたを長いこと待ったのよ。待ち望んで、祈っていたのよ……」

「いや、きみは嘘をついている、オリヴィア。しかも自分でそれを知ってるんだ」

「とんでもないことだわ、ガリー？」

「《ヴォーガ》を降下させてくれ、オリヴィア」

「着陸するの？」

「そうだ」

「地球に？」

「そうだよ」

「あなたは何をなさろうとするの？　あなたこそ気が狂っているわ。みんなが、あなたを追跡しているのに……あなたを待ちかまえ……監視しようとしているのよ。どうするつもりなの？」

「おれにとってこれが容易なことだと思っているのか」彼はいった。「おれは自分のしなければならないことをするまでさ。おれはまだ憑《つ》かれている。それから逃れられる人間はいない」

彼は憤怒をしずめ、自分をおさえた。彼女の手をとって掌に唇をふれた。

「すべて終わってしまったんだ、オリヴィア」彼はやさしくいった。「しかしおれはきみを愛しているよ、いつも。いつまでも」

「わたしが要約してみましょう」ダーゲンハムがテーブルをかるくたたいた。「地球でフォイルを発見した晩にわれわれは爆撃をうけた。月で彼の行方を見うしない、一週間後に火星で彼を発見した。われわれはふたたび爆撃された。ここでまた彼を見うしなった。すでに一週間失踪しております。あたらしい爆撃が考えられます。内惑星連合のどの星にたいして？　金星か？　月か？　ふたたび地球か？　誰にもわかりません。しかしわれわれとしても、つぎのことはわかっております。報復をくわえることなしに、このままもう一度空襲をうければ、われわれは敗北するということです」

　彼はテーブルの周囲に眼を走らせた。プレスタイン城の〝会議室〟の象牙と金の背景を背にして、彼の顔、三人の顔全部が緊張していた。ヤン・ヨーヴィルは眼をほそめて顔をしかめた。プレスタインは薄い唇を噛みしめていた。

「つぎのこともわかっております」ダーゲンハムは続けた。「われわれはパイアなしには報復できないし、フォイルなしにはパイアの所在をつきとめることはできないということ」

「わしの指令は、パイアは公開の場所で言及されてはならぬ、ということだった」プレスタインがさえぎった。

「まず第一に、ここは公開の場所ではありません」ダーゲンハムはたたきつけるようにいった。「私的な情報交換の席ですよ。第二に、所有権の問題を超えている。われわれは生存をつづけるためにどうするかを討議しているのであって、その点では、われわれはひとしく平等な権利をもっているのです。なんだね、ジズ？」

　ジスベラ・マックイーンが会議室にジョウントしてきた。彼女ははげしい憤怒の表情を見せていた。

「まだフォイルは発見されません」

「旧セント・パトリック寺院はまだ監視がついているね？」

「ええ」

「火星の特殊部隊《コマンドー》から報告は？」

「ありません」

「それは小生の仕事ですな、極秘ですよ」ヤン・ヨーヴィルはおだやかに異議をとなえた。「わたしがあなたのほうから手に入れるのとおなじくらい、あなたはわたしから情報を得ているじゃありませんか」ダーゲンハムは陰気に頬をくずした。「その報告をもってきて、ここで中央課報局の鼻をあかしてやることができるかどうかやってごらん、ジズ」

彼女は消えた。

「所有権のことですが」ヤン・ヨーヴィルはつぶやくようにいった。「プレスタインに提案したいのですが、中央課報局はパイアに関する権利、証書、利益をあくまで完全にお支払い申しあげると保証する用意がありますが？」

「増長させないほうがいいよ、ヨーヴィル」

「この会談は録音されている」プレスタインはつめたくいった。「大尉の提案はすでに書類棚に入れられているのだ」彼はダーゲンハムにバシリスクのような顔を向けた。「あんたはわしにやとわれておるのだ、ミスタ・ダーゲンハム。わしのことにふれるときは、自分をおさえてもらいたいね」

「あなたの所有物に対しても、ですか？」ダーゲンハムはおそろしい微笑を見せて反問した。「あなたと、あなたの呪われた所有物。あなたのすべてと、あなたの呪われた財産のすべてがわれわれをこの穴のなかに追いこんでいるんですよ。あなたの財産のために、全機構が絶滅の危機に瀕している。誇張して申しあげているのではない。もしわれわれがとめることができなければ、いっさいの戦争を終わらせる最終戦争になるのです」

「われわれはいつでも降伏できるじゃないか」プレスタインが答えた。

「そうはいかない」ヤン・ヨーヴィルがいった。「その案はすでに司令部で討論されたうえで放棄されています。敵は内惑星連合の完全な搾取を企図している。われわれは外衛星同盟が勝利をおさめたあとの計画を承知しています。われわれは略奪されて、ついには何も残らぬまでに酷使されるでしょう。降伏は徹底的な敗戦とおなじ程度に、さんたんたるものになるでしょうな」

「しかしプレスタインにとってはそうではない」ダーゲンハムはつけくわえた。

「つまり……彼の会社は除外されるのですな？」ヤン・ヨーヴィルはダーゲンハムに答えた。

「なるほど、そうでしたか、プレスタイン」ダーゲンハムは椅子ごとからだをまわした。

「いってください」

「なんだと？」

「パイアのことをすっかりうかがおうじゃありませんか。フォイルの所在をつかんで、その物質をつきとめる方法はかんがえつきましたがね、しかし、いっさいを知っておかなければなりませんな。情報を提供してください」

「いやだ」プレスタインが答えた。

「何がいやなのです？」

「わしはこの情報交換会から退場することにきめた。パイアに関しては何もあかす必要はない」

「何をいうんだ、プレスタイン！　あなたは気がくるったのか？　あなたは何をもくろんでいるんだ？　またレジス・シェフィールドの自由党と抗争しているのか？」

「きわめて単純なことなんだよ、ダーゲンハム」ヤン・ヨーヴィルが割って入った。「降伏して敗戦した場合にかんするわたしの得た情報によれば、プレスタインにとって、その地位をいっそう強固なものにする機会をあたえることをしめしている。彼が財産上の利益のために、敵と取り引きしようと思っていることは疑いをいれないよ」

「どんなことでもあなたの感情を動かすことはできないのか？」ダーゲンハムはプレスタインにさげすみのいろをみせてきいた。「何もあなたを感動させることはできないのか？　財産だけでほかに何もないのか？　あっちへ行っていろ、ジズ！　何もかもダメになってしまった」

ジスベラが、また会議室にジョウントしてきたのだった。

「火星の特殊部隊《コマンドー》から報告がありました」彼女はいった。「フォイルがどうなったか、わかったのです」

「なんだって？」

「プレスタインが彼をとらえています」

「なんだって！」ダーゲンハムとヤン・ヨーヴィルが二人ともとびあがった。

「彼は専用宇宙艇で火星を離れましたが、爆破されたのち、プレスタインの《ヴォーガ》によって救出されたことが観測されました」

「よくもきさまは、プレスタイン」ダーゲンハムはたたきつけるようにいった。「だからきさまは――」

「待て」ヤン・ヨーヴィルが命令した。「彼もはじめて知ったんだ、ダーゲンハム。見ろ」

プレスタインの美しい風貌は灰色になっていた。立ちあがろうとしたが、すぐに椅子にくずれるようにたおれこんだ。

「オリヴィア……」彼はつぶやいた。「あいつといっしょに……あの屑と……」

「プレスタイン？」

「娘が……最近になって……ある種の活動をおこなっていた。わが家門の悪徳だ。血と――わしは……それに眼を閉じていた……そんなことをかんがえるわしが間違っているのだとほとんど思いこんでいた。わしは……しかし、あのフォイル！　けがらわしい！　ブタめ！　あいつを破滅させてやるぞ！」プレスタインの声がおどろくほど大きくなった。頭は絞り首になった男のようにうしろにそっくりかえり、からだがふるえはじめた。

「これはいったい――？」

「癲癇だ」ヤン・ヨーヴィルがいった。彼はプレスタインを椅子からフロアにひきずりおろした。「スプーンだ、ミス・マックイーン、早く！」彼はプレスタインの歯をこじあけ、舌を噛まないようにスプーンを歯のあいだにさしこんだ。発作ははじまったときとおなじように、すぐに終わった。ふるえはとまった。プレスタインは眼を開けた。

「かるい病気《プティ・マル》だ」ヤン・ヨーヴィルはつぶやいて、スプーンをとった。「しかし、しばらくめまいがするだろう」

　不意にプレスタインは低い単調な声で話しはじめた。

「パイアはパイロフォア合金だ。パイロフォアは削られたり打たれたりすると火花を発する金属なんだ。パイアはエネルギーを放射する。エネルギーを示すEの前にPyrという接頭語がついている理由はこれだ。パイアはトランスプルトニウム・アイソトープの固溶体で、星のフェニックス作用と類似した熱核エネルギーを解放する。その発見者の意見によると、宇宙に爆発した原初物質とおなじものをつくりだしたという話なのだ」

「まあ！」ジスベラが叫んだ。

　ダーゲンハムは、からだの動きで彼女をだまらせ、プレスタインの上に身を寄せた。

「どうすれば、危険量に達するのです。プレスタイン？　どういう方法でエネルギーが解放されるのですか」

「原初的エネルギーが天地創造のときに発したように」プレスタインは低くつぶやいた。

「意志と思惟《しい》によって」

「彼は隠れキリスト教徒らしいね」ダーゲンハムはヤン・ヨーヴィルに低くいった。彼は声をあげた。「説明していただけませんか、プレスタイン？」

「意志と思惟によってだ」プレスタインはくりかえした。「パイアはサイコキネシスによってのみ爆発する。そのエネルギーは思惟によってのみ解放されるのだ。爆発が意志され、思惟がそれに直接むけられなければならないのだ。それが唯一の方法だ」

「鍵はないのですか？　公式は？」

「いや、ただ意志と思惟だけが必要なのだ」ぼうっとした眼が閉じた。

「ああ、なんということだ！」ダーゲンハムは額の汗を拭いた。「これで外衛星同盟を阻止できるのだろうか。ヨーヴィル？」

「生きとし生けるものがことごとく破滅するだろう」

「地獄への道だわ」ジスベラがいった。

「じゃそれを見つけだして、その道を避けようじゃないか。いい考えがあるんだよ、ヨーヴィル。フォイルは旧セント・パトリック寺院の彼の研究室で、あの地獄の爆弾をいじりまわしていたそうだ。あれを分析しようとして」

「絶対に秘密にしといてといったのに」ジスベラが憤然としていった。

「ごめんよ、きみ。しかし、われわれはもはや名誉や体面にかまってはいられないんだ。そこでだよ、ヨーヴィル、塵埃《じんあい》が液体か沈澱物になってその物質の微少な部分が……きっと、そのあたりにあるはずだ……われわれはこの破片を爆発させて、フォイルのサーカスから悪魔を粉砕してやるんだ」

「なぜ？」

「彼をおびきだすためさ。彼は、あの近くにパイアを隠してあるにちがいない。彼はそれをとりもどすためにやってくるよ」

「そいつも爆発したらどうする？」

「そんなことはないよ、不活性鉛の同位元素の金庫の内部に貯蔵されている以上はね」

「全部がしまってあるわけではないだろう」

「ジズの話ではあるんだ……すくなくともフォイルはそう報告している」

「わたしをそんなことにまきこまないでちょうだい」ジスベラがいった。

「いずれにせよわれわれは賭けなければならないんだ」

「賭けだって！」ヤン・ヨーヴィルは叫んだ。「フェニックス作用に賭けるのか？　きみは太陽系に超新星を誕生させる賭けをやろうとしているんだぞ」

「ほかにどうしようもないじゃないか？　ほかの道を選んでみるがいい……そいつもまた破滅への道さ。われわれに選択の余地があるのか？」

「待つことはできるわ」ジスベラがいった。

「何を待つんだ？　フォイルがそいつをいじくりまわして、こっちもいっしょに吹きとぶのを待つのか？」

「彼に警告してやることができるわ」

「彼の所在がわからないんだよ」

「見つけることはできるわ一

「どのくらいかかって？　それだって賭けじゃないか？　どこかにころがっていて、誰かがそれをエネルギーに変えることを思考するのを待っている、あの物質はどうなる？　かりに、ジョウント襲団の山犬どもがそいつを手に入れたとしてみろ、何かいいものでも入っているかと思って金庫を開けたらどうなる？　だからわれわれとしては、偶然にそんなことが起るのを待っているわけにはいかないよ。どうあってもその二十ポンドを手に入れるんだ」

ジスベラは蒼白になった。ダーゲンハムは諜報局の将校にむきなおった。「決定するのはきみだ、ヨーヴィル。おれの方法を実行するか、それとも待つか？」

ヤン・ヨーヴィルは吐息をもらした。「おれはこうなるのをおそれていたんだよ」彼はいった。「科学者なんてみんな呪われるがいい。おれはきみが知らない理由で決定をしなければならないんだよ、ダーゲンハム。じつは外衛星同盟もこいつを狙っているんだ。われわれには敵が諜報員を総動員してフォイルを探していると信ずべき理由がある。悪辣きわまりないやりかたでね。もしここでぼんやりしていれば、敵はこっちより先に彼を拉致することになるだろうね。いや、こうしているあいだに、すでに彼をとらえたかもしれない」

「するときみの決定は……？」

「爆発だ。もしできることならフォイルをおびきだそう」

「いけないわ！」ジスベラが叫んだ。

「どういうふうにやる？」ダーゲンハムが彼女を無視してきいた。

「ああ、おれはこの仕事にぴったりの人間を思い出したぞ。ロビン・ウエンズバリという一方通行のテレパスがいるんだ」

「いつやる？」

「すぐだ。さっそくあの付近ぜんたいを疎開させよう。全報道網を動員して完全なニュース番組にして放送をおこなおう。フォイルが内惑星連合のどこかにいるとすれば、彼はそれについて聞くはずだ」

「それについて聞くんじゃないわ」ジスベラは、必死になっていった。「彼はそれを聞くのよ。

わたしたち人間が聞く最後のニュースになるわ」
「意志と思惟だ」プレスタインは低くいった。

いつものようにレニングラードの騒然とした民事裁判から帰ってきたとき、レジス・シェフィールドは手ごわい相手を破った拳闘選手のように機嫌がよかった。ベルリンのブレクマンに寄って酒を飲み、しばらく戦争の話をした。彼は旧フランス外務省の集会所でまたしばらく戦争の話をした。彼がニューヨークに到着したときは、快適な照明がかがやいていた。

彼が廊下と、そこに並ぶ部屋の前を大きな足どりで歩いていくと、秘書が手にいっぱいの携帯録音球を持って彼をむかえた。

「ジャルゴ・ダンチェンコをたたきのめしてやったよ」シェフィールドは勝ちほこって報告した。「老練なダンチェンコめ、さすがにぐうの音《ね》も出ない。まずこれで十一対五でおれに有利になったよ」彼は携帯録音球をオフィスにバラバラまき散らした。びっくりして口を開けた秘書の口めがけてそのひとつをほうりこんだ。

「まあ、ミスタ・シェフィールド！　酔っていらっしゃるんですね？」

「今日はもう仕事はしないぞ。戦争のニュースは陰鬱すぎる。愉快になろうとしたら何かしなければいられないじゃないか。どうだね、通りに出て大さわぎでもしようか？」

「まあ、ミスタ・シェフィールド！」

「わたしを待っている仕事は別の日にまわしてくれないかね？」

「オフィスにお客さまがお待ちですわ」

シェフィールドは感心しないような顔つきをした。

「いったい誰だね？　神さまかね、それとも人間さまかね」

「名前をおっしゃいません。これをおわたしになりました」

秘書はシェフィールドに密封した封筒をわたした。

「至急」と走り書きしてあった。シェフィールドは封を切った。むっつりした顔が好奇心でひきつった。そして眼が大きくひろがった。封筒の中には二枚の五万¢r紙幣が入っていた。シェフィールドは無言のまま身をひるがえして自分の専用オフィスにとびこんだ。

フォイルは椅子から立ちあがった。

「これは、ほんものの紙幣ですな」シェフィールドが口走った。

「わたしの知っているかぎりではね」

「この紙幣は二十枚、まさしく昨年造幣されております。全部が地球の国庫におさめられておるはずですが。あなたはどうしてこの二枚を入手なさったのですか？」

「賄賂《わいろ》で」

「なぜです？」

「そのときは、これを手に入れておけば便利だろうとかんがえていましてね」

「なんのためにです？　もっと賄賂を使うときにですか？」

「もし合法的手数料が賄賂だとすれば」

「手数料は自分で決めていますよ」シェフィールドはいった。紙幣をフォイルにぽんと投げ出した。「わたしがあなたの事件を手がけるとして、わたしがあなたに役立ったと思ったら、その紙幣をお使いなさい。ところであなたの問題というのはなんです？」

「犯罪です」

「そんなにはっきりおっしゃらなくてもいいですよ。それで……？」

「自首しようと思います」

「警察に？」

「そうです」

「どんな犯罪です？」

「いろいろな犯罪です」

「ふたつだけ挙げてください」

「強盗と強姦」

「もうふたつあげてください」

「脅迫と殺人」

「まだほかに何かあるのですか？」

「反逆と大量虐殺」

「あなたの目録はそれだけですか？」

「そうだと思います。もっと仔細に検討すれば、あといくつか発見できるかもしれませんが」

「たいへんおいそがしかったわけですね、え？　あなたは悪魔の皇子か、さもなければ正気じゃありませんな」

「両方だったのです、ミスタ・シェフィールド」

「自首したい理由は」

「正気にかえったのです」フォイルははげしく答えた。

「そんなことをきいているのではありませんよ。犯罪人というものは、景気がいいあいだはけっして降参するものではありませんな。あなたはあきらかに景気がいい。理由はいったいなんなのです？」

「人間にとりつくもののなかでもっとも始末のわるいもの。わたしは良心という珍奇な病気にかかったのです」

シェフィールドは鼻を鳴らした。「それは命とりになることが多いですよ」

「命とりですね。わたしは自分が動物のように行動してきたことをさとったのです」

「それで今や自分を処罰してしまいたいというわけですね」

「いや、そんなに単純ではない」フォイルは厳粛な顔つきでいった。「だからあなたのところにきたのです……重要な外科手術のために。社会の組織を転覆させる人間は癌です。自分個人の決定を社会の上におくものは犯罪者です。しかし連鎖反応がありますからね。刑罰で自分自身を処分するのでは充分ではない。いっさいをただしくたてなおさなければならないのです。わたしをグフル・マルテルにもどすか、またはわたしを射殺することだけで、いっさいがもとにもどるならどんなによいか……」

「もどるというのは？」シェフィールドがするどく言葉をはさんだ。

「こまかく述べましょうか？」

「いや、まだ結構です。つづけてください。あなたはまるでご自分の道徳的な苦痛が、刻一刻増大してくるような話しかたをなさいますね」

「まさにそのとおりです」フォイルは神経質な指先で紙幣をしわくちゃにしながら興奮していった。「こいつはとほうもなく混乱した地獄なんですよ、シェフィールド。おそるべき頽廃的な犯罪をつぐなわなければならない一人の娘がいるんです。わたしが彼女を愛しているという事実は――いや、それはどうでもいい。彼女は切除すべき癌をもっているんです……わたしとおなじように」

「その錯綜した事件とは、いったいなんなのです？」

フォイルはシェフィールドにむきなおった。「あの正月にニューヨークに落ちた爆弾のひとつがあなたの事務所のなかにのこのこ入ってきて、こういったとしましょう。〝うまくカタをつけてくれ。おれをもとどおりにして家に帰してくれ。おれが根こそぎにして粉砕した都会と人間をもとどおりにしてくれ〟わたしがあなたに依頼したいのもこれが理由なのです。わたしは普通の犯罪者がどういう気もちになるものかは知らない。しかし——」

「とにかくあなたが犯罪者だとしても、アマチュアであることに間違いはありませんな。分別をお持ちなさい。あなたはここへきて、ご自分を強盗、強姦、殺人、大量虐殺、反逆などというとほうもない罪状で告発なさってておいでですな。わたしがまじめにとりあうと思っておいでですか？」

シェフィールドの助手のバニイがオフィスにジョウントしてきた。「チーフ！」彼は興奮して叫んだ。「めずらしい事件が起きました。二人の社交界の若者がCクラスの売春婦を買収してワイセツ・ジョウントを——あああ。これは失礼。ついうっかりして——」バニイは声をのんで凝視した。「フォーマイルだ！」彼が叫んだ。

「何？　誰だって？」シェフィールドがききかえした。

「この男をご存じないのですか、チーフ？」バニイは口ごもりながらいった。「セレスのフォーマイル、ガリー・フォイルですよ」

一年以上も前に、レジス・シェフィールドはこの瞬間がきたときにそなえ、催眠学習で準備をととのえていた。彼のからだは思考することなしに反応する準備ができていた。反応は稲妻のようだった。シェフィールドは半秒間で、フォーマイルの顳顬《こめかみ》、咽喉、下腹部をなぐりつけた。

フォイルは倒れた。シェフィールドはふりかえりざま、バニイをオフィスの奥めがけてたたきつけ、それから彼は掌に唾を吐きかけた。薬品は手に入らないかもしれないので、薬品にはたよらないように手はずがきめられていたのだった。シェフィールドの唾液腺は刺激にたいしてアナフィラキシイ分泌を起すように準備されていた。フォイルの服の袖を開いてその腕のくぼみのなかに爪をふかく刺し、傷をつけた。彼は唾を傷のなかにすりこみ、皮膚をつねりながらあわせた。

異常な叫びがフォイルの唇からもれた。鉛色の刺青が彼の顔面にあらわれた。腰をぬかしたバニイが動けないでいるうちに、シェフィールドはフォイルを肩にかついでジョウントした。

彼は旧セント・パトリック寺院にある四《フォー》マイルサーカスの中央に到着した。大胆不敵な、しかし計算した行動だった。これは彼が最後に行くことを期待されていた場所だったし、パイアがあると最初から予想していた場所だった。サーカスの内部《なか》には人の姿はなかった。大伽藍のなかに張ってある空《から》っぽのテントは、ぼろぼろになっていた。シェフィールドは、最初に眼についた部屋にとびこんだ。フォーマイルの移動図書室だった。そのなかに、数百冊の書物と、数千におよぶ小説記録球が美しく光っていた。ジョウント襲団の山犬は図書室には興味をもたなかったのだ。シェフィールドはフォイルをフロアに投げ出した。そのときになって彼はポケットから拳銃を出した。

フォイルの眼瞼《がんけん》がひくひく動いた。眼が開いた。

「きみは薬物を注射されているぞ」シェフィールドは早口にいった。「ジョウントしようとするな。動くんじゃないぜ。警告しておく。おれはどんなことにでも対処する用意がある」

フォイルは茫然としていた。彼は起きあがろうとした。シェフィールドは即座に発砲し、肩に傷をおわせた。フォイルは石だたみにたおれた。からだがしびれ、耳鳴りがしてきた。毒が全身の血管をまわっていたのだ。

「警告しておく」シェフィールドはくりかえした。「おれはどんなことにでも対処できる用意がある」

「何をのぞんでいるんだ？」フォイルはつぶやいた。

「ふたつある。パイア二十ポンドときさまだ。とくにきさまの身柄だ」

「ばかめ！　おれは断念して……あれを……わたすためにきさまのオフィスに行ったのに……」

「外衛《OS》に売るつもりだったのか？」

「何に……だって？」

「外衛星同盟に？」

「いや……」フォイルはつぶやいた。「おれとしたことが、迂闊だった。愛国者、シェフィールド、外衛《OS》の手先か。迂闊だったよ。おれはバカだ」

「きさまは全宇宙でもっとも貴重なバカなのさ、フォイル。われわれはパイアよりも、もっときさまがほしいくらいなんだ。パイアはわれわれにとって未知なるものだが、きさまの正体は知っているからな」

「なんの話をしているんだ？」

「ほう！　きさまは知らんのだな、どうだ？　きさまはまだ知らんのだ。うすうす知ってもいないのだ」

「何を、だ？」

「まあ聞くがいい」シェフィールドはたたきつけるような声でいった。「二年前の《ノーマッド》のことから話をはじめよう。いいか？　《ノーマッド》の死のことにもどるんだ。われわれの攻撃隊のひとつが《ノーマッド》を撃破した。そしておまえが難破船のなかにいるのを発見した。唯一人の生存者だった」

「すると外衛《OS》の艦船が《ノーマッド》を爆破したんだな？」

「そうだよ。おぼえていないのか？」

「そのことは何ひとつおぼえていない。思い出せなかった」

「なぜだか教えてやろう。攻撃艦はうまい計略を考えた。彼らはおまえを囮《おとり》に仕立てようとしたんだ。わかるだろう？　おまえは死にかけていた。しかし彼らはおまえを収容して治療した。彼らはおまえに宇宙服を着せて、短波送信機といっしょに漂流させた。おまえはあらゆる波長で遭難信号を発信し、救助をもとめていた。彼らはその近くに隠れていて、おまえを助けにくる内惑《IP》の艦船をねらおうという寸法だったのさ」

フォイルは笑い出した。「おれは立ちあがるぞ」彼はだいたんにいった。「もう一度撃て、大バカ野郎、しかし、おれは立ってやるんだ」彼は肩を手でおさえながら立ちあがろうとした。「してみると、《ヴォーガ》はどっちにしてもおれを救わないほうがよかったのか」フォイルは笑った。「おれは囮だったのか。誰もおれのそばに近づいてはいけなかったわけだ。おれは囮、死の餌だったのか。こいつは最後の皮肉じゃないか？　最初《はな》から《ノーマッド》には救助される権利がなかった。おれは復讐する権利がなかったんだ」

「きさまにはまだわかっていないんだな」シェフィールドがどなった。「おまえを漂流させたとき、彼らは《ノーマッド》の近くにはいなかった。彼らは《ノーマッド》から百万キロ離れていた」

「百万――？」

「《ノーマッド》は航路からあまりに離れていた。彼らは宇宙船がよく通過する航路にきさまを漂流させたかったのだ。きさまを百万キロ太陽に近づけてから漂流させた。攻撃艦のエア・ロックから押し出し、その位置から後退して、漂流しているきさまを監視していたんだ。きさまの服の光が点滅し、きさまは短波で救助をもとめながらうめき声をあげていた。それから、きさまは消えた」

「消えたって？」

「おまえはいなくなったんだよ。光もなければ放送もしない。彼らはしらべに行った。おまえはあとかたもなく消えていた。そして次にわれわれが知ったことは……おまえが《ノーマッド》にもどっていたことさ」

「不可能じゃないか、そんなこと」

「おい、きさまは宇宙をジョウントしたんだぞ！」シェフィールドは、あらあらしくいった。「きさまは手当をされていた。昏睡状態だった。しかし、きさまは宇宙をジョウントした。宇宙空間のなかを、じつに百万キロもジョウントして難破した《ノーマッド》にもどったんだ。前人未到のことをやってのけた。自分でも知らんのだろう。しかし、われわれは見つけだす。おれはきさまを外衛《OS》に連行する。きさまを粉々にしてしまわなければならないとしても、その秘密はとりだしてやる」

彼は片手でフォイルの咽喉《のど》をものすごい力でつかみ、もう一方の手で拳銃をふりむけた。

「だが、まず最初にパイアをよこせ。きさまの手もとにあるパイアだ。隠そうなんて気をおこすなよ」彼はフォイルの額を拳銃でこづきまわした。「そいつを手に入れるためならおれはなんでもやるぞ。おれは遠慮しようなんてかんがえないぜ」彼はまたフォイルを冷静に、みごとになぐりつけた。「おまえは罰をうけたかったんだよな、おい、これでわかったろう！」

バニイは第五公共ジョウント台をとび降りると、おびえきったウサギのようにニューヨークの中央課報局の正面玄関に駆けこんだ。外部哨戒線をとぶようにして通りぬけ、保護迷路をくぐりぬけ、内部オフィスに入った。うしろから驚愕した追跡者が列をなして追ってきた。バニイは前方にしずかにジョウントして彼のくるのを待ち構えている衛兵たちに気がついた。

バニイは叫び出した。「ヨーヴィル！　ヨーヴィル！　ヨーヴィル！」

まだ走りながら、机をよけ、椅子を蹴とばし、たいへんなさわぎをひきおこした。彼は叫びつづけていた。「ヨーヴィル！　ヨーヴィル！　ヨーヴィル！」みんながいっせいに彼におどりかかろうとしたとき、ヤン・ヨーヴィルが姿をあらわした。

「どうしたんだ？」彼はどなりつけた。「ミス・ウエンズバリは絶対静粛を必要とすると命令しておいたじゃないか」

「ヨーヴィル！」バニイが叫んだ。

「誰だ？」

「シェフィールドの助手です」

「なに……バニイか？」

「フォイルが！」バニイが叫んだ。「ガリー・フォイルが」

ヤン・ヨーヴィルは正確に一・六六秒で彼らの間の十五メートルの間隔をつめた。「フォイルがどうした？」

「シェフィールドが彼をとらえました」バニイがあえいだ。

「シェフィールドが？　いつだ？」

「三十分前に」

「どうしてフォイルをここにつれてこないんだ？」

「彼はフォイルを誘拐した。シェフィールドは外衛《OS》のスパイにちがい……」

「きみはどうしてすぐこなかった？」

「シェフィールドはフォイルをつれてジョウントした……彼をたたきのめしていっしょに消えたんです。わたしは捜索して歩いたんだ。いたるところ。二十分間に五十回ジョウントしました……」

「とうしろうのくせに！」ヤン・ヨーヴィルは絶望して叫んだ。「どうしてきみはわれわれプロにまかせないんだ」

「でも二人を見つけましたよ」

「見つけたって？　どこで？」

「旧セント・パトリックで。シェフィールドは――」

ところが、どうしたことかヤン・ヨーヴィルはさっと踵《きびす》をかえすと、大声で叫びながら廊下をかけ戻った。「ロビン！　ロビン！　やめろ！　やめるんだ！」

そのとき、この世のものとも思われぬすさまじい爆発音で耳が聞えなくなった。

15

池のなかで波紋がひろがってゆくように、意志と思惟《しい》はパィアをさがしもとめ、その微妙な電子の撃鉄に触れようとして拡散したのだった。思惟は、微粒子を、塵埃を、煙を、蒸気を、微生物を、分子を発見した。

意志と思惟はいっさいを変容させた。

フランコ・トルレ博士がパイアの一片からその秘密を解こうとしていたシシリイでは、その残滓と沈澱物は海に通じている排水溝に廃棄されていた。何カ月ものあいだに、地中海の潮流はこの残滓を海底に押しながした。

そしてある日のこと、一瞬にして十五メートルに達する高潮のうねりが、北東のサルディニアから南西はトリポリまでの距離に発生した。百万分の一秒のあいだに、全地中海の海面は、巨大なミミズが荒れくるうかのようにうねりを生じ、パンテレリア、ランペドゥサ、リノサ、マルタの諸島をおそった。

残存物のあるものは焼却されていた。それは煙と蒸気になって煙突から吐き出され、数百キロもはなれた場所にはこばれていた。これらの微小な分子は、モロッコ、アルジェリア、リビア、ギリシャなどの地点で、信じがたいほど微細で、強烈な、眼もくらむような小爆発を起した。

まだ成層圏に浮遊している若干の微粒子は、真昼の星屑のような煌々《こうこう》たるかがやきをしめしてその存在をあきらかにしていた。

ジョン・マントレイ教授が、おなじくパイアをめぐって不可能な経験をかさねていたテキサスでは、ほとんど全部の残滓は放射能に汚染した汚物を廃棄することに使用されていた古い油井の竪坑に流しこまれていた。深い地下水がその物質の大部分を吸収し、緩慢な速度で約十六平方キロの地域に拡散させた。テキサス平野の十六平方キロの土地は地下水が錯綜していた。莫大な未開発の天然ガス資源がついにはけぐちを見いだして、地軸をふるわせながら地表を破った。飛散する小石の火花で点火されたガスは、六十メートルに達する、うなりをあげた火柱になった。

研究室の机の上の濾過紙についた数ミリグラムのパイアは、あまりにも長いあいだ見落され、忘れさられていたが、やがてほかの紙といっしょにまるめて捨てられ、再生紙となっていた。このパイアは、グラスゴー新聞の夕刊すべてを発火させた。また研究者の制服についたパイアの断片は、その後ラグペーパーに付着し、シュラプネル夫人の書いたお礼状を燃えあがらせた、配送途中だった何トンもの手紙といっしょに。

うっかりしてパイアの溶液にちょっと触れたシャツのそで口は、ミンクの毛皮を身にまとったジャックなにがしの手と腕を、一瞬のうちに吹き飛ばした。奇形のディーラーであり、また怪物の提供者でもあったベイカーなる人物は、実験室で蒸留器具として使われていたガラス皿を灰皿代わりにしていたため、そのオフィスは完全なる焦土と化した。

こうして地球各地の広汎な地域にわたって、単独の爆発、一連の爆発、それにともなう火事の発生、小規模の出火、流星による発火などが頻発して、地上には噴出した大火口や、せまい海峡が出現した。

旧セント・パトリック寺院では、約十分の一グラムのパイアがフォーマイルの研究室で爆発した。のこりのパイアは不活性鉛の同位元素金庫に厳重に密封されており、偶然の、または故意の心理運動の点火にたいして保護されていた。だが、この十分の一グラムの物質から発生したエネルギーのすさまじい爆発は、まるで内側から地震がおこったかのように建物を震動させ、壁を粉砕しフロアを裂いた。大胸壁が一瞬柱をささえたが、どっと崩壊した。塔、尖塔、柱、壁、屋根がもつれたが、あやうく均衡がたもたれて、大きく裂けたフロアになだれおちるのが妨げられた。風がほんの少しでも吹くか、遠方で震動が起れば、一瞬にして均衡が破れて瓦解してしまったところだった。

爆発の白熱が無数の火炎をふきあげ、崩壊した屋根の、古く、分厚い銅をとかした。もし、もう一ミリグラムのパイアが爆発していたら、その熱は金属を即座に蒸発させるに充分だったろう。そのかわりに、それは白く輝き、流れはじめた。金属の溶けた流れは屋根の残骸をつたって、もつれあったクモの巣をつたう何か奇怪な鋳型のように、石、鉄、木材、ガラスのかたまりをしたたりおとした。

ダーゲンハムとヤン・ヨーヴィルがほとんど同時に到着した。一瞬おくれてロビン・ウエンズバリとジスベラ・マックイーンが姿をあらわした。十二人の諜報局員と六人のダーゲンハムのクーリアが、プレスタインのジョウント警備員や警察といっしょにぞくぞく到着した。たちまち、炎上する建物の周囲に非常線が張られた。しかし野次馬はほとんどいなかった。新年そうそうに空襲を経験したあとなので、この一回の爆発はニューヨークの半数の人間をおどろかせ、安全をもとめて必死にジョウントさせたのだった。

火のうなりはおそろしいものだった。不安定な均衡でささえられている大量の残骸の破片はきわめて危険だった。みんなが思わず叫んでいたが、その一方で空気が震動するのをおそれてもいた。

ヤン・ヨーヴィルは、フォイルとシェフィールドのことをダーゲンハムの耳もとでどなった。

ダーゲンハムはうなずいて、あの執念ぶかい微笑をうかべた。

「内部《なか》に入らなけりゃいけないぞ」彼は叫んだ。

「防火服だ」ヤン・ヨーヴィルが叫びかえした。

彼は姿を消したが、たちまち防火救助隊の防護服を二着持ってもどってきた。この光景を見て、ロビンとジスベラはヒステリックに異議を叫びはじめた。

二人は彼女たちを黙殺して不活性異性体の防護服にもぐりこみ、地獄の業火のなかに少しずつすすんでいった。

旧セント・パトリック寺院の内部は、まるで巨大な手が木材と、石と、金属をめちゃめちゃにひっかきまわしたようだった。破壊された全部の隙間から、どろどろにとけた銅の舌がはいまわり、ゆっくり下にうつって木材を発火させ、石をくだき、ガラスを破った。銅がながれた場所は、ただ白熱しただけだったが、ほとばしるようにながれた場所は白熱した金属の眼もくらむようなしずくになってとび散っていた。

天井から崩れおちた梁のかたまりの下には、くろぐろと穴が開いていた。爆発は石だたみを粉砕し、建物のはるかな下の地下室、地下二階、地下納骨室をさらけだした。

この地下も、石や、梁、パイプ、鉄線、四《フォー》マイルサーカスの天幕などの残骸でうずまっていた。

ダーゲンハムはヤン・ヨーヴィルの肩をたたき注意を促して下をさした。穴になかばおちかけてもつれあった破片のなかに、レジス・シェフィールドの死体が横たわっていた。爆発でからだがへんなかっこうにゆがんで引き裂かれていた。

こんどはヤン・ヨーヴィルがダーゲンハムの肩をたたいて指さした。穴の底に近い場所にガリー・フォイルがたおれていた。そしてとけた銅のまばゆい飛沫が照らし出すたびに、彼が動いているのが見えた。

二人はただちに踵《きびす》をかえし、協議するために寺院外にはいだした。

「あいつは生きているね」

「あり得ることだろうか?」

「想像はつく。あのテントの断片が彼のかたわらを遮蔽していたのを見たろう? 爆発は寺院内部の反対側で起ったが、途中にテントがあって、フォイルはテントに包まれたまま吹きとばされたにちがいない。それから、何かにたたきつけられるよりさきに、穴のなかにころげおちたんだ」

「そいつはあたっているかもしれないね。あいつを外に引きずり出さなければいけない。パイアの所在を知っているのはあの男ひとりだからな」

「まだこの場所にのこっているだろうか……爆発しないままで?」

「不活性鉛の金庫に入っていれば、だがね。今は、そいつをかんがえないことにしよう。さて、どうやって、あいつを救い出したものだろう?」

「そのことだが、われわれは上からおりてゆくわけにはいかないよ」

「どうして?」

「はっきりしているじゃないか。一歩でもあやまれば、破片全部がなだれのように崩れる」

「銅がながれおちてるのを見たろう？」

「見たとも！」

「十分以内に救い出さなければ、あいつはとけた銅のプールに沈んでしまう」

「どうしたらいいんだ？」

「下からやってみよう」

「なんだって？」

「道路をへだてている旧RCAのビルディングの地下室は、ふかさがセント・パトリックとおなじくらいなんだ」

「それで？」

「そこへおりて横穴をぶちぬく。フォイルを底から救い出せるかもしれない」

一個分隊が、二世代ものあいだ放置され、封印されていた旧RCAビルのなかに入った。地下アーケードの、何世紀も昔のいろいろな小売店のぼろぼろに朽ちた博物館のような内部におりた。旧式のエレヴェーターをさがしあてて、電気設備やヒート・プラントや冷却装置のある地下二階におりた。そして、腰までつかるほどのふかさの水が流れる地下道に出た。そこに流れこんでいる水は、マンハッタン島の前史時代からのもので、いまもなお通りの下を流れつづけていたのだ。

セント・パトリック寺院の地下納骨室の反対側、東北東にのびている水につかった地下道をわたっていくと、とつぜん、前方がはげしい光で照らし出されるのが見えた。ダーゲンハムは大声をあげて、前に走り出した。セント・パトリックの地下二階をぶちぬいた爆発は、その地下納骨室とRCAビルの地下室の隔壁をも粉砕していたのだ。石と土の、ぎざぎざの裂けめをとおして、地獄の底をのぞくことができた。

十五メートル内部に、フォイルがもつれた梁、石、パイプ、金属、鉄線の迷路のなかに閉じこめられて倒れていた。上からうなりをあげ白熱する金属と、自分の周囲で断続的に噴きあげる火炎に照らされている。

服に火がついて、顔には鉛色の刺青があらわれていた。まるで迷路にまよいこんで困惑している動物のようにかすかに動いていた。

「ああ！」ヤン・ヨーヴィルがさけんだ。「燃える男だ！」

「なんだって？」

「おれがスペイン階段で目撃した燃える男だ。まあいいや、そんなこと。さて、どうしよう？」

「むろん、なかにおりよう」

突然、ぎらぎらかがやいている銅の白熱したぼたが、フォイルの近くにしたたりおち、三メートル下で飛沫をあげた。第二、第三の、ゆっくりした動きでひたひた寄せる流れがつづく。燃えさかる銅のプールができはじめた。ダーゲンハムとヨーヴィルは隔壁の裂けめからはいずり寄った。三分間、必死にもがいたあと、その迷路をとおってフォイルに接近することはできないことをさとった。それは外側からでなく、内側から鍵がかかっているかたちになっていた。ダーゲンハムとヤン・ヨーヴィルはもどって相談した。

「近寄ることができないな」ダーゲンハムが叫んだ。「しかし彼は脱出できるんだ」

「どうやって？　あのようすでは、彼はジョウントできないんだ。さもなければ、あんな場所にぐずぐずしているはずがない」

「いや、彼はよじのぼることができるんだよ。見ろ。左へ行って、それからからだをあげ、そこから逆に出て、あの梁にそってまわりこみ、その下にすべりこんで、あのもつれた鉄線を押しわけるんだ。こっちから、あの鉄線に押し入ることはできない。だから、われわれは彼に近寄れないんだよ。しかし、外に押し開けることはできる。そうすれば、彼が脱出できるんだが」

とけた銅のプールはフォイルに向かって、だんだんと近づきつつあった。

「早く脱出しないと、彼は生きたまま、まる焼けになってしまうぞ」

「あいつに声をかけてやらなければいけない……逃げ道を教えてやるんだ」

二人は叫びはじめた。

「フォイル！　フォイル！」

迷宮のなかの燃える男は、かすかに動き続けていた。しゅうしゅう音を発して落下する銅の量がますます増加してきた。

「フォイル！　左にまわれ。きこえるか？　フォイル！　左にまわってよじのぼるんだ。いわれたとおりにすれば脱け出せるぞ。左にまわってよじのぼれ。それから——おい、フォイル！」

「あいつにはきこえないんだ。フォイル！　ガリー・フォイル！　おーい、きこえるか？」

「ジズを呼ぼう。きっと、彼女のいうことなら聞くだろう」

「いや、ロビンがいい。彼女がテレパシーで呼びかければ、あいつにはきこえるはずだ」

「しかし、彼女がやってくれるだろうか？　よりによってあの男を救うだろうか？」

「彼女だってやらなければならないんだよ。これは憎悪を超越した問題だからな。全世界が、かつて経験したことのない最大のおそろしいできごとなんだ。おれが彼女を呼んでこよう」ヤン・ヨーヴィルは、外へはいだしはじめた。

ダーゲンハムは彼を押しとめた。

「待て、ヨー。あいつを見ろ。ほら、明滅しているぞ」

「明滅している？」

「見ろ！　あいつはホタルのように明滅している。眼をはなすな！　ほら、見えた、あ、消えたぞ」

フォイルの姿はあらわれては消え、また、あらわれる過程を迅速なテンポでくりかえしていた。まるで籠のなかに入れられたホタルのようだった。

「あいつは何をしているんだ？　何をやろうとしているんだろう？　何が起るんだ？」

彼は逃げようとしていたのだった。

罠にかかったホタルか、裸のかがり火の炎々と燃えさかる鉢のなかにとらえられた海鳥のように、彼は凶暴にもがいていた……未知のものに対して突進してゆく、黒焦げになった、燃えあがる生物になったのだ。

音は、彼には視覚的にやってきて、不思議な型の光のようだった。彼は自分の名前が、いきいきしたリズムで叫ばれるのを見た。

フォイル

フォイル

フォイル

フォイル

フォイル

ル イ ォ フ ル イ ォ フ

ル イ ォ フ ル イ ォ フ

ル イ ォ フ ル イ ォ フ

ル イ ォ フ ル イ ォ フ

ル イ ォ フ ル イ ォ フ

動作は彼には音としてやってきた。火炎の身もだえを聞いた、煙の渦を聞いた、明滅、嘲り、影を聞いた……ことごとくが耳をつんざくように奇怪な言語と声だった。

「ブゥルゥウ・ギャアアルウ」蒸気がたずねる。

「アシャ。アシャ。リト・キト・ディト・ジト・ムギド」すばやい影が答えた。

「オオオオ。アアアア。ヒイイイ。テイイイ」熱波が叫びたてた。

彼の服にくすぶっている炎までが耳もとでわけのわからない言葉をどなりたてていた。

「マンテルガイストマン！」彼らはどなっていた。

色彩は彼にとって苦痛だった……熱や、冷気、圧力——耐えがたい高みに達し、底知れぬ深みに墜ちる感情、おそろしい加速、打ちひしがれる圧縮力——

赤が彼から退き

緑のひかりが襲い

青藍がうねる蛇のようにおそろしいスピードで起伏している

触感は、彼には味覚だった……木材が手にふれる感じは彼の口にからく、チョークのような味がした。金属は塩味があり、石は指にふれると甘酸っぱく、ガラスの触感は熟れすぎたパイの皮のように味覚を堪能させた。

嗅覚は触覚だった……熱した石は頬を愛撫する天鵞絨《ビロード》のような匂いがした。煙と灰は、皮膚にこすれる荒い手織の生地で、ほとんど濡れたズックの感じだった。とけた金属は心臓を殴りつけてくる打撃のような匂いがした。パイアのイオン化現象は、指にしたたる水のような匂いのするオゾンで空気をみたした。

彼は盲目でもなく、聾啞でもなく、感覚が脱落してもいなかった。知覚ははっきりあらわれていたが、パイアの大震動の衝撃で神経組織がゆがみ、ショートして、知覚が濾過《ろか》された。彼は共感覚、すなわち外界からの連絡をうけ、それを頭脳に伝達するが、脳髄では知覚対象がないまぜになって混乱するという稀有《けう》の状態でくるしんでいたのだ。そのため、フォイルは、音を光として、動きを音として、色彩を苦痛として、触感を味として、匂いを触感として認識した。ただ旧セント・パトリックの地獄で迷路に閉じこめられていただけではなく、彼自身の交差する感覚の万華鏡のなかにも閉じこめられていたのだった。またしても終局の悲惨な深淵の縁《へり》に追いつめられ、絶望しきって、いっさいの鍛練と生活の習慣を放棄した。いや、おそらくそれは彼から剝落したのだ。環境と経験に条件づけられた生物であることから、逃亡と生存を熱望して、おのれのもついっさいの力を使う原初的な生物にもどった。

そして、ふたたび二年前の奇蹟があらわれたのだった。

人間の全オーガニズム、ありとあらゆる細胞、繊維、神経、筋肉のエネルギーが一点に集中してその渇望をかなえさせ、またしてもフォイルは宇宙ジョウントをしたのだった。

彼は、彎曲《わんきょく》している宇宙の最短空間距離を、光速をはるかに凌駕する思考の速度で飛んだ。彼の空間速力はきわめておどろくべきものだったので、彼の時間軸は過去から現在をとおって未来にいたる垂直線から捩じまがってしまった。彼はあたらしい近・水平軸、このあたらしい時空の最短線にそって明滅したのだった。不可能という概念によってはもはや拘束されない人間精神の奇蹟によって動かされていたのだった。

彼は、ヘルムート・グラントや、エンツィオ・ダンドリッジや、その他数十人の実験者がついに果し得なかったことをふたたびなし遂げたのである。なぜなら、必死の危機に瀕して、かつてさまざまな人の企図を失敗に終わらせた、あの空間と時間における禁制を放棄させるにいたったからだった。彼は、不定空間《エルスウエア》にジョウントしただけではなく、不定時間《エルスウエン》にもジョウントしたのだった。しかし、四次元感覚、時間の矢の完全な形態、その上に在《あ》る位置、すなわち、すべての人間に生得的なものでありながら、日常性の些事のためにふかく沈潜している時間上の位置――こうしたもっとも重要なものが、フォイルにあっては表面にうかびあがったのだった。

彼は"i"、マイナス1の平方根を、想像的な数字から想像力による壮大な行動によって現実に翻訳しながら、エルスウェアへ、エルスウェンへ、時空の最短線にそってジョウントしたのだった。

彼はジョウントした。

時間を過去に遡及してジョウントした。オーストラリアの海岸で、上海《シャンハイ》のヤブ医者のオフィスで、ローマのスペイン階段で、月で、火星のスコプツィ植民地で、恐怖と困難の際に出現して自分をはげましたあの燃える男になったのだった。彼は時間を遡及して、復讐のためにガリー・フォイルが戦った残酷な戦闘にジョウントした。ぎらぎら燃えてかがやく彼の出現は、あるときは人眼にふれたが、人に気づかれないときもあった。

彼はジョウントした。

彼は《ノーマッド》に乗って大宇宙の凍りついた虚無のさなかにただよっていた。

彼はいかなる空間にも通じないドアに立っていた。寒気はレモンの味だった。真空は彼の皮膚には怪獣の爪だった。太陽と恒星は彼の骨をかきむしる間歇熱だった。

「**グロムムア・フレドニス!**」動作が、彼の耳のなかでとどろいた。

それは、彼に背をむけて廊下でかき消えた人間の姿だった。肩に、食料の入っている銅の大鍋をかついで、空間を飛び、浮遊し、身もだえる姿だった。それは、ガリー・フォイルだった。

「メーエエハット・ジェススロット」彼の動作の光が喚声をあげた。

「アハ！　オホ！　ムボト・ノット・トゥ・カク」光と影の明滅が答えた。

「オーーーーーォオ？　ソーーーーーーォ？」彼の航跡にできた浮遊物の渦巻きがつぶやいた。

口のなかのレモンの味は耐えがたいものになった。皮膚の上の爪は拷問だった。

彼はジョウントした。

旧セント・パトリック寺院の下の溶鉱炉にもどってきたのは、彼がそこから消えてから一秒もたたぬうちだった。彼は火に焼かれまいともがきながら逃げる海鳥のように、火にのみこまれた。彼はほんの一瞬しか、このうなりをあげる劫苦を耐えていなかった。

彼はジョウントした。

彼はグフル・マルテルの深淵にいた。

天鵞絨《ビロード》の暗黒こそ至福であり、楽園であり、十全感だった。

「ああ！」彼は安堵の思いをこめて叫んだ。

「アァア！」彼の声の谺《こだま》がかえってきた。

その音はまばゆい光のパターンに翻訳された。

アァアァアァアァアァアァアァアァアァ
ァアァアァアァアァアァアァアァアァア
アァアァアァアァアァアァアァアァアァ
ァアァアァアァアァアァアァアァアァア

燃える男はたじろぎ、その騒音に眼がくらんで、「よせ！」と叫んだ。
ふたたび谺《こだま》のめくるめくパターンがあらわれた。

よせ**よ**せ**よ**せ
よせ**よ**せ**よ**せ**よ**せ
よせ**よ**せ**よ**せ**よ**せ**よ**せ
よせ**よ**せ**よ**せ**よ**せ**よ**せ**よ**せ
よせ**よ**せ**よ**せ**よ**せ**よ**せ
よせ**よ**せ**よ**せ**よ**せ
よせ**よ**せ**よ**せ

遠方でカチャリカチャリという足音が縦になった北極光の柔らかいパターンになって眼に入ってきた。

カチャリカチャリ

カチャリカチャリ

カチャリカチャリ

カチャリカチャリ

カチャリカチャリ

カチャリカチャリ

カチャリカチャリ

カチャリカチャリ

カチャリカチャリ

ジグザグになってとんでくる稲妻のような悲鳴がわきあがる

光線が襲いかかる

フォイルとジスベラ・マックイーンを地中探知器で追跡していたグフル・マルテル病院の捜索隊だった。あの燃える男は消え失せたが、行方不明になった脱走者を追う追跡者たちを、自分では意識しないまま誘《おび》き寄せてから消えたのだった。

彼は瞬間的に姿を消してから、一瞬後に旧セント・パトリック寺院にもどった。

未知なるものへのはげしい自己投機は最短線の時空に遭遇させるので、不可避的に彼が逃れようとしている〝今〟に回帰させるのだった。なぜなら時空の逆になった鞍型の曲線では彼の〝今〟はその曲線の最深部だったからだ。

彼はその最短線を、過去、または未来に向かって上へ上へ動くことができた。しかし、傾斜した坂を持つ無限にふかい穴から投げあげられたボールが、一瞬、落下した地点にとまり、次いで深淵にころがりおちるように、彼は不可避的に自分自身の現在におちていかなければならないのだった。

しかし彼は依然として絶望状態にあって未知なるものをめがけた。

またしてもジョウントした。

オーストラリア海岸のジャーヴィス・ビーチにいた。

波の動きが叫んでいた。「ラッガーミスト・クロートヘヴン！」

波のどよめきは脚光《フットライト》のバッテリイの光で彼を眩惑させた。

ガリー・フォイルとロビン・ウエンズバリが彼の前に立っていた。燃える男の口には酢のような味のする砂浜に、男が身を横たえていた。彼の顔をなぶる風は茶色の包装紙の味がした。

フォイルは口を開けて絶叫した。その音は燃える星屑になってあらわれた。

フォイルは一歩前に出た。「グラッシュ?」その動作が鳴りひびいた。

燃える男はジョウントした。上海《シャンハイ》のドクター・セルゲイ・オレルのオフィスにいた。

フォイルがまたしても彼の前にいて、光のパターンで話をした。

おはも　おはもおはも　おはもおはも
まなの　まなのまなの　まなのまなの
えにだえにだ　えにだえにだ　えにだ

彼は旧セント・パトリックの苦悶に瞬間的に回帰し、またジョウントした。

彼はスペイン階段で危険にさらされている。彼はスペイン階段で危険にさらされている。彼はスペイン階段で危険にさらされている。彼はスペイン階段で危険にさらされている。彼はスペイン階段で危険にさらされている。彼はスペイン階段で危険にさらされている。彼はスペイン階段で危険にさらされている。彼はスペイン階段で危険にさらされている。彼はスペイン階段で危険にさらされている。彼はスペイン階段で危険にさらされている。

燃える男はジョウントした。
またレモンの味がして、ぎりぎり寒くなった。
真空が彼の皮膚をいまわしい爪でかきむしった。
彼は銀色に輝く宇宙艇の舷窓からのぞいた。

月の、ぎざぎざした山脈が背景にそびえていた。

舷窓をとおして彼は輸血ポンプと酸素ポンプのガーガーいう騒音を見ることができた。

ガリー・フォイルが彼に向かってする動作の叫喚が聞えた。

真空は彼の咽喉をつかんでくるしいほどしめあげた。

時空の最短線は、たちまち彼を旧セント・パトリック寺院の〝今〟にもどした。

彼がはじめて凶暴な闘争に移ってから、まだ二秒もたっていなかった。

またしても燃える槍のように彼は未知なるものに向かって身を投げた。

彼は火星のスコプツィの地下墓地にいた。

かつてはリンゼイ・ジョイスだった白いなめくじは、むっちりした胸のふくらみもあらわにもだえた。

「いや！　いや！　いや！」彼女はその動作のすべてでこうさけんでいた。「くるしめないで　殺さないで　ああ　おねがいです　おねがいです　おねがいです」

燃える男は虎の口を開けて笑った。

「この女はくるしんでいる」彼はいった。

その声のひびきが彼の眼を灼いた。

この女はくるしんでい
の女はくるしんでいる

この女はくるしんでいるこの女はくるしんでいる

この女はくるしんでい
の女はくるしんでいる

「おまえは何者だ？」フォイルが低い声でいった。

おまえはにものだ
おまえはなものだ
おまえはにものだ
おまえはなものだ
おまえはにものだ
おまえはなものだ
おまえはにものだ
おまえはなものだ
おまえはにものだ
おまえはなものだ

燃える男はたじろいだ。

「明るすぎる」彼はいった。「もっと光を弱くしろ」

フォイルは一歩すすんだ。

「**ブラアア・ガアア・ダアア・マアウウ！**」

動作が咆哮した。

燃える男は苦しそうに耳を手でおさえた。

「やかましすぎる」彼は叫んだ。「そんなに音をたてて動くな」

身悶えしているスコプツィの動作はまだ悲鳴をあげて哀願していた。

「わたしをくるしめないでわたしをくるしめないで」

燃える男がまた笑った。

この女はふつうの人間にとっては唖者だった。しかし、彼の奇怪に変形した感覚には、彼女の意味するところは明瞭だった。

「この女の言葉を聞け。悲鳴をあげている。哀願している。死にたくないのだ。苦しめられたくないのだ。この女の言葉を聞け」

「命令をくだしたのはオリヴィア・プレスタインです　オリヴィア・プレスタインですわたしではありません　わたしをくるしめないで　オリヴィア・プレスタインです」

「この女は誰が命令をくだしたかを語っている。おまえには聞えないのか？　おまえの眼で聞くのだ。この女はオリヴィアだといっている」

なんだって？　なんだって？　なんだって？

なんだって？　なんだって？　なんだって？

なんだって？　なんだって？　なんだって？

なんだって？　なんだって？　なんだって？
なんだって？　なんだって？　なんだって？

将棋盤のようなフォイルの質問の光は、彼には多すぎた。燃える男は、スコプツィの苦悶をまた通訳した。

「この女はオリヴィアだといっている。オリヴィア・プレスタイン。オリヴィア・プレスタイン。オリヴィア・プレスタイン」

彼はジョウントした。

彼は旧セント・パトリックの地下の穴に回帰したが、不意に、混乱と絶望が、彼が死亡したことを告げた。これはガリー・フォイルの終焉だった。これは永遠であり、この地獄は現実だった。彼が目撃したものは死の最後の瞬間に、感覚が崩壊してゆく前にとおってゆく過去だった。彼が耐えつづけてきたものは永遠に耐えていかなければならないものだった。彼は死んだ。彼は自分が死んだことを知った。

彼は〝永遠〟に服従することを拒否した。

彼はふたたび未知なるものに向かった。

燃える男はジョウントした。

彼は燦然とかがやく霧、星座の雪模様の集団、液体ダイヤモンドの驟雨《しゅうう》のなかにいた。

彼の皮膚にチョウの羽が感じられた。口のなかに冷たい真珠の一房の

味がした。彼の錯綜した万華鏡のような知覚は、彼に自分がどこにいるかを語ることがで

きなかったが、彼は、自分が、この〝どこでもない場所〟に永久にとどまりたがっていることを知っていた。

「ハロー、ガリー」

「誰だ?」

「ロビンよ」

「ロビン?」

「ロビン・ウエンズバリだったものよ」

「だった?」

「ロビン・ヨーヴィルなのよ」

「おれにはわからない。おれは死んでいるのか?」

「いいえ、ガリー」

「おれは、どこにいるんだろう?」

「旧セント・パトリックから、遠い、遠い場所よ」

「しかし、どこなんだ?」

「説明している余裕がないわ、ガリー。あなたはここにほんの数秒しかいられないのよ」

「なぜだ？」

「あなたはまだ時空をつらぬいてジョウントすることを習っていないからよ。あなたはもとへもどってまなばなければならないの」

「しかし、おれは知っている。知っていなければならないのだ。シェフィールドは、おれが《ノーマッド》に……百万キロを宇宙ジョウントしたといった」

「あのときは偶然だったのよ、ガリー、あなたは……自分を訓練してから、またやれるようになるわ……だけど、今、あなたはやっていないのよ。あなたはまだ持続することを知らないから……どのような〝今〟でも現実に変容する方法を知らないの。瞬間的に、旧セント・パトリックに投げもどされてしまうのよ」

「ロビン、今、思い出したことがあるんだ。きみにわるいニュースがある」

「知ってるわ、ガリー」

「きみのお母さんと妹たちは死んだ」

「ずっと前に知ったわ、ガリー」

「どのくらい前に？」

「三十年前に」

「そんなことは不可能だ」

「いいえ、そうじゃないのよ。これは旧セント・パトリックから、遠く遠く離れているんですもの。あなたにその火から脱出する方法を教えるためにわたしは待っていたのよ、ガリー。聞いてくれる？」

「おれは死んではいないのか？」

「ええ」

「聞こう」

「あなたの知覚はすっかり混乱しているのよ。脱出するのはすぐ終わるけれど、左右とか上下の方向を、わたしからはいわないわ。あなたが今、理解できることだけいいます」

「どうしてきみはおれを救うんだ……おれはきみにあんなことをしたのに？」

「何もかも赦《ゆる》してあげたし、わすれてしまったわ、ガリー。さあ、お聞きなさい、旧セント・パトリックにもどったら、いちばん音の大きな影にぶつかるまでまわりこむのよ、わかった？」

「わかった」

「皮膚にふかい刺傷が感じられるまで、その騒音に向かっていくのよ。そこでとまるの」

「そこでとまる」

「圧力と堕落感に向かって半回転するの。そのままにしてごらんなさい」

「そのままにするよ」

「光の強固なシートを通過して、キニーネの味にたどりつくわ。ほんとうは鉄線のかたまりなのよ。軽快なハンマーのひびきのように聞えるものが見えるまで、キニーネをまっすぐ押しわけていくの。それであなたは助かるわ」

「きみはどうしてこんなことを知っているんだ、ロビン？」

「専門家に依頼されたのよ、ガリー」笑いがまきおこった。「あなたは、もう過去のどんな〝今〟にでも、もどっていけるわ。ここにピーターとソールがいるの。さようなら、ごきげんよう、って。ジズ・ダーゲンハムもいるのよ。ご幸運をいのりますわ、なつかしいガリー……」

「過去？　これは未来なのか？」

「そうよ、ガリー」

「おれはここに？……オリヴィア……は――？」

そのとき、彼は時空の線を〝今〟のおそろしい穴へ下へ下へ下へもがきながら転落していった。

16

彼の感覚はプレスタイン城の象牙と金でかざられた〝会議室〟では交錯しなかった。視覚は視覚になって、背の高い鏡とステンドグラスの窓と書架梯子にあがっているロボット図書員のいる金の装飾を施した書庫が見えた。音は音になり、彼はルイ十五世ふうの机の上で人間そっくりのロボット秘書が球状記録器を前にしてタイプしている音を聞いた。彼がロボット・バーテンダーからわたされたコニャックを口に含んだとき、味は味になった。

彼は自分が断崖に立っていること、人生の岐路に直面していることを知っていた。彼は自分の敵を黙殺していた。永久にはれやかな表情をくずさないアイルランド系のロボットのバーテンダーの典型的な顔を見ていた。

「ありがとう」フォイルがいった。

「光栄に存じます」ロボットは答えてつぎの合図を待った。

「いいお天気だね」フォイルがいった。

「いつでもどこかでよいお天気でございます」ロボットがいった。

「ひどい天気だね」

「いつでもどこかでよいお天気でございます」ロボットがこたえた。

「天気」

「いつでもどこかでよいお天気でございます」ロボットがいった。

フォイルは、ほかの人間のほうにふりかえった。「これがわれわれすべての姿だ。「これがわたしですよ」彼はロボットを指さしながらいった。「これがわれわれすべての姿だ。われわれは自由意志についてさかんにしゃべっている。しかし、われわれはただ反応するだけだ……きまりきったやりかたで機械的に反応するだけだ。それで……わたしはここにいる。つまり、反応しようと待ちかまえているだけだ。ボタンを押してごらんなさい、わたしはとびあがりますよ」ロボットの録音された声のまねをした。「光栄に存じます」そういったかと思うといきなり彼ははげしい語調でみんなに食ってかかった。「いったいなんの用だ?」

彼らは不安な目的を抱いていて落ちつかなかった。フォイルは焼かれ、たたきのめされ、大火傷《おおやけど》をうけていたが……しかもなお彼は、ほかの全員を浮足だたせていた。

「さあ、それじゃ何を要求するつもりだ」フォイルがいった。「おれは絞首刑にされ、溺死させられ、四つ裂きにされて地獄で責苦にあわされるべきところなんだが……なんだ?何がほしい?」

「わしはわしの財産物件をかえしてもらいたいのですよ」プレスタインは冷たく微笑しな

がらいった。

「パイアの十八ポンドなにがしだな。かわりに何をよこす？」

「何も出しませんよ。わしはわしのものをかえせと要求しているのだ」

ヤン・ヨーヴィルと、ダーゲンハムが話しはじめた。フォイルは二人をだまらせた。

「ボタンを押すのは一度にひとつだよ、諸君。プレスタインが、今おれをとびあがらせようとしているところなんでね」彼はプレスタインに向きなおった。「もっとつよく押すんだね。血と金だ。さもなけりゃ他のボタンを押すんだな。さあ、こんどは誰が要求する番だ？」

プレスタインは唇をぎゅっと結んだ。「法律は……」彼はいいはじめた。

「なんだと？　脅迫か？」フォイルは笑った。「おれが何かにおどろくと思っているのか？　ばかな真似はよせ。あの大晦日《おおみそか》の晩に話したように話してみろよ、プレスタイン……無慈悲に、容赦なく、偽善者ぶることなくね」

プレスタインはかるく頭をさげ、一呼吸して、微笑を消した。「きみに権力をあたえよう」彼はいった。「わしの後継者として指定し、プレスタイン系列全企業の協力者とし、一族、財閥の首長にしよう。われわれはいっしょに世界を所有することができる」

「パイアで？」

「そうだ」

「あなたの提案は記録され、かつ、拒否された。あなたは令嬢をわたしにくださいますか?」

「オリヴィアを?」プレスタインは息をつまらせ、拳をにぎりしめた。

「そうです。オリヴィアだ。彼女はどこにいるんです?」

「この屑め!」プレスタインがどなった。「けがらわしい……ケチな小泥棒のくせに……図々しくも……」

「パイアのかわりに令嬢をわたしにくださいますか?」

「やろう」プレスタインはやっと聞きとれるような声で答えた。

フォイルはダーゲンハムのほうを向いた。「あんたの番だぜ」彼はいった。

「もし討議がこういうかたちでつづくのなら……」ダーゲンハムはつよくいいかけたが途中でいいやめた。

「そうだよ。無慈悲に、容赦なく、偽善者ぶらずに、きみは何を提供するつもりだ?」

「栄光を」

「ああ?」

「われわれは金や権力をさしあげることはできない。名誉をさしあげることはできますよ。ガリー・フォイル、内惑星連合を死滅から救った男というわけです。安全を提供することもできる。あなたの犯罪記録を抹消し、あなたに名誉ある名前をあたえ、有名人の殿堂のなかにあなたを祀《まつ》る場所をつくると保証しましょう」

「いけないわ」ジスベラ・マックィーンが、するどく言葉をはさんだ。「受け入れてはいけないのよ。あなたが救世主になりたいのならその秘密を破壊してしまいなさい。誰にもパイアをわたしてはいけないわ」

「パイアってなんですか？」

「だまっていろ！」ダーゲンハムがさえぎった。

「それは思惟《しい》だけで爆発させられる熱核爆発物よ。サイコキネシスによって……」ジスベラがいった。

「どんな思惟で？」

「それに直接に向けられた、それを爆発させようとする任意の人の意志よ。もしそれが不活性鉛の放射能同位元素で隔離されていないと、意志によって危険の限界に達するの」

「だまっていろといったじゃないか」ダーゲンハムがどなった。

「わたしたちみんなが彼に話をする機会を持つとしたら、わたしも自分のいいたいことはいいますわ」

「これは理想主義より大きな問題だよ」

「理想より大きなものなんかあるものですか」

「フォイルの秘密にくらべたら」ヤン・ヨーヴィルがつぶやいた。「パイアも相対的には重要ではなくなるほどのものだ」彼はフォイルに微笑をみせた。「シェフィールドの助手が、旧セント・パトリック寺院でおこなわれたきみたちのちょっとした討論の一部分を立ち聞きしたんだがね。われわれには宇宙ジョウンティングのことがわかっているよ」

不意に沈黙がながれた。

「宇宙ジョウンティングか」ダーゲンハムは叫んだ。「不可能だ。まさか本気じゃないんだろう」

「本気だよ。フォイルは宇宙ジョウンティングが不可能ではないことを証明した。彼は外《O》衛《S》の攻撃艦から遭難した《ノーマッド》まで、じつに百万キロをジョウントしたんだよ。さっきもいったようにこいつはパイアよりずっと重大なことだ。わたしはまずこの問題を討論したい」

「みんなは自分の望んでいることを話しましたわ」ロビン・ウエンズバリがしずかにいった。「あなたは何をのぞんでいるの、ガリー・フォイル?」

「ありがとう」フォイルは答えた。「ぼくは処罰されることを望んでいます」

「なんだって?」

「追放されることをのぞんでいます」彼はあえぐような声でいった。あの傷痕が、包帯を巻いた顔にあらわれはじめた。「自分のしたことをつぐない、贖罪したい。自分の背負っているこの呪われた十字架をはずしたいのです……この苦痛は背骨を砕いてしまいそうだ。

グフル・マルテルにもどりたい。もしそれに値するなら脳切手術をしてもらいたい……それに値することはわかっている。おれの望みは――」

「きみは逃避したがっているんだ」ダーゲンハムがさえぎった。「逃げる道はない」

「おれは救いが欲しい！」

「問題外だね」ヤン・ヨーヴィルがいった。「きみの脳髄のなかにはあまりにも貴重なものがたくわえられているから、脳切手術をうけるなんてとんでもないことだよ」

「われわれは罪だの罰だのという子どもじみたつまらぬ観念をはるかに超越しているんだ」ダーゲンハムがいい足した。

「そんなことはありません」ロビンが反対した。「いつの世にだって罪はあるし、救済があるはずだわ。わたしたちはけっしてそれを超越することはないのよ」

「利害得失、罪と救済、理想と現実か」フォイルは微笑した。「きみたちはめいめいがひどく確信を持って、ひどく単純で一面的だね。疑いにとらえられているのはおれだけだ。きみたちがほんとうにどれほど確信を持っているか見ようじゃないか。あなたはオリヴィアを断念するんだね、プレスタイン？ わたしにくれるのか、ほんとうに？ あなたは彼女を法の前につきだすのか？ 彼女は殺人者なんだよ」

プレスタインは立ちあがろうとしたが、どうしたのか椅子にくずれおちた。

「救済がなければならないのか、ロビン？ きみはオリヴィア・プレスタインを赦《ゆる》すのか？　彼女がきみの母上と妹たちを殺したんだよ」

ロビンは蒼白になった。ヤン・ヨーヴィルが抗議しようとした。

「外衛星同盟はパイアを持ってはいないよ、ヨーヴィル。シェフィールドはあきらかにした。きみたちはあくまで彼らに対して使うつもりなのか？　きみたちはおれの名前を世界じゅうの人間の呪詛の的にするつもりなのか……リンチやボイコットのように（リンチ法は十八世紀のアメリカ、ヴァージニア州の保安官、ウィリアム・リンチ大尉によるもの。ボイコット大尉は、十九世紀のアイルランドの地主で、一八八〇年に同盟排斥をうけた）」

フォイルはジスベラに向きなおった。「きみの理想主義は、刑期を終えるために自分をグフル・マルテルにもどすものなのか？　それにダーゲンハム、きみはジズを断念するのか？　彼女をグフル・マルテルに行かせるのか」

彼はみんながいっせいにさわぐのを、はげしく、しかも自分をおさえて、この混乱を凝視していた。

「人生はきわめて単純だ」彼はいった。「この決定もきわめて単純じゃないか？　おれがプレスタインの所有権を尊重していないというのか？　惑星群の福祉を尊重しないというのか？　ジスベラの理想を？　ダーゲンハムの現実主義を？　ロビンの良心を？　これがロボットならボタンを押して反応を見ることもできよう。しかしおれはロボットではない。おれは宇宙の奇形児だ……考える動物だ……おれはこの困難な立場をとおして、自分の行くべき道をはっきり見さだめようとしているんだ。パイアを全世界にばらまいて世界を破壊させるべきなのか？　全世界の人びとに宇宙ジョウントの方法を教えて、われわれの奇形の見世物を全宇宙にひろがる星から星へ散らせるべきなのか？　さあ、答はどう出る？」

　バーテンダーのロボットが、部屋の向こうから大きな音を立ててカクテルのシェイカーを投げつけた。驚愕した沈黙がつづいた。ダーゲンハムがうなり声をあげた。

「しまった！　わたしの放射能がまたあなたの人形をこわしてしまいましたな、プレスタイン」

「その答は、イエスです」ロボットがきわめて明瞭にいった。

「なんだって？」フォイルはびっくりしてききかえした。

「あなたのご質問に対する答は、イエスです」

「ありがとう」フォイルはいった。

「光栄でございます」ロボットが答えた。「人間はまず社会の成員であって、つぎに個人であります。あなたは社会が破壊をえらぼうと否とにかかわらず、社会と行動をともにしなければなりません」

「まったく正気の沙汰じゃない」ダーゲンハムがいらいらしていった。「スイッチを切りましょう、プレスタイン」

「待て」フォイルがおさえた。彼はロボットの鉄の顔にきざまれたはれやかな笑顔を眺めた。「しかし社会はきわめて愚劣であり、混乱していることもあり得るね。げんにきみはこの会議を見ているじゃないか」

「そのとおりです。しかし、あなたは教えるべきであって命令すべきではありません。あなたは社会に教授しなければなりません」

「宇宙ジョウントさせるために？　なぜだ？　なぜ星や銀河に行くんだ。なんのために？」

「なぜならあなたは生きているからです。あなたはきっと反問なさるでしょう。なぜ生きるのか？　それはおききになりませぬよう。ただ生きることとです」

「すっかりくるっている」ダーゲンハムがつぶやいた。

「しかし、なかなかおもしろい」ヤン・ヨーヴィルがつぶやいた。

「ただ生きるよりも、人生には何かあるはずじゃないか」フォイルはロボットに向かっていった。

「それならご自分でそれをおさがしなさい。あなたが懐疑にとらえられているからといって、世界に停止を要求なさってはなりません」

「なぜわれわれは一致して前進できないのだろうか？」

「なぜならあなたがたはそれぞれ異っているからです。あなたがたはネズミの群れではございません。ある人びとは指導する役をひきうけねばなりませんし、ほかの人びとはしたがうことをのぞんでいるのです」

「誰が指導するのだろう？」「指導しなければならない人びと……駆りたてられた人びと、強制された人びと」

「奇形的人間だ」

「あなたがたはみな奇形なのです。しかしいつでも奇形だったのです。人生は奇形です。だからこそ、それがその希望であり栄光なのです」

「どうもありがとう」

「光栄に存じます」

「きみは、もう退ってもいいよ」

「いつでもどこかでよいお天気でございます」ロボットははれやかに笑った。たちまちロボットはしゅうしゅう音を立てて、がらがらたおれた。

フォイルはほかの人びとをふりかえった。「あのロボットが正しいんだ」彼はいった。「きみたちは間違っている。世界のために決定しようというわれわれ、われわれとは何者だろう？　世界自身に決定させるべきじゃないか。世界に秘密を隠蔽しようとするわれわれとは何者なのだ？　全世界に知らせて決定させればいいのだ。さあ旧セント・パトリックに行こう」

彼はジョウントした。彼らはつづいた。その方角の一画はまだ非常線がはられていたが、このときはおびただしい群衆があつまっていた。とほうもない数の野次馬が煙を吐いている廃墟に陸続としてジョウントしてきたのだった。警官は彼らを近づけないために立入禁止の障壁をつくっていた。それでもいたずらっ子や骨董蒐集家、無責任な連中が廃墟のなかにジョウントしようとして火傷をし、悲鳴をあげながら出ていった。

ヤン・ヨーヴィルの合図で禁止線が解かれた。フォイルは灼熱した小石のなかをとおって五メートルの高さでそびえている寺院の東の壁に到着した。煙をふいている石にふれ、押しあげるようにしてこじあけた。

ごろごろいう音がして、一メートルに一メートル五十の一画がギイッと鳴ってひらいた。フォイルはそれをつかんで引きずり出した。その一画が震動した。焼けただれた蝶番がくずれおち、石の枠がこわれた。

二世紀前、組織的な宗教が廃棄され、いっさいの信仰の正統的な信者たちが地下に追いやられたとき、若干の信仰のあつい人びとが旧セント・パトリック寺院の内部にこの秘密の壁龕《へきがん》をつくり、それを祭壇にかえたのだった。黄金のキリスト受難像はいまだに永久の信仰の栄光でかがやいていた。十字架の足もとに不活性鉛の同位元素の小さな黒い箱があった。

「これは啓示だろうか？」フォイルはあえぎながらいった。「これこそおれのもとめている答なのか？」

彼は、ほかの人間がつかむより早くその重い金庫をつかんだ。彼は五番街に面している寺院の階段の残骸へ、百メートル、ジョウントした。そこで驚愕して口を開けている群衆の前で金庫を開けた。その内容物の真相を知っている諜報局の係官たちから驚愕の声があがった。

「フォイル！」ダーゲンハムが叫んだ。

「おねがいだ、フォイル！」ヤン・ヨーヴィルが叫んだ。

パイア──ヨード結晶の色彩で、煙草ほどの大きさのかたまり……固溶体のトランスプルトニウム・アイソトープ──一ポンドをフォイルはとりだした。

「パイアだ！」彼は群衆に向かって怒号した。「ひろうがいい！　とっておけ！　これこそ諸君の未来だ。パイアだ」彼はそのかたまりを群衆のなかに投げこみ、ふりかえりざまどなった。「サンフラン、ロシアの丘」

彼はセント・ルイス＝デンバーをとおりサンフランシスコへジョウントした。彼はロシアの丘に到着した。午後四時で街路は午後の買物をするジョウンターたちで雑踏していた。

「パイアだ！」フォイルは大声で叫んだ。彼の悪魔のような顔は血の赤みで燃えるようであった。彼の姿はぞっとするほど凄絶なものだった。「パイアだ。危険だぞ！　死だぞ！　諸君のものだ。この物質に諸君がなんであるかを語らせるがいい。アラスカへ！」彼は追跡者たちが到着した瞬間、そう叫んでジョウントした。

アラスカのノームでは昼食時だった。ビフテキとビールの食事をとるために製材場からジョウントしていた森林伐採人たちは、ヨード色をした一ポンドの合金を彼らの中央に投げつけた虎の顔の男のためにきもをつぶした。男は貧民語で叫んだ。「パイアだで！　聞えるかのう、あんたがた？　まあ聞いてけれや。パイアつうのはおれたちのきたねえ死で。おれたちみんなに、よう！　気いまわすでねえぞい。みんなにパイアのことばひろめるだあ。そんだけだよう！」

ほんの数秒おくれて彼を追ってジョウントしてくるダーゲンハムとヤン・ヨーヴィルに向かって、彼はさけんだ。「東京、宮城前広場！」彼らの射撃が彼に達するほんの一秒前に消えた。

東京はさわやかなわりに、風のつよい朝だった。宮城前のお濠端《ほりばた》にひしめいている朝のラッシュ・アワーの群衆は、虎の顔をしたサムライのためにおどろいてしびれたようになった。その歴史に原子爆弾の最初のきわめて小規模な爆発を記録している人びとの子孫に、彼は不思議な金属のかたまりとわすれがたい警告の言葉を投げつけた。

フォイルは雨の降りしぶくバンコックへ、モンスーンの吹きすさぶデリーへ……と行動をつづけた。そのあいだ、ずっと狂犬のように追跡されていた。バグダッドでは午前三時であった。ナイト・クラブの客や、いつも夜明け前の三十分を追って世界をわたり歩く人びとがアルコールに酔って彼に喝采した。パリとロンドンは深夜だった。シャンゼリゼとピカデリー・サーカスの群衆はフォイルの出現と熱情的な警告で電撃をうけたようになった。

わずか五十分で世界の四分の三を遍歴して追跡者たちをひきずりまわしたのち、フォイルはロンドンで彼らにとらえられる気になった。彼らはフォイルをなぐりたおし、彼の腕からパイアの金庫をひったくった。彼らは残っているパイアのかたまりを数え、金庫の蓋を固く閉めた。

「戦争をやるには充分残っているぞ。もし、きみたちがやる気なら……破壊と……死滅のためにはたっぷり残っているぞ」彼は、笑い出した。ヒステリックな勝利感ですすり泣いた。

「防衛のために、何百万もの金をつかったところで、生きのこるためには一¢rも使わないんだからな」

「きさまは自分のやったことを自覚しているのか？」ダーゲンハムが叫んだ。

「自分が何をやったか知っているよ」

「九ポンドのパイアが世界じゅうにばらまかれた！　もし誰か一人でもかんがえたら、われわれは——彼らに事実をおしえずにどうやって回収したものだろう？　おねがいだ、たのむから、この群衆を遠ざけてくれ、ヨーヴィル。彼らにこの話を聞かせてはいかんのだ」

「そんなことは不可能だ」

「よし、ジョウントしよう」フォイルがどなった。「みんなにこの話を聞かせるがいい。いっさいを聞かせるがいい」

「きさまは正気じゃない。子どもに実包をこめた銃をわたしたようなものだぞ」

「民衆を子どもあつかいするのはよせ。そうすれば、彼らは子どものようにふるまうのをやめるだろう。監督者のように行動するきみたちとは、いったい何者だ？」

「何をいいやがる」

「彼らを子どもあつかいするのをやめろ。実弾をこめた銃のことを説明するがいい。いっさいをあかるみに出せ」フォイルは咆哮した。「おれはあの〝会議室〟の会議を最終的に終わらせた。おれは最後の秘密をひろくまきちらした。今後いかなる秘密もない……子どもたちに、何を知るのが最善であるかを教えることもない……みんなを大人にならせるがいい。もうそのときがきているのだ」

「ああ、こいつ発狂しているぞ」

「おれが？　おれは生きて、また、死んでゆく人びとに生と死をわたしたのだ。ふつうの人びとは、おれたちのような駆り立てられた人間によって長いあいだ鞭打たれ、導かれてきたのだ……強制的な人間……世界を彼らの前で打ちすえないわけにいかない虎の人間たち。われわれ、三人とも虎なのだ。しかし、ただ自分が他人に対して強制力を持つという理由だけで、世界にかわって決定するわれわれとは何者なのだ？　この世界に生と死のいずれをえらぶか、きめさせるがいい。なぜわれわれが責任を負わなければならないのか？」

「われわれは権力をにぎっているのではない」ヤン・ヨーヴィルがしずかにいった。「われわれは駆り立てられているんだ。われわれは普通人が避けている責任を負うように強いられているのだ」

「それなら彼らが責任を回避するのをやめさせたらいいじゃないか。その義務と罪業を奇形人の肩におしつけるのをやめさせたらいい。われわれは永遠に世界の贖罪羊（古代ユダヤでは贖罪日に罪人の罪を負わせて荒野に山羊を放つ習慣があった）になるべきなのか？」

「何をいうんだ！」ダーゲンハムが憤激していった。「民衆が信用できないものだということがきさまにはわからないのか？　彼らは自身の利益すら満足に知らんのだぞ」

「それなら彼らにそれをまなばせるか、さもなければ死なせるがいい。われわれは一蓮託《いちれんたく》生《しょう》だ。ともに生きのびるか死ぬか、どっちかだよ」

「彼らの無智のためにきさまは死ぬつもりなのか？　きさまはいっさいをぶちまけることなしに、あの物質を回収する方法を考え出さなければならないのだぞ」

「いやだ。おれは民衆を信じている。おれは虎になり果てるまでは民衆の一員だった。おれのようにたたきのめされて眼ざめさせられれば、誰だって凡人ではなくなることができる」

フォイルは身ぶるいすると、いきなりピカデリー・サーカスの中心にある十五メートルのブロンズのエロスの像の頂上にジョウントした。彼はその上にやっとのことで立ちあがって大声で呼びかけた。「おーい、聞いてくれ、諸君！ おれの話を聞いてくれ、諸君！ おれは訴えたい、わかってくれ、諸君！」

大きな喚声が彼に応えた。

「諸君はブタだ。ブタみたいに阿呆だ。おれのいいたいのはそれだけだ。諸君は自分のなかに貴重なものを持っている。それなのにほんのわずかしか使わないのだ。諸君、聞いているか？ 諸君は天才を持っているのに阿呆なことしか考えない。精神を持ちながら空虚を感じている。諸君の全部がだ。諸君のことごとくがだ……」

嘲笑が浴びせられた。彼は憑かれたようにヒステリックな情熱で言葉をつづけた。

「戦争をやって消耗しつくすがいい。惨憺《さんたん》たる目にあって考えるがいい。自分を偉大だと思いこむために挑戦するがいい。あとの時間はただすわって怠惰におちいるがいい。諸君は、ブタだ！ いいか、呪われているんだぞ！ おれは諸君に挑戦する。死か生か、そして偉大になるがいい。きさまたちが最後の破局をむかえるときには、このおれを、ガリー・フォイルを見いだすのだ。おれは諸君を人間にしてやる。おれは諸君を偉大にしてやる。

おれは諸君に星をあたえてやるのだ」

彼は消えた。

彼はエルスウェアへ、エルスウェンへ時空の最短距離をジョウントした。彼は宇宙創造の大混沌《カオス》に到達した。一瞬、不安定な近・現在にとどまり、たちまちカオスのなかにおちていった。

「**これはなし得べきことだ**」彼はかんがえた。「**これはなされねばならぬ**」

彼はまたジョウントした。燃える槍は未知なるものから未知なるものへの領域へ飛んだ。

ふたたび彼は近・空間と近・時間の混沌のなかにおちこんだ。彼はノオウェアのなかにうしなわれた。

「**おれは信ずる**」彼はかんがえた。「**おれは信仰をもっている**」

彼はまたジョウントした。ふたたび混沌におちた。

「**何に対する信仰なのか？**」彼は地獄の辺土にただよいながら自問した。

「**信仰への信仰だ**」彼はかんがえた。「**何か信ずるものをもつことは必要ではない。どこかに何か信ずるに値するものがあることを信ずることが必要なのだ**」

彼は最後にジョウントした。信ずることへの意志の力が、無目的な目的地の近・現在を現実に変容した……。

今。青白く燃えさかるオリオンの星座のリゲル。地球から隔たること五百四十光年。太陽より一万倍明るい輝星、三十七の巨大な惑星に囲繞《いじよう》されたエネルギーの沸騰点……フォイルは宇宙の内部で凍え、あえぎながら宙にただよい、自分がすでに信じていながら、まだ想像もしなかった信じがたい運命に直面していた。眼もくらむような一瞬、宇宙に浮遊していた。地球の生命創造の夜明けに原始の海浜にあってはじめて海に入り、水にあえぎながら浮遊していた生物とおなじように、無力で、困惑しきって、しかもどうすることもできない状態に置かれていた。

彼は宇宙ジョウントした。近・現在をまたしても変えながら……。

今。琴座《リラ》のα星《ヴェガ》。リゲルよりもさらに青く燃えさかる地球から二十六光年のA0星。惑星はないが、灼熱する彗星群によって囲繞されている。彗星群のガス状の尾は青と黒の天の穹窿《きゆうりゆう》に向かって火花を散らしていた。

さらに彼は現在を今に変えた。カノープス、太陽のように黄色く、巨大で、宇宙の沈黙しきった荒野のなかで轟音をあげているこの星は、ついに、かつて鰓《えら》を持っていた生物、人間によって侵入された。その生物は宇宙の浜辺であえぎながら浮いていた。生よりは死に近く、過去よりは未来に近く、広大な世界の終焉部を一万キロも越えていた。それは、あの土星の輪、土星の軌道の幅の輪のように広闊な、平たい輪をなしてカノープスをかこんでいる。星塵、流星などの堆積のなかをさまよっていた。

今。雄牛座《タウルス》のアルデバラン。巨大な赤い双子星。その十六の惑星は旋回する両親の周囲を高速度の楕円形を描いて疾走している。彼は時空をますます増大してくる確信をもって移動している……。

今。アンタレス。一等星。赤い巨大な、アルデバランのような双子星。地球から二百五十光年、エデンのような気候の、水星ほどの大きさの二百五十の惑星にかこまれた星……。

そして最後に……**今**。

彼は、分娩の子宮の内部に孕《はら》まれていた。彼は《ノーマッド》に戻ったのだ。今や、彼は——火星と木星のあいだの宇宙航路のごみさらいをしていた、あのうしなわれた民族、科学人の国、サルガッソ小惑星のおびただしい群れの内部に定着させられていた。フォイルの顔に虎を彫りつけ、彼にモイラ（M♀IRA）という娘と結婚させたジョゼフ（J♂SEPH）の故郷に……。

彼は《ノーマッド》にもどっていた。

おれの名前はガリー・フォイル
そして地球《テラ》がおれの国
無限の宇宙に住みなれて
わが赴くは星の群れ

女、モイラは《ノーマッド》の器具ロッカーのなかで彼を発見した。彼はまるくちぢこまった胎児だった。顔はうつろだった。眼は神聖な啓示で燃えていた。この小惑星はずっと前に修繕され、気密装置ができていたが、まだ、このときのフォイルは、何年も前に彼を誕生させたあの危険な生存の動作をつづけていた。

しかし、彼は今や自分がまなんだすばらしい事象を消化しながら、眠り、瞑想していた。夢現《ゆめうつつ》からさめて恍惚状態に移り、ロッカーから脱け出して、見えない眼でモイラのそばをとおった。わきへよけて、ひざまずき、畏れおののいている女とすれちがった。彼は空虚な通路をさまよい、また、ロッカーの胎内にもどった。またからだをまるめて意識をうしなった。

彼女は一度彼にふれてみた。彼は動かなかった。彼女は、彼の顔に彫りつけられた名前を呼んだ。彼は答えなかった。彼女は小惑星の内部に向かって駆けていった。ジョゼフが支配していたあの神聖な、神聖な場所へ。

「わたしの良人《おっと》がもどってきました」モイラがいった。

「おまえの良人？」

「わたしたちを破壊しそうになったあの神人です」

ジョゼフの顔は怒りで暗くなった。

「どこにいる？　案内しろ！」

「あなたは彼を傷つけないでしょうね？」

「いっさいの負債は支払われなければならないのだ。案内しなさい」

ジョゼフは彼女について《ノーマッド》のロッカーに到着した。そしてフォイルをひたと見まもった。彼の顔の怒りはおどろきにかわった。彼はフォイルにふれてみて、言葉をかけた。しかし、それでも反応はなかった。

「あなたは、このひとを罰してはなりません」モイラがいった。「このひとは死にかけているのです」

「そうではない」ジョゼフはしずかに答えた。「彼は夢を見ているのだ。わしは僧として、そうした夢を知っている。やがて彼は眼ざめて、われわれを認め、彼の民衆を、彼の思想を認めるだろう」

「そうしたらあなたはこのひとを罰するのでしょうね」

「彼はすでに自分で罰を発見したのだ」ジョゼフがいった。

彼はロッカーの外に置かれた。女、モイラはねじまがった廊下を駆けていって、すぐあたたかい水を入れた銀の器《うつわ》と食物を入れたトレイを持ってもどってきた。彼女はフォイルをやさしく沐浴《ゆあみ》させてから、彼の前に神への供物《くもつ》としてそのトレイをささげた。それから彼女はジョゼフの横にならんで……世界とともに……大いなる眼ざめを待つ準備をした。

十年に一度の傑作

浅倉久志

わたしは常にパターンとリズムとテンポに憑かれており、常にその角度から自分の小説を考えている。わたしをタイポグラフィーの実験に追い立てるのも、パターンへのこの執着だ。わたしが懸命に開発しようと努力しているのは、視覚と、音響と、文脈とを、ドラマチックなパターンに融合させる技術である。読者の目と耳と心を一つに溶けこませ、それらの各部分の総和より大きいものを味わってもらいたいのだ。わたしの奇妙な信念からすると、本を読むことは、本を読む以上の何物かでなくてはならない。それは、全感覚的な知的体験でなくてはならないのだ。

（アルフレッド・ベスター）

使い古された形容だが、〝十年に一度の傑作〟という文句ほど、本書『虎よ、虎よ！』

にぴったりあてはまるものはない。一九五六年に発表されたこの小説は、あらゆる意味で、一九五〇年代アメリカSFの最良の部分の集大成だといえよう。

　眩惑的な技巧、惜し気もなく繰り出される無数の小アイデア、たたみこむようなテンポと、切れ味のいい文体、華麗な退廃趣味、洗練された会話とワサビのきいたユーモア……ベスターの作品の魅力を数えあげればきりがないが、なによりも重要なのは、最初の一ページ目から読者をぐいぐいと物語にひきずりこむあの異様な熱気と迫力ではないだろうか。ベスターは、SFを〝逃避《エスケープ》小説〟ではなく〝捕縛《アレスト》小説〟だと語り、古いハリウッドのギャグ――「まず地震で始めて、そこからクライマックスへ持っていけ」を引き合いに出す。言いかえれば、「SFは絵だ」といわれる、そのまさしく〝絵〟になった場面場面が、「読者を最終ページに向けて疾走させるベクトル感覚」で織りなされてゆくのだ。

デーモン・ナイトは、かつて『虎よ、虎よ！』の書評の中で、大略こんな意味のことを述べた――「ベスターは、この小説の中に、普通の小説六冊分ものすばらしいアイデアを持ちこんだ。それでも満足せずに、彼はさらにもう六冊分の悪趣味と、矛盾と、誤謬を持ちこんだ……。にもかかわらず、結末までくると、すべての要素が渾然一体となり、神秘的な変貌をとげて、奇怪な感動が呼びおこされる。ベスターは、ガラクタを寄せ集めて芸術品を創りあげたのだ……」

アルフレッド・ベスターは、一九一三年、ニューヨーク市のマンハッタンで、ユダヤ系の中流家庭に生まれた。おとぎ話からH・G・ウエルズ、創刊されたばかりのアメージング・ストーリーズ誌といったお定まりのコースを経て、熱烈なSFファンとなる。ペンシルヴェニア大学で化学を専攻し、途中でコロンビア大学の法科に転入したが、結局どちらの専門家にもならなかった。当時「ルネッサンス人の理想にとりつかれていた」ために、音楽や美術の単位をとるのと、漕艇、フットボール、フェンシングなどの選手生活で忙しく、化学や法律の方面に進むだけの成績を残せなかったらしい。

大学を出てぶらぶらしているうちに小説を書いてみようかという気になり、一篇のSFをスタンダード・マガジンズ社（スリリング・ワンダー誌やスタートリング・ストーリーズ誌の出版社）に投稿したのが機縁で、同社の編集者であるモート・ワイジンガーとジャック・シッフの二人と知り合った。ちょうどジェイムズ・ジョイスの『ユリシーズ』を読み終えたばかりだったので、そのすばらしさを力説しているうちに、彼らに見こまれたらしく、耳よりな提案を持ちこまれた。スリリング・ワンダー誌でアマチュアのSFコンテストを行なっているのだが、ろくな小説が集まらない。ついては、きみの投稿作品がものになりそうなので、それに手を入れてくれれば入選作にしてもいい、というのである。二人の助言にしたがって書き直されたこの短篇“The Broken Axiom”（こわれた公理）は、同誌の一九三九年四月号に、コンテスト第一席入選作として掲載された。賞金五十ドル。

これがベスターの作家としてのデビューである。

それからの三年間、ベスターは同誌を中心に合計十四の短篇や中篇を発表するが、SF作家としてはごく平凡な存在だった。この第一期の作品の中で現在でも読むに耐えるのは、のちにヒーリイ&マッコーマス編『時間と空間の冒険』に再録された「イヴのいないアダム」と、後年のベスターの作風をうかがわせる中篇「地獄は永遠に」ぐらいのものだといわれている。事実、最近出たベスターの自選短篇集でも、この時期の旧作はこの二つしか収録されていない。

ここで一つの転機をもたらしたのは、一九四〇年代初めのコミックスの爆発的ブームだった。彼の師匠である二人の編集者がスーパーマン・グループに引き抜かれるのといっしょに、ベスターも二人のすすめでコミックスのシナリオを書くことになった。原作の需要はすさまじく、駆け出しの作家にとっては、苦しいが得がたい修業の場だった。こうして『スーパーマン』をはじめ、『グリーンランタン』、『キャプテン・マーベル』などのシナリオを書きまくっているうちに、視覚化、強いアタック、セリフ、簡潔さ、などの技術をたたきこまれたのが、後年に役立ったという。

コミックスの仕事を三年ほどつづけた頃、女優である彼の奥さんが、ラジオのミステリ・ドラマ《ニック・カーター》が台本を欲しがっているという話を聞きこんできた。そこで、いままでに書いたコミックスのシナリオの中で一番出来のいいのを翻案して持ちこむと、ただちにOK。つづいて、新しくスタートした《チャーリー・チャン》にも、おなじように台本が採用された。そろそろコミックスは下火になっていたが、激しい生存競争の場で鍛えられたのが物をいって、その年の終わりには、前記二つのラジオ番組のレギュラー作家をつとめるほか、《ザ・シャドウ》その他のドラマにも手を染める売れっ子になっていた。それからはコミックスもSFも忘れて、ミステリ、冒険物、ファンタジイ、ヴァラエティなど、ラジオ番組のあらゆる分野を手がけ、ときには演出までをひきうけた。やがてアメリカがテレビ時代にはいると、こんどはテレビ・ショットの夢を見るようになるまで、台本を書きつづけた。もっとも、ラジオと違って、テレビの世界は、スポンサーの注文や検閲が厳しく、ベスターの肌には合わなかったらしい（のちに彼はこのときの体験をもとにして、テレビ界の内幕を暴露した長篇小説を一冊書いている）。

ある日、コミックスのライター時代の知合いであるホレース・ゴールドから、とつぜん電話が掛かってきた。こんどギャラクシイ誌の編集をはじめたので、ぜひなにか書いてほしいというのだ。その時のようすを、ベスターはこう述懐している――「わたしは気が違ったように笑ったものだった。SF作家としてわたしが下の下であることはわかっているし、それにコメディの締切が十日ごとにある……いつもそれで苦労するのだ……なお悪いことに、最近のSFがどんなものか、ほとんど知らないといっていい。ホレースは、それから一、二週間ごとに、雑談や噂話をするために電話をかけてきた。少くとも、わたしはそう思っていた。そして企みに気づいたときには、わたしはとうに彼のために何か書かなければならない羽目におちいっていた」（伊藤典夫訳）

最初ベスターの頭にあったのは、タイムマシンを備えて、犯罪をその発生時点までたどれるようになった未来の警察を相手に、犯人がどのような巧妙な方法で完全犯罪を企むかという、倒叙ミステリだったらしい。だが、時間旅行テーマはすでに使い古されているから、警察官にタイムマシンの代わりにテレパシー能力を持たせ、同時にその裏付けとして、一つのエスパー社会を創り上げては、と助言したのがホレース・ゴールドだった。

その一夏、ファイア・アイランドの別荘にひきこもって書かれたこの長篇『破壊された男』は、ギャラクシイ誌一九五二年一月号から三回にわたって連載された。巧妙なプロット、主人公たちの強烈な性格、華麗な技巧、コミックスやラジオ・テレビの世界で鍛えこまれたダイナミックな語り口、そしてなによりも十年間の人生経験の積み上げからくる作者自身の成熟――それらは、まさしく異色ある個性を持った新しい作家ベスターの誕生を告げるものだった。連載中から圧倒的な好評をうけたこの小説は（ギャラクシイ編集部には、感激したファンからの手紙が殺到し、なかにはプロの作家や評論家からのものも数十通含まれていたという）翌年の世界SF大会でスタージョンの『人間以上』、クラークの『幼年期の終り』をしりぞけて、第一回ヒューゴー賞を獲得した。

SF界に華々しいカムバックをとげたベスターは、いくつかの個性的な短篇を発表するかたわら、二冊目の長篇の構想を練りはじめた。しばらく前から彼は、デュマの『モンテ・クリスト伯』にならった復讐譚を書きたいと思っていたらしい。たまたまある日、古いナショナル・ジオグラフィック誌の中で目にとまった記事が、彼の想像力を刺激した。それは第二次大戦中に魚雷攻撃をうけ、四ヵ月間もいかだで漂流していたフィリピン人の船員の物語だった。悲惨なことにこの船員は、付近を通過する船から何回も目撃されていたのだが、どの船もコースを変えて彼を救助しようとはしなかった。ナチの潜水艦が、商船を誘《おび》きよせるため、よくこういった囮を使うことがあったからだ。

第二作はイギリスのサレーで書きはじめられたが、なかなか思うように進まなかった。そのうちに冬がきてしまい、寒さに閉口したベスターは、海峡を越えてローマに移動し、ここで残りを書きつづけることになった。いちばん苦労したのは結末だった。この物語にふさわしい圧倒的なフィナーレが、どうしても思い浮ばない。ある日、イタリアの若い映画監督と、どこの国でも実験的な作品はなかなかやらせてくれないという話になり、前からテレビの脚本に使いたいと思っていた〝共感覚（音を聞くと色が見えるというように、一つの感覚が他の領域の感覚をひきおこすこと）〟という現象を説明しているうちに、はっと気がついた。これこそ自分が求めていたクライマックスではないか！

こうして一九五六年に発表された第二作が、いうまでもなく、本書『虎よ、虎よ！』である。まずイギリスで単行本になった後、おなじ年 *The Stars My Destination*（わが赴くは星の群れ）の題で、ギャラクシイ誌の十月号から四回にわたって連載された。

『破壊された男』のスケールをひとまわりひろげ、情念とエネルギーをさらに増幅させたこの作品は、「ベスターのもっとも華麗な傑作」というアンソニー・バウチャーの絶賛を受けはしたものの、一般的には前作ほどの人気は得られなかったようだ。当時のアメリカSF界では、やや八方破れの感のあるこの作品よりも、『破壊された男』のほうが、小説としてのまとまりや完成度の点で高く評価されたのだろう。アメリカで『虎よ、虎よ！』の価値が再認識されはじめたのは、ベスターの影響をうけたニュー・ウェーヴ作家が出現しはじめてからである。中でもサミュエル・ディレイニーなどは、この作品を、「アメリカが生んだ最高の長篇SF」とまで言い切っている。

二冊の長篇と十あまりの短篇で一流作家の列に加わったベスターは、だが、この頃からふたたびSF界を遠ざかりはじめた。一九六〇年から担当しはじめたF&SF誌の書評欄は、彼の批評があまりにも厳しすぎるという読者の反響もあって、二年ほどで後任者と交代し、作品の発表もしだいに少くなり、六四年からはぱったりSFを書かなくなってしまった。そのきっかけは、旅行雑誌ホリデイの編集者が、ベスターの書いたテレビの内幕小説を読んで彼に注目し、海外のテレビ界の特集記事を書いてくれないかと、口説いたことにあるらしい。つまり、『虎よ、虎よ！』も、実はこの取材旅行中に書かれたわけである。この特集記事が非常に評判がよく、結局ベスターは同誌の定期寄稿家に迎えられることになった。新車のテスト・ドライブ、NASAセンターの取材、ボーイング七四七の処女飛行、芸能界の有名人へのインタビューなど、つねに新しい刺激にみちたこの仕事は、変化を求めてやまない彼の気質にぴったりだったようだ。やがて寄稿家から一転して同誌の編集スタッフに加わるほど、そこの水になじんでしまった。

そのベスターが、ふたたび十年近い空白をおいてSF界にもどってきたのは、一九七二年のことだった。同年十月号のF&SF誌には、「アニマル・フェア」というベスターの中篇が、つぎのような作者の言葉とともに掲載されている——「ホリデイ誌がインディアナポリスへ移転することになり、その巨大都市をひとめ見ただけで、わたしは同誌のスタッフにとどまることを丁重に断わった。これからは小説書きに専念するつもり……」そのあとに添えられたF&SF誌編集者の一言がいい——「インディアナポリスよ、ありがとう」

そして一九七四年には、ファンが待ちに待った彼の長篇が、アナログ誌に連載されはじめた。舞台は百年あまり未来、人口過剰におちいったアメリカ、地上のすべての機械をコントロールしているスーパー・コンピュータに対して、不死人のグループが人間の独立をかちとるために戦いを挑むという物語である。*Indian Giver*（返礼目当てに贈物をする人）、のちに単行本になる際 *The Computer Connection*（邦題『コンピュータ・コネクション』）と改題されたこの長篇は、『虎よ、虎よ！』ほどの迫力には欠けるが、息つく暇もなく繰り出されるアイデアとしゃれた文体は、やはりベスター独特のものだという評判で、ヒューゴー、ネビュラ両賞の候補にも推された。その後、ホリディ誌は廃刊になったので、なにか新しい分野の挑戦が彼の前に現われない限り、ここしばらくの間ベスターはSFを書きつづけてくれそうな雲行きである。近く新作長篇『ゴーレム100』が出版されるというニュースもある。

（一九七八年刊行のハヤカワ文庫版解説に手を加えたものです）

新装版に寄せて

浅倉久志

アルフレッド・ベスターがSF作家として活躍した時期は三つに分かれる。

第一期は一九三九年～四二年。パルプ雑誌のSF作家としてスタートしたあと、コミックスのシナリオ・ライター、さらにはラジオ、テレビの台本作家として活躍した時代。

第二期は一九五〇年～五八年。ホレース・ゴールドの誘いでSF界に復帰し、多くの優れた短篇と『破壊された男』（『分解された男』）、『虎よ、虎よ！』の二長篇を発表した全盛期。だが、この時代も旅行雑誌ホリデイのライターへの転身で終わる。

第三期は一九七二年～一九八〇年。そのホリデイ誌が本社を移転し、その後一九七二年に廃刊、十数年の空白を経てベスターがSF界に復帰した時期。この時代の長篇は、『コンピュータ・コネクション』（一九七四）がサンリオSF文庫から故野口幸夫さんの訳で一九八〇年に、『ゴーレム^{100}』（一九八〇）が国書刊行会から渡辺佐智江さんの訳でつい半年前に出た。こんどこそSF界に腰を落ちつけるかと思われたベスターだが、残念ながら健康を害し、長い闘病生活を経たのち、一九八七年九月末に心臓病でこの世を去った。

第三期の未訳長篇としては、*The Deceiver*（一九八一）と、ベスターの死後、ロジャー・ゼラズニイが書きつぎ、共作の形で発表された*Psychoshop*（一九九八）がある。ほかにベスターは二冊の普通小説も書いている。*Who He?*（一九五三）（五六年に*The Rat Race*と改題してペイパーバック版で再刊）は、テレビ界に題材をとったサイコ・サスペンス物。没後に出た*Tender Loving Rage*（一九九一）は、実は二十年以上も前に書かれたニューヨークの広告業界の内幕物。

ふりかえると、ぼくが『虎よ、虎よ！』に圧倒され、すごい作家がいるもんだと感動したのは四十年以上の昔、前記のハヤカワ・SF・シリーズ版ではじめて本書を読んだときだった。その本が文庫化されたのが一九七八年一月。今回の新装版は三十年ぶりのお目見えとなる。このところベスター再評価の機運が高まり、二〇〇四年には河出書房新社の奇想コレクションから中村融さんの編・訳で短篇集『願い星、叶い星』、二〇〇七年六月には前記の『ゴーレム100』が出て、いよいよ今回は『虎よ、虎よ！』の新装版。これで新しい読者のあいだにベスター人気が高まれば、こんなにうれしいことはない。

二〇〇八年一月

本書は、一九七八年一月にハヤカワ文庫SFから刊行された『虎よ、虎よ!』の新装版です。

訳者略歴　1927年生，1953年明治大学文学部卒，作家　英米文学翻訳家　訳書『麻薬密売人』マクベイン，『死の接吻』レヴィン，『裁くのは俺だ』スピレイン（以上早川書房刊）他多数

HM=Hayakawa Mystery
SF=Science Fiction
JA=Japanese Author
NV=Novel
NF=Nonfiction
FT=Fantasy

虎《とら》よ、虎《とら》よ！

〈SF1634〉

二〇〇八年二月二十五日　発行
二〇一四年二月　十五　日　五刷

（定価はカバーに表示してあります）

著者　アルフレッド・ベスター
訳者　中《なか》田《た》耕《こう》治《じ》
発行者　早川浩
発行所　株式会社　早川書房

郵便番号　一〇一 - 〇〇四六
東京都千代田区神田多町二ノ二
電話　〇三 - 三二五二 - 三一一一（大代表）
振替　〇〇一六〇 - 三 - 四七七九九
http://www.hayakawa-online.co.jp

乱丁・落丁本は小社制作部宛お送り下さい。
送料小社負担にてお取りかえいたします。

印刷・三松堂株式会社　製本・株式会社川島製本所
Printed and bound in Japan
ISBN978-4-15-011634-7 C0197

本書は活字が大きく読みやすい〈トールサイズ〉です。